D0364373

Mijn vriend Ben

Julia Romp &
Megan Lloyd Davies

Mijn vriend Ben

the house of books

Oorspronkelijke titel
A Friend Like Ben
Uitgave
HarperCollins*Publishers*, Londen

Vertaling
Cherie van Gelder
Omslagontwerp
Cunéra Joosten
Omslagfoto's
© John Daniels/ardea.com en Vetta Collection
Opmaak binnenwerk
ZetSpiegel, Best

ISBN 978 90 443 2873 8
D/2010/8899/144
NUR 320

www.thehouseofbooks.com

Voor George, omdat je me liet zien hoe mooi jouw wereld is en hoe heerlijk die kan zijn. En als liefdevol aandenken voor mijn vader Colin, die me de lach schonk die ik iedere dag aan George probeer door te geven.

Proloog

Als we het over eerste indrukken hebben, maakte Ben bepaald geen goede beurt. Hij was geen klein, snoezig jong poesje met pluizige rode haartjes en zelfs geen slanke, volwassen kat met een glanzend schildpadvachtje. Zijn zwart-witte vacht zat onder het geronnen bloed, zijn rode kontje was helemaal kaal en zijn dunne staartje had meer weg van een behaard twijgje. Gelukkig kon ik op het eerste gezicht niet zien dat hij ook nog onder de vlooien zat en last had van oormijt.

Maar hoe onaantrekkelijk hij er ook uitzag, vanaf het moment dat het ziekelijke zwervertje regelmatig in mijn tuin opdook, zette ik buiten voer klaar, want ik ben altijd dol geweest op dieren. Mijn tamme konijn Fluffy woont zelfs in een schuurtje dat helemaal met bloemen is beschilderd – een soort driesterrenhotel voor konijnen – en bij wijze van slaapplaats voor de kat zette ik ook maar een reismand in het schuurtje. De zwerver ging er met de dag slechter uitzien en ik was van plan om het deurtje dicht te doen zodra hij zich op zijn gemak voelde in de mand, zodat ik met hem naar de dierenarts kon.

Laat hij er alsjeblieft in liggen slapen, dacht ik iedere morgen als ik met mijn tienjarige zoon George de tuin in liep om te controleren of het eten op was en of het dekentje er gekreukeld bij lag.

Vervolgens gluurden we samen in de donkere schuur en zagen de ogen van de kat op ons gericht. Ze waren licht en felgroen, de kleur van verse lindeblaadjes, en iedere keer als ik ze zag, bleef ik als aan de grond genageld staan. Want de kat zat wel af en toe op de plank of naast een bloempot, maar nooit in de mand.

'Boe!' zei George dan, omdat hij iedere keer als we gingen kijken probeerde verstoppertje te spelen met de kat. Daar was ik blij om want hij speelde bijna nooit met iemand. Autisme maakte de wereld van George af en toe ontzettend eenzaam en voor andere kinderen was hij eigenlijk net zo'n groot raadsel als zij voor hem. Ze waren bang voor de woedeaanvallen die gepaard gingen met gegil en gekrijs en hij was net zo bang voor de herrie die zij maakten en de manier waarop ze hem op school in de gang opzij duwden. Daarom was het zo fijn dat George belangstelling toonde voor Ben, zoals hij de kat noemde, ook al wilde de kat niets van hem weten. Iedere keer als George en ik te dichtbij kwamen, begon de kat te sissen en te blazen, liet zijn tanden zien en zette zijn haren op. Kortom, hij liet duidelijk blijken dat hij niets met ons te maken wilde hebben.

Maar net als bij mensen kun je met geduld en lekker eten bij dieren veel voor elkaar krijgen. Langzaam maar zeker begon het zwervertje zich genoeg op zijn gemak te voelen om in de mand te gaan slapen, en na nog een paar weken slaagde ik erin om het deurtje met een bezemsteel dicht te duwen.

Toen ik de kat naar de dierenarts bracht, vertelde ik dat de kat niet van mij was, liet hem bij hen achter en maakte mezelf wijs dat mijn werk gedaan was. Ik had overal in de buurt posters opgehangen met een foto van de kat, en als iemand zich bij mij meldde, zou ik hem of haar doorsturen naar de dierenarts. Maar dat gebeurde niet en een paar weken later kwam het telefoontje waar ik stiekem bang voor was geweest.

'Zou je die kat zelf niet in huis willen nemen?' vroeg de dierenarts en ik wist niet wat ik daarop moest zeggen. Als je me zou kennen, zou je meteen weten hoe ongebruikelijk dat is. Volgens mijn moeder is de uitdrukking 'iemand de oren van de kop kletsen' voor mij uitgevonden en ze heeft gelijk. Maar ik stond met mijn mond vol tanden toen de dierenarts met die vraag aankwam. Aan de ene kant ben ik namelijk wel gek op dieren, maar aan de andere kant had ik bezworen dat ik nooit een kat zou nemen, want toen ik nog klein was hadden we zoveel katten dat er nauwelijks ruimte voor mij overbleef. En trouwens, George mocht dan belangstelling hebben gehad voor die zwerver, dieren waren nooit echt een succes geweest, omdat hij zich maar moeilijk aan iets kon hechten. Voor Polly, de parkiet, moesten we een ander huis zoeken omdat hij te veel lawaai maakte en George was al snel uitgekeken op Fluffy, het konijn. Daar kon hij niets aan doen. George was niet zoals andere kinderen – ook al wilde ik dat nog zo graag – en ik had geen zin om weer aan iets anders te beginnen, want ik had mijn handen vol aan hem.

Maar toen ik aarzelde, stelde de dierenarts voor dat we dan maar even bij de kat moesten gaan kijken.

'Hij ziet er zo verdrietig uit,' zei hij. 'Volgens mij wil hij wel graag weer eens een bekend gezicht zien.'

Wat kon ik doen? Mijn hart won het van mijn verstand en ik ging samen met George naar de dierenarts, waar we een bekend hoopje zwart-wit bont opgekruld in een hoekje van een kooi zagen liggen. Toen stond hij op en ik zag dat de kat een grote, kaalgeschoren plek op zijn buik had en een plastic kraag om zijn nek om te voorkomen dat hij aan zijn hechtingen zou gaan vreten. Hij leek nog lelijker dan daarvoor, maar daar trok George zich niets van aan toen hij naast de kooi op zijn knieën ging liggen.

'Bennie Boe!' zei hij met een hoog stemmetje dat ik nooit eerder had gehoord. Hij klonk zowel verlangend als opgewonden.

'Voel je je weer een beetje beter, Ben?' vroeg George. 'Gaat het weer goed met je?' Hij gebruikte opnieuw dat zangerige toontje dat ik niet herkende en de kat miauwde terug toen hij tegen hem bleef praten.

'Volgens mij vindt hij je lief,' glimlachte de assistente van de dierenarts die ons bij de kooi had gebracht.

George hield meteen zijn mond. Hij hield er niet van om met mensen te praten, laat staan met vreemden, en hij kon ze niet aankijken als ze met hem in gesprek probeerden te komen. In plaats daarvan keek hij zwijgend langs hen heen. Alles was beter dan iemand in de ogen te kijken. Maar zodra de assistente met iets anders bezig was en George wist dat hij niet meer in de gaten werd gehouden, bukte hij zich weer naar de kooi.

'Bennie Boe!' zei hij met die hoge stem. 'Heb je pijn in je buik?'

Hij bracht zijn gezicht nog dichter bij de tralies van de kooi en ik deed een stap naar voren, omdat ik er zeker van was dat de kat door de tralies heen naar hem uit zou halen. Dat had hij ook altijd gedaan als we hem in het schuurtje opzochten. Maar toen bleef ik staan, want terwijl de kat George ernstig aankeek, stapte hij voorzichtig naar voren, drukte zich in zijn volle lengte tegen de tralies en begon te schurken. Waar was de sissende, blazende kat gebleven die we zo goed kenden? Ik wist niet wat ik zag. En ik wist evenmin wat ik hoorde, toen de zwerver diep in zijn keel begon te spinnen en zich bewoog op de maat van de woorden die George tot hem richtte.

'Ben, Ben!' riep hij zangerig. 'Gaat het weer goed met je? Gaat het goed?'

De kat snuffelde in de lucht en George boog zich nog verder naar hem over. Toen zijn gezicht op dezelfde hoogte was als dat van de kat, keek het dier hem recht in de ogen en ik was ervan overtuigd dat hij zich om zou draaien. Maar dat deed George niet. In plaats van langs de kat te kijken, of zijn hoofd te laten hangen, keek hij de kat strak aan. Het oogcontact tussen de twee werd geen moment onderbroken terwijl George zacht door bleef praten. Ik hield mijn adem in en keek verbijsterd naar het stel: George die tegen Ben zat te praten en te glimlachen alsof dat voor hem dagelijkse kost was en de kat die hem op zijn beurt zat aan te staren met die groene ogen vol van iets dat ik alleen maar kan omschrijven als berusting. Hij maakte de indruk van een eeuwenoud wezen dat alles had gezien en nergens meer van opkeek.

Nou ja, toen wist ik dus wat me te doen stond, hè? Hoop doet leven, zoals het gezegde luidt. Ik wist niet waarom George met die kat kon opschieten. Misschien was het maar een momentopname, of misschien kwam het door het feit dat hij wist dat de rest van de wereld dat raar uitziende beest maar met moeite zou willen accepteren, precies zoals dat met hem het geval was. Maar ik had een glimp opgevangen van iets dat op liefde leek, en ik hoopte zijn hele leven al dat George zou leren van een ander levend wezen te houden. En de kat scheen dezelfde gevoelens voor hem te koesteren.

Dat was genoeg voor mij. Het enige wat ik destijds hoopte, was dat de kat een vriend voor George zou worden. Wat ik nooit had kunnen vermoeden, was dat hij ons leven voorgoed zou veranderen. In meer opzichten dan ik voor mogelijk had gehouden.

DEEL EEN

Voordat Ben er was

Een

Londen is een wereldstad, maar als je er bent geboren en getogen lijkt het soms veel kleiner. Ver uit de buurt van de koninklijke paleizen met de bijbehorende parken, de wolkenkrabbers en de musea, de rode bussen die toeterend de hoek om denderen en de drukke, van voetgangers vergeven straten zijn wijken waar iedereen zijn buren kent. De straten waar je als kind hebt gelopen zijn er eigenlijk nauwelijks veranderd, ook al ben je nu volwassen. In een dergelijke omgeving ben ik geboren, in Hounslow, een van Londens westelijke buitenwijken waar families die daar al generaties woonden zich vermengd hadden met andere die er later waren gekomen en waar iedereen elkaar op zijn minst van gezicht kende, of van een babbeltje bij het tuinhek.

Want Londen bestaat niet alleen uit de herenhuizen en de wolkenkrabbers die op ansichtkaarten staan. Die zijn ver te zoeken als je een paar kilometer uit het centrum bent. In plaats daarvan zijn er straten vol rijtjeshuizen die om ruimte vechten met flatgebouwen en hoewel sommige buurten een opknapbeurt krijgen, zijn er veel waarmee dat niet gebeurt.

Hounslow, waar ik ben opgegroeid, is niet bepaald een chique wijk, maar het is ook geen achterbuurt. Wij woonden in een huis dat in de jaren dertig van de vorige eeuw was gebouwd, tweeonder-één-kap. In het huis ernaast woonden mijn oma en opa, Doris en George. Ik ben geboren in 1973, de tijd van wijde pijpen, de BeeGees en skateboarden – een soort moderne Austin Powers-film, maar dan echt – en net als veel andere mensen kan ik gerust zeggen dat ik een heel gelukkige jeugd heb gehad.

We waren thuis met ons zessen: Carol, mijn moeder, die voor ons zorgde, Colin, mijn vader, die chauffeur was van zo'n bekende zwarte Londense taxi, mijn oudere zus Victoria en onze jongere broertjes Colin en Andrew. Maar natuurlijk noemde niemand ons zo. Tegen Victoria zeiden we altijd Tor, Colin was Boy, Andrew was Nob (ja, ik weet dat het raar is en ik heb ook geen idee waar dat vandaan kwam) en ik was Ju. We vroegen ons nooit af waarom we niet bij onze echte namen werden genoemd, omdat we nergens vraagtekens bij zetten. Ons gezamenlijke leventje was even behaaglijk als een stel oude pantoffels.

Destijds was het voor kinderen allemaal heel anders dan tegenwoordig. In het weekend en tijdens schoolvakanties waren we 's morgens om negen uur het huis uit en we kwamen alleen maar terug om tussen de middag een hapje te eten of een pleister op een kapotte knie te laten plakken. Tor, Boy, Nob en ik speelden met onze vriendjes in de parken in de buurt waar altijd wel iemand was die een oogje op ons hield. Het ergste wat er kon gebeuren was ruzie over een watergevecht en het mooiste geluid van de hele dag was de bel van de ijscoman. Op feestdagen en bij andere bijzondere gelegenheden propte mijn vader ons allemaal in de taxi en reed met ons naar de stad, waar hij over de Mall toerde om ons het wisselen van de wacht bij Buckingham Palace te laten zien, of over het Embankment naar de Tower of London. Op doordeweekse dagen gingen we bij oma en opa langs, of naar het volkstuintje van mam op een stukje grond achter de plaatselijke kazerne. Daar kweekte ze zelf al onze groente.

'Zullen we dan nu maar een kopje thee nemen?' vroeg mam dan als je het gevoel had dat je al uren aan het spitten was, en daarna kregen we allemaal een kopje thee uit de thermosfles die ze altijd bij zich had.

Zoals Amerikaanse kinderen al vroeg dol zijn op milkshakes en Franse kinderen met water aangelengde wijn lekker vinden, zo krijgen Britse kinderen de behoefte aan thee met de paplepel ingegoten. Thee was volgens mijn vader en moeder het antwoord op alle problemen, en zo'n zelfde kopje thee dat ik als kind in het volkstuintje kreeg voorgezet – toen ik er nog van droomde om daar precies zo'n schuur te maken als ze in *Calamity Jane* hadden – kwam er opnieuw aan te pas toen ik op mijn zestiende van school ging en we ons allemaal afvroegen wat er van mij moest worden. Ik maakte niets klaar op school, omdat ik altijd zat te dromen, en mijn leraren riepen om de haverklap dat ik het nooit ver zou schoppen. Maar vlak voordat ik van school ging, had ik een werkstage gedaan bij een bloemenwinkel en toen was er een wereld voor me opengegaan: ik vond het werk leuk, ik was voor de verandering eindelijk eens ergens goed in en mijn loon bedroeg £15 per dag. Ik kon niet wachten tot ik van school mocht.

En nadat ik alles met mam en pa bij een kopje thee had besproken gebeurde dat dus ook. Een paar jaar later schonken ze nog maar eens in toen de plaatselijke dominee me ten huwelijk had gevraagd. Ik had hem ontmoet toen ik in de bloemenwinkel werkte, waar ik bijna dagelijks telefonisch contact had met de plaatselijke begrafenisondernemer, Alan, die op zijn beurt weer om de haverklap belde met de dominee, Harry. Begrafenissen brengen net als bruiloften bij een bloemenzaak veel geld in het laatje, maar als ik bezig was met een grafkrans vond ik het een prettig idee dat ik verdrietige familieleden ook hielp om op een mooie manier afscheid te nemen. En als de drukke dag er dan op zat, ging ik meestal stappen met Alan en Harry, die niet veel ouder waren dan ik.

'Jullie zijn toch de bloemist, de begrafenisondernemer en de dominee?' kregen we dan te horen en de mensen leken echt verbaasd dat drie personen die zo nauw betrokken waren bij het verzorgen van een mooie uitvaart ook lol konden hebben. We werden zelfs een paar keer in de plaatselijke disco gesignaleerd en dan moesten we allemaal lachen als we met open mond werden aangestaard. En naarmate ik Harry beter leerde kennen, ging ik hem steeds aardiger vinden. Hij was vriendelijk en attent en hij stond nooit met zijn oordeel klaar als iemand kwam opdagen bij de jeugdclub van de kerk waar hij de leiding had en waar ik als vrijwilliger werkte. Hij had altijd tijd voor iedereen – dag en nacht – en dat vond ik fijn.

Maar toen hij aan mijn vader vroeg of hij met me mocht trouwen was ik daar absoluut niet op voorbereid. Ik dacht dat Harry gewoon een kopje thee kwam drinken, maar hij ging direct naar pa toe en zei dat hij mij ten huwelijk wilde vragen. Ik was nog jong, een jaar of twintig, en ik kon mijn oren niet geloven. Ik had altijd gedroomd van zo'n zelfde leven als mijn ouders hadden, maar destijds was ik daar nog niet aan toe. Ik barstte van verbazing in tranen uit toen Harry met pa zat te praten, want ik had nog helemaal geen zin om weg te gaan bij mijn ouders. Het merendeel van mijn vrienden woonde ook nog thuis en die toestand beviel me best.

'Laten we maar een kopje thee nemen, Ju,' zei mijn vader nadat Harry was vertrokken. Toen ik begon te huilen had de dominee meteen begrepen dat ik waarschijnlijk nog niet rijp was voor het huwelijk, en ik was niet de enige die verrast werd door zijn aanzoek. Pa was in lachen uitgebarsten toen Harry met hem sprak. Volgens mij was hij bijna net zo verbaasd als ik dat iemand dacht dat ik een geschikte echtgenote zou zijn, omdat ik nog zo jong was en altijd met mijn hoofd in de wolken liep. Maar terwijl ik van die warme, zoete thee nipte, vroeg ik me toch af of ik geen grote vergissing maakte, want Harry was echt een fijne vent.

Lang bleef ik er niet over nadenken, want nadenken deed ik in die tijd nauwelijks. Ik had er gewoon het volste vertrouwen in dat alles zo zou lopen als ik dat wenste en dat er nog wel een andere eerbare man zou komen die me ten huwelijk vroeg. Ik twijfelde er geen moment aan dat ik op een goeie dag samen met mijn eigen Prince Charming een gezinnetje zou stichten. Ik werkte inmiddels bij een bloemist in Mayfair, de chicste wijk van Londen, en besefte nauwelijks hoe goed ik het had. Ik zat al in zak en as toen ik een keer op mijn werk kwam en hoorde dat ze in een hotel in de buurt bloemen hadden afgeleverd bij Michael Jackson. Hij was mijn idool en mijn hart brak bij het idee dat ik hem had gemist.

Toen kwam de middag waarop mam en pa opnieuw een pot thee moesten zetten, nadat ik hun had verteld dat ik onverwachts zwanger was geworden. Ik was tweeëntwintig en had een soort losvaste verkering met een jongen uit de buurt die Howard heette.

Omdat ze me hadden verteld dat ik PCOS (polycysteus-ovarium-syndroom) had en waarschijnlijk alleen met moeite zwanger zou kunnen worden, was ik – je raadt het al – jong en onbezonnen geweest als het om voorbehoedsmiddelen ging. En nu moest ik mijn ouders vertellen dat ik in verwachting was.

'Laten we maar een kopje thee nemen,' zei pa en we gingen samen aan tafel zitten, waar ik in tranen uitbarstte.

Mijn ouders keken streng. Ze hadden ons fatsoenlijk opgevoed en ik wist dat ik ze teleurgesteld had.

'Wat ben je nu van plan, Julia?' vroeg mam.

'Dat weet ik niet,' jammerde ik boven mijn thee.

Maar ik wist het best. Ik wist dat ik mijn baby wilde hebben, ook al was Howard begrijpelijk genoeg nogal ondersteboven door de hele toestand. Het was misschien een tikje anders gegaan dan ik had verwacht, maar dit was mijn baby en ik zou een goede moeder worden. Howard liet me niet in de steek en bij wijze van proef gingen we zelfs samenwonen. Maar zes weken later belde ik pa al om te vragen of hij me op wilde halen, omdat het ons geen van beiden beviel. Ik had het gevoel dat ik iedereen in de kou had laten staan toen ik in de taxi stapte en weer begon te huilen.

Toen we thuiskwamen, rende ik meteen naar boven, naar mijn slaapkamer, en toen ik de deur opendeed, bleek de hele kamer opnieuw voor mij ingericht. Alle wanden hadden een witte houten lambrisering gekregen, met daarboven een behangetje met rozen. Vroeger had ik hier met mijn zusje Tor geslapen en nu stond er een wiegje. Ik begon nog harder te janken.

'Kop op, Ju,' zei pa en sloeg zijn armen om me heen. 'Hou nou maar op met huilen en ga mee naar beneden. Mam heeft het water al opstaan.'

Volgens mij hebben de meeste vrouwen die voor het eerst moeder worden dromen vol rozengeur en maneschijn, en ik bekeek de dingen niet alleen door een roze bril, mijn hele droom was knalroze. Terwijl ik steeds dikker werd, droomde ik van het kleine meisje dat ik zou krijgen, met dezelfde grote blauwe ogen en de blonde krulletjes die ik als kind had gehad. Als er een kinderwagen in de buurt was, moest ik daar gewoon even in kijken en dan dacht ik meteen aan al die schattige kleertjes die ik voor mijn kindje zou uitkiezen. Ik was dol op de geur van baby's, hun lachjes, de kuiltjes in hun wangen, ik vond alles even mooi.

Maar toen hij werd geboren was George heel anders dan ik had verwacht. Hij was stijf en rood en krijste vanaf het eerste moment dat hij op de wereld kwam. En dat gekrijs weergalmde nog door de kamer toen de verpleegkundigen hem meenamen voor een onderzoek, omdat er meconium in het vruchtwater had gezeten. Bovendien was zijn hoofd behoorlijk misvormd toen zijn lichaampje naar buiten werd geperst. Onwillekeurig maakte ik me toch wat zorgen. Ik had altijd gedacht dat baby's glimlachend en ruikend naar talkpoeder op de wereld kwamen.

Toen ze George een paar minuten later terugbrachten, zeiden de verpleegkundigen dat we hem maar een flesje water moesten geven en mam pakte de baby aan omdat ik nog zo beverig was dat ik hem niet eens vast durfde te houden. Maar toen ze hem in mams armen legden, bleef George gewoon doorkrijsen, en toen ik naar hen keek, zag ik hoeveel moeite ze had om hem te voeden. Ik vroeg me af hoe ik dat moest klaarspelen, als het mam niet eens lukte. Zij had na vier kinderen ervaring genoeg en toch lukte het nauwelijks.

'Hij leert het wel,' zei mam glimlachend terwijl ze neerkeek op George, die in een dekentje was gewikkeld met een gezicht dat rood en vlekkerig was van het huilen. 'Dit soort dingen kost tijd, maar het komt vanzelf. Maak je geen zorgen, Ju.'

Op dat moment wist ik natuurlijk nog niet dat ik die opmerking in de komende weken, maanden en jaren voortdurend te horen zou krijgen. Mam bedoelde het lief, maar dat was de eerste van wel duizend verklaringen die ik over George zou krijgen.

'Zijn heupen zijn wat stijf, misschien voelt hij zich daardoor niet prettig,' zei een van de verpleegskundigen toen hij in de dagen na zijn geboorte maar bleef krijsen.

'Het was een vrij moeilijke bevalling, dus hij heeft wat tijd nodig om tot rust te komen,' zei een andere.

Ik zou inmiddels schatrijk zijn als ik een pond had gekregen voor iedere keer dat ik de woorden 'hij heeft wat tijd nodig' te horen kreeg. Destijds geloofde ik alles wat ze me vertelden en ik was ervan overtuigd dat George zou kalmeren zodra ik hem thuis had. Ik had alle boeken gelezen en ik wist dat het soms even duurde voordat een baby helemaal aan het leven gewend was. Hij zou wel tot rust komen in een warme en liefdevolle omgeving in plaats van een kille ziekenhuiskamer. Maar zelfs toen we weer thuis waren in Hounslow was George niet tot bedaren te brengen, of ik hem nu in een warm badje stopte, in zijn kinderwagen legde, met hem heen en weer door de tuin liep, hem over mijn schouder hing, hem op zijn ruggetje legde of hem wiegde in zijn maxicosi.

Want begrijp me goed, ik hield van George vanaf het moment dat ik hem zag en ik wilde mijn uiterste best voor hem doen. Hij was mijn baby, een klein weerloos wezentje dat ik had voortgebracht en voor wie ik altijd verantwoordelijk zou zijn, een deel van mezelf dat ik ten koste van alles zou liefhebben en beschermen. Maar toen de dagen weken werden, begon ik het gevoel te krijgen dat hij geen behoefte had aan de liefde en de zorg die ik hem wilde geven. Het mag raar klinken om zoiets over een kleine baby te zeggen, maar George begon nog harder te schreeuwen als ik bij hem in de buurt kwam en daar begreep ik niets van, omdat ik dacht dat baby's het juist heerlijk vonden om geknuffeld te worden.

Toen de vroedvrouw langskwam, zei ze dat ik met hem naar de dokter moest. En die stuurde me weer door naar het ziekenhuis bij ons in de buurt, waar ze zeiden dat George misschien last had van verstoppingen, waarvoor ze hem medicijnen voorschreven. Maar hij bleef huilen. Daarna opperde de vroedvrouw dat massage misschien zou helpen, maar George verstijfde op het moment dat ik hem aanraakte, alsof mijn handen hem een brandend gevoel gaven. Later tilde hij zijn hoofd op als mijn huid in contact kwam met de zijne en schokte als ik hem aanraakte. Hetzelfde gebeurde als ik probeerde hem te kalmeren door hem te wiegen of hem op mijn borst te leggen. Hij wilde gewoon niet vlak bij me zijn en huilde dag en nacht.

Ik hield mezelf iedere dag voor dat het vanzelf beter zou gaan, maar dat was niet zo. Ik hing een mobile in Georges wieg met het idee dat hij de felle kleuren wel leuk zou vinden, maar hij keek er langs. Als ik gekleurde speeltjes voor zijn neus hield, draaide hij zijn hoofd om en begon te huilen. Wat ik het moeilijkst vond, was zijn slapeloosheid, want hij lag hooguit een halfuurtje te slapen, verder was hij dag en nacht wakker.

Ik kon zien dat mijn aardige vroedvrouw dacht dat ik misschien een beetje te ongeduldig was toen ik haar vertelde dat hij nooit een oog dichtdeed. 'Alle baby's slapen,' zei ze. 'Dat is heel belangrijk voor ze.'

Maar dat gold niet voor George.

'Uiteindelijk sukkelt hij vanzelf in slaap,' zei mam dan tegen me. 'Hij heeft gegeten, hij is warm en hij heeft een schone luier. Hij valt wel in slaap.'

Maar het gekrijs van George bleef de hele nacht door het huis galmen, terwijl andere mensen probeerden te slapen. Ons huis had vier slaapkamers en een daarvan was van Tor en een ander van Nob, die allebei 's ochtends vroeg op moesten om te gaan werken. De derde kamer was van George en mij, en mam en pa deelden de laatste met mijn drieënhalf jaar oude neefje Lewis. Mijn broer Boy en zijn vriendin Sandra waren nog maar tieners toen ze Lewis kregen en veel te jong om voor hem te zorgen toen hij al na tweeëntwintig weken werd geboren. Hij woog maar tweeënhalf pond. Lewis werd meteen na zijn geboorte in het ziekenhuis gedoopt, omdat de artsen niet verwachtten dat hij in leven zou blijven, maar dat was dus wel zo. Negen maanden later mocht hij naar huis, waar mam en pa voor hem gingen zorgen. Zijn longen waren nog steeds zo slecht dat hij constant zuurstof nodig had en daarom sliep hij bij hen op de kamer, zodat ze ieder uur even naar hem konden kijken. Maar Georges gekrijs betekende dat niemand slaap kreeg. En het is één ding om te proberen een verdrietige baby stil te krijgen, maar het wordt iets heel anders als je je ook nog eens zorgen maakt over de mensen in je omgeving. Vandaar dat ik overdag steeds vaker in mijn kamer bleef, omdat ik dacht dat iedereen tenminste even de kans kreeg om te ontspannen als er een paar muren tussen hen en het gekrijs van George zaten.

'Maak je geen zorgen, Ju,' zei pa altijd als hij de deur opendeed en mij zag met de rood aangelopen baby in mijn armen, die was verstijfd toen ik hem optilde. 'Het komt heus in orde. Hij groeit er wel overheen.'

Soms kon mam zien dat ik helemaal aan het eind van mijn Latijn was en dan zette ze Lewis in het kinderzitje aan de ene kant op de achterbank van haar auto, terwijl ik George aan de andere kant zette. Vervolgens gingen we een eindje rijden, in de hoop dat het ritme hem in slaap zou wiegen. Hounslow ligt hooguit een paar kilometer van Richmond Park, een groot groengebied waar Charles I ooit met zijn huishouding naartoe trok om aan de pest te ontsnappen. Het is er schitterend en vroeger gingen we daar vaak heen om te picknicken of te wandelen, dus ik had er goede herinneringen aan. Maar die leken allemaal te vervagen als we met de krijsende George door het park reden.

'Het komt allemaal best in orde,' zei mam dan tegen me. 'Sommige baby's hebben gewoon wat tijd nodig om tot rust te komen. Uiteindelijk gaat het vanzelf over.'

Maar terwijl ik naar de kudden herten keek, die door het park renden met op de achtergrond de skyline van het Londense centrum, vroeg ik me steeds vaker af of dat wel waar was.

Twee

Zelfs als je van vijfentachtig pond per week moet rondkomen kun je je wel een blik verf veroorloven, dus dat kocht ik dan ook toen ik samen met George in mijn eigen flat trok. Ik wilde het huis wat opvrolijken. Ik was bij mam en pa weggegaan omdat een gezin een zekere gelijkenis vertoont met een ballon, in die zin dat ze allebei steeds groter kunnen worden maar dat er altijd een punt komt waarop ze door de druk knappen. Ik wist dat mijn lieve familieleden de zenuwen kregen van George, ook al deden ze nog zo hun best om mij dat niet te laten merken. Dus toen hij zes maanden werd, besloot ik om me bij de gemeente als woningzoekende op te geven, omdat ons huis echt begon uit te puilen.

En mam had tegenwoordig niet alleen zorgen om Lewis. Mijn vader leed al sinds mijn tienertijd aan reumatoïde artritis, maar toen was het nooit tot me doorgedrongen hoeveel last hij van die ziekte had, omdat mijn ouders nooit over nare dingen praatten waar wij bij waren. Ik dacht dat het leven volmaakt was toen ik nog op de bank naar *Superman* zat te kijken. Maar toen ik wat ouder werd, kon ik zelf ook zien hoe pa eronder leed. Tegen de tijd dat ik zwanger werd, kon hij al geen hele dagen meer werken, hoewel hij af en toe nog steeds forse steroïde-injecties kreeg die de pijn lang genoeg onderdrukten om uit bed en in een taxi te stappen, zodat hij nog een paar centen bij kon verdienen. Maar zelfs daar was een eind aan gekomen toen ik met George naar huis kwam. Inmiddels leken pa's kromgetrokken handen op klauwen, zijn rug was gebogen en hij had een stok nodig om te kunnen lopen.

Daarom wist ik dat ik zelf een huis moest zoeken, ook al vond ik het nog zo'n naar idee dat ik een alleenstaande moeder zou zijn, die haar hand moest ophouden voor een uitkering. In januari 1997 kreeg ik de sleutels van een huis met twee slaapkamers in een woonwijk die een paar kilometer verderop lag. Ik trok erin met een kinderwagen, een bed, een koelkast en een gasfornuis dat mam en pa voor me hadden gekocht plus een bank die bekleed was met blauwe ribstof. Ik had het geluk dat het huis eruitzag om door een ringetje te halen. De oude man die daar voor zijn dood woonde, Bob, had het goed onderhouden en de buren verzekerden me tot vervelens toe dat hij bij me zou komen spoken als ik er niet voor zorgde dat het houtwerk netjes bleef. Maar zelfs Bobs netheid kon niet verhullen dat er alleen maar een kale betonnen vloer in lag en dat ik in de donkere kamers paddenstoelen kon kweken.

Ik wist wat mam en pa dachten toen ze me afzetten: ze waren wel een beetje verdrietig omdat ik vertrok, maar ik was volwassen en had er zelf voor gekozen. Nu moest ik maar zien hoe ik alles voor elkaar kreeg. En hoewel dat volkomen terecht was, kreeg ik toch de neiging om hard achter hen aan te hollen toen ze wegreden en te smeken of ik weer mee naar huis mocht. Ik kon gewoon niet geloven dat dit allemaal echt gebeurde. Het leek helemaal niet op rozengeur en maneschijn.

Mijn nieuwe huis was weliswaar erg donker, maar daar kon ik wel iets aan doen. Bob mocht dan alles keurig hebben bijgehouden, hij was naar mijn zin een tikje te dol geweest op magnoliawitte muren. Vandaar dat ik met de hulp van mijn familie de zitkamer geel schilderde, de gangen lichtgroen en mijn slaapkamer roze. Alleen het behang in de achterslaapkamer liet ik met rust. Het was zo oud dat het waarschijnlijk geld waard was en het had een patroon van grote blauwe psychedelische bloemen. Ik had het wel honderd keer over moeten schilderen als ik die wilde bedekken en daar had ik gewoon geen zin in.

De nieuwe kleurtjes in de rest van de flat zorgden er in ieder geval voor dat ik een wat beter humeur kreeg, en het feit dat Howard en zijn moeder vlakbij woonden, werkte ook mee. Ook al waren Howard en ik niet meer samen, ik wilde toch dat George zijn vader zou kennen en dus gingen we af en toe bij hem en oma Zena op bezoek. En omdat ik behoefte had aan gezelschap, ging ik ook iedere dag naar mam en pa toe. Maar hoewel ik regelmatig mensen ontmoette en probeerde er het beste van te maken, werd het leven met George er niet gemakkelijker op. Achteraf bekeken dringt nu ineens tot me door dat ik in die eerste maanden dat ik alleen met hem was ook begon te leren hoe ik mijn zorgen moest verbergen. Je kunt toch niet eeuwig blijven zeuren en meteen in tranen uitbarsten als mensen vragen hoe het met je gaat omdat je wel overal om kunt janken? Ik had kunnen zeggen dat mijn leven op een nachtmerrie leek, omdat ik alleen was met een baby die dag in dag uit huilde en die me af en toe het gevoel gaf dat hij een logé was die ik het niet naar de zin kon maken in plaats van mijn eigen kind, maar daar was ik toch niets mee opgeschoten.

Trouwens, ik was ervan overtuigd dat George zo verdrietig was omdat ik er een janboel van maakte. Ik zag zelf heus wel dat andere vrouwen het veel beter deden dan ik. Als ik naar hun lachende en gorgelende baby's keek, had ik er heel wat voor over gehad als George zich ook zo zou gedragen. Maar hij wilde niet met rammelaars spelen of geknuffeld worden, en als ik met hem naar de dokter ging, kreeg ik telkens hetzelfde antwoord.

'Dit is je eerste kind,' zei hij dan. 'Wees niet zo bezorgd, Julia. Je bent een geweldige moeder. Ontspan nou maar eens een beetje, dan zal de baby dat ook wel doen.'

Dus toen ik voor de honderdste keer had gehoord dat ik me nergens zorgen over moest maken, negeerde ik het inwendige stemmetje dat me vertelde dat er iets mis was. Je staat ervan te kijken dat je jezelf zo voor de gek kunt houden. Iedere avond als ik probeerde George zover te krijgen dat hij ging slapen en wist dat het uren zou duren voordat hij onder zeil ging, maakte ik mezelf weer wijs dat het de volgende dag beter zou gaan. En iedere ochtend als hij wakker werd en begon te huilen, prentte ik mezelf weer in dat ik het gewoon nog één dagje moest zien uit te houden, omdat morgen alles anders zou zijn. Scarlett O'Hara had een voorbeeld aan mij kunnen nemen toen ze daar op Tara bleef rondhannesen.

Maar af en toe, als George weer dagenlang had liggen huilen, werd alles me toch te veel en dan liet ik hem alleen boven in een slaapkamer liggen. Als ik de deur achter me dichttrok om even die herrie niet meer te horen en de trap af liep, voelde ik me schuldig omdat ik George niet hetzelfde geluk kon schenken dat ik als kind had gekend. Ik wist dat het voor hem maar behelpen was met een moeder die bij hem thuis zat en een vader die ergens aan het eind van de straat woonde. En dat gehuil was zijn manier om me duidelijk te maken dat ik in mijn eentje niet genoeg was. Maar dan liep ik weer naar boven en keek neer op George in zijn wiegje, zo klein en zo volmaakt met zijn ronde, bolle toetje en zijn pluk blonde haartjes, en vroeg me af wat ik eigenlijk voor moeder was. Langzaam maar zeker begon ik mezelf af te sluiten. Samen met George verstopte ik me voor de rest van de wereld en ons kleine huis ging steeds meer op een gevangenis lijken.

En van de wijk waarin we woonden, werd ik ook niet vrolijker. Overal valt er wel iets te klagen, van de Hollywood Hills tot de achterbuurten in India, dus laten we het er maar op houden dat er in de buurt waar ik nu woonde meer vervelende dingen gebeurden dan ik gewend was. 's Nachts klonk het geschreeuw van ruziënde mensen en dan kon ik de doffe dreunen horen die uitgedeeld werden in dronken knokpartijen. Of er werd op de deur geklopt door een van de talloze meneren die de diensten van een van mijn buurvrouwen per uur betaalden en per abuis mijn huis voor het hare hielden. Het grijze flatgebouw leek op een gevangenis en sommige mensen die erin woonden, wisten dat uit ervaring.

Daar zag ik ook voor het eerst hoeveel invloed drugs op een leven kunnen hebben. Ik had zelfs nog nooit een sigaret gerookt, maar nu kwam ik mensen tegen met ogen die tegelijkertijd leeg en wanhopig waren. Meestal werd er overdag wel een keer op de deur geklopt, en als ik dan opendeed, stond er weer iemand die anti-rimpelcrème of babykleertjes te koop aanbood, alles wat ze hadden kunnen pikken in de hoop van de opbrengst een shot te kunnen betalen.

Ik vond het vreselijk om tussen al die ellende te moeten zitten, dus greep ik een halfjaar later de kans om mijn huis te ruilen voor een flat in een andere wijk met twee handen aan. Wat maakte het uit dat het plafond vol nicotinevlekken zat en dat de voordeur niet op slot kon? Ik kon door mijn ramen de blauwe lucht zien en maakte al snel vrienden in de buurt. De eerste was een vrouw die Jane heette en die zichzelf kwam voorstellen op een dag nadat pa, die genoeg steroïden had geslikt om zijn handen even te gebruiken, samen met Nob een nieuwe voordeur had geplaatst.

'Je moet 's avonds niet opendoen als er wordt aangebeld,' zei Jane tegen me terwijl we een kopje thee dronken. 'Bemoei je nergens mee, dan zal het allemaal prima gaan.'

Jane was lang en slank en ik zag haar nooit zonder een smetteloos opgemaakt gezicht en een stel naaldhakken. Ze gaf altijd de indruk dat ze op het punt stond in een limousine te stappen die haar naar Harvey Nichols zou brengen in plaats van te gaan winkelen in Hounslow. Ze vond het kennelijk leuk om een oogje op me te houden en hetzelfde gold voor haar vriend, Martin, die al net zo aardig was. Af en toe stond hij ineens voor de deur met een stuk varkensvlees dat ik met tegenzin aanpakte, omdat ik liever niet aan Martin wilde vertellen dat ik vegetariër was. Maar zo waren hij en Jane: vriendelijk en gul, fijne buren die een oogje op me hielden en hun uiterste best deden om me te helpen. Ja, het drong al snel tot me door dat ze wel van een slokje hielden, maar daar maakte ik me niet druk over en trouwens, wie was ik om daar iets van te zeggen? Als alleenstaande moeder zonder een cent te makken in een gemeenteflatje had ik geen enkele reden om verwaand te doen.

George zat naast Lewis voor de tv bij mam en pa thuis.

'Moet je dat stel nou zien zitten, Ju,' zei mam lachend.

Lewis en George keken zoals gewoonlijk naar *Tots TV,* omdat ze allebei geen genoeg konden krijgen van de drie lappenpoppen die Tilly, Tom en Tiny heetten.

'Hij is een brave knul, vind je ook niet, lieverd?' zei mam met een blik op George die was opgestaan om achter Lewis aan de kamer uit te lopen toen het programma voorbij was.

Het was 1998. George was twee, en een paar maanden na zijn eerste verjaardag had hij leren lopen en kruipen, precies zoals het hoort. Een jaar later volgde hij Lewis als een schaduw en mijn vader en moeder probeerden me nog steeds een hart onder de riem te steken als het om hem ging. Meestal zei ik niet veel als ze daarover begonnen. Ik wist dat iedereen alleen maar vriendelijk wilde zijn, maar ik begon er zo langzamerhand van overtuigd te raken dat mijn problemen met George niet uitsluitend mijn eigen schuld waren. Want hoewel ik al het mogelijke deed om hem blij te maken, had ik nog steeds het gevoel dat ik samenwoonde met een vreemde. Hij kon van het ene op het andere moment een woedeaanval krijgen, en ook al probeerde iedereen te doen alsof de normale regels ook op George van toepassing waren, ik wist gewoon dat dat niet waar was.

Slapen bijvoorbeeld. 's Avonds lag George nog uren wakker in zijn bedje en zodra hij eruit kon klimmen deed hij dat om de paar minuten en dan bleef hij onophoudelijk krijsen als ik hem weer terug probeerde te leggen. En ik was heus niet bang om hem de wet voor te schrijven en ook niet voor die driftaanvallen. Maar ik kon in Georges ogen lezen dat hij gewoon niet begreep wat ik van hem wilde. Dus bleef me niets anders over dan hem maar door de flat te laten scharrelen tot hij uiteindelijk van vermoeidheid in slaap viel. We moeten heel wat marathons hebben afgelegd door dat flatje van ons, en zelfs als ik hem eindelijk in bed kreeg, lag hij vaak wakker en dezelfde woorden en zinnetjes voor zich uit te zingen.

'Buzz Lightyear, Buzz Lightyear, Buzz Lightyear,' bleef hij dan bijvoorbeeld maar herhalen, want dat waren twee van het handjevol woorden dat hij inmiddels kende, samen met 'papa', 'mam' of 'Batman'.

'Dat kan gewoon niet,' zei de dokter toen ik bijna gek van wanhoop weer naar hem toe ging. 'Iedereen heeft slaap nodig. En zeker kinderen.'

'Maar George niet.'

De dokter keek me met een flauw glimlachje aan. 'Volgens mij ben je zelf gewoon in slaap gevallen, Julia, zodat je niet besefte dat hetzelfde voor George gold.'

Ik wist dat het niet zo was, maar ik had inmiddels geleerd om mijn mond te houden en hoewel ik nog steeds met George naar de dokter ging als er weer iets nieuws gebeurde – omdat ik zeker wilde weten dat het geen voor de hand liggend gezondheidsprobleem was – vroeg ik niet verder als me verteld werd dat hem niets mankeerde. Per slot van rekening was me geleerd dat ik dokters moest vertrouwen en iedereen bleef maar zeggen dat ik verantwoordelijk was voor de manier waarop hij zich gedroeg.

Daarom deed ik alles wat in mijn macht lag om ons een beter leven te bezorgen en ik had me dan ook in laten schrijven voor de cursus stratenkennis, een reeks examens die je moet afleggen om als taxichauffeur in Londen te mogen werken. Ik wilde weer aan de slag om voor George te kunnen zorgen, dus ik had de afgelopen achttien maanden ieder vrij uurtje zitten leren, aangemoedigd door pa. 'Taxichauffeur zou voor jou een ideale baan zijn, Ju,' had hij tegen me gezegd. 'Je kunt thuis studeren om de "kennis" te halen, dan kun je later aan het werk gaan wanneer het jou uitkomt, precies zoals ik heb gedaan.'

Maar wat voor veel dingen in het leven gold, bleek ook van toepassing op het instampen van de 'kennis': het was gemakkelijker gezegd dan gedaan. Taxichauffeur lijkt een simpele manier om aan je geld te komen, maar als je passagiers wilt oppikken in het centrum van Londen, moet je alle straten in een straal van 10 kilometer rond Charing Cross-station – in de buurt van Trafalgar Square – uit je hoofd kennen en dat zijn er 25.000. Het uit je hoofd leren van het stratenplan is zo moeilijk dat inmiddels bewezen is dat je brein ervan groeit en je bent er nog niet als je die straten een voor een uit je hoofd leert. Je moet ook de 'runs' kennen. Dat zijn vaste routes om van A naar B te komen en die lijsten zijn zo lang dat je er een heel boek mee kunt vullen. Ik wist niet of dat ik dat allemaal wel kon onthouden. En dan was er nog een groot probleem: ik vond het verschrikkelijk om in het centrum van Londen te rijden.

'Rij eens een beetje door, Ju,' riep pa dan als ik met hem in zijn oude zilvergrijze Mustang over Great West Road reed.

Maar zodra ik het gaspedaal intrapte en het gevoel kreeg dat die grote ouwe kar bijna opsteeg, remde ik angstig weer af. Ik was te langzaam voor het centrum van Londen, dus ik besloot om dan maar te proberen een vergunning te krijgen voor de buitenwijken, zodat ik onder andere passagiers kon oppikken in de buurt van Hounslow. Dat betekende nog steeds dat ik duizenden straten uit mijn hoofd moest leren, dus nadat ik had gesolliciteerd en aan de cursus stratenkennis mocht beginnen, ging ik thuis bij George zitten oefenen. Dan zette ik hem in een maxicosi, ging omringd door kaarten bij hem zitten en keek hem aan. Terwijl hij maar door bleef krijsen deed ik mijn best om alle straten en routes uit mijn hoofd te leren.

'New Brentford begraafplaats naar treinstation Hounslow,' dreunde ik dan hardop op. 'Linksaf naar Sutton Lane, door naar Wellington Road, linksaf naar Staines Road, rechtsaf naar Hibernia Road, linksaf naar Hanworth Road, rechtsaf naar Heath Road, rechtsaf naar Whitton Road en links op Station Road stoppen. U bent nu op uw bestemming.'

En dat was nog een makkie, hoor. Er waren routes bij die vijftig straten telden. Maar op de een of andere rare manier zorgde het feit dat ik me op iets anders moest concentreren ervoor dat ik minder moeite had met George. Ik zorgde gewoon dat hij droog en warm was en dat zijn buikje vol zat. Daarna bleef hij nog steeds krijsen, maar als ik naar dat rode snoetje keek, prentte ik mezelf in dat de 'kennis' ervoor zou zorgen dat we een ander leven kregen. Als ik daarvoor slaagde en kon gaan werken, zou ik genoeg geld verdienen om het beter te hebben. Op de een of andere manier was ik dat aan George verplicht, want naarmate hij ouder werd, ging hij zich steeds vreemder gedragen. Als er onverwachts iemand de flat binnen kwam, kromp hij helemaal in elkaar en begon heen en weer te wiegen, en als we naar buiten gingen, sloeg hij zo hard met zijn hoofd tegen de zijkant van de wandelwagen dat ik dekens om de randen moest slaan. En die trok hij dan weer over zijn gezicht om zich te verstoppen. Ik had me zelfs aangewend om 's avonds naar de supermarkt te gaan, want dan waren er minder mensen die hem overstuur konden maken.

Maar hoeveel je kunt verdragen weet je pas als je op de proef wordt gesteld. Het enige wat ik begreep, was dat alles via bijzondere patronen moest verlopen als ik wilde dat George ook maar enigszins gelukkig zou zijn. Dus deed ik mijn best om het hem naar de zin te maken, precies zoals iedere moeder zou doen. Voor de rest leken zijn gevoelens op een kolkende pot die hij niet in bedwang kon houden en daarvoor moest ik hem in bescherming nemen anders zou hij zichzelf pijn doen: door zichzelf tot bloedens toe in de arm te bijten of aan zijn haren te rukken tot zijn hoofdhuid helemaal rauw was. Zelfs toen George al een kleuter was, had ik hem nog regelmatig op de arm, want anders zou hij zichzelf binnen de kortste keren verwonden.

Er waren dagen bij dat ik het gevoel had dat we allebei kopje onder zouden gaan, en het enige waaraan ik me dan nog kon vastklampen waren de momenten nadat hij eindelijk in slaap was gevallen en we daar samen lagen, ik met mijn armen om Georges kleine slapende lichaampje geslagen. De stilte na de storm. Alleen op die momenten kon ik hem aanraken, en als ik dan voorzichtig zo'n klein krulletje op zijn voorhoofd om mijn vinger draaide, keek ik naar dat vredige snoetje en wenste dat ik wist hoe ik hem datzelfde gevoel kon geven als hij wakker was. Het leek er bijna op dat het leven een kwelling voor hem was en dat is toch het ergste wat je als moeder kan overkomen?

Nu keek ik toe hoe Lewis de kamer weer binnen kwam. De lange slang waardoor hij, via twee klemmetjes onder in zijn neus, nog steeds zuurstof kreeg toegediend sleepte achter hem aan. De klemmetjes waren losgeschoten, en toen Lewis ging zitten om te spelen, knielde George naast hem neer en duwde ze voorzichtig weer op hun plaats. Dat was iets wat hij vaak voor Lewis deed, en iedere keer als ik hem dat zag doen, wist ik zeker dat er liefde in George school.

'Ik moet hem wel even een schone luier omdoen voordat we weggaan,' zei ik tegen mam terwijl ik van de bank opstond.

Ik liep naar George toe en haalde even diep adem voordat ik hem oppakte, in de wetenschap dat het hooguit een seconde zou duren voordat hij begon te krijsen. Toen ik hem naar de luiermat droeg die ik op de grond had gelegd, lag hij al in mijn armen te kronkelen. Terwijl hij schopte, beet en gilde van woede legde ik hem neer en drukte hem met een arm tegen de grond, terwijl ik met mijn andere hand zijn luier afdeed. Georges gezicht was knalrood van woede, maar ik keek hem niet aan en probeerde ook niet hem met woorden of glimlachjes aan het lachen te maken. Als ik dat zou doen, werd het alleen maar erger, want

George vond het vreselijk om oogcontact met iemand te hebben. Dat was gewoon een van de dingen die ik had moeten leren: niemand kon hem troosten met een lieve blik, ook ik niet.

Inmiddels woonde ik al twee jaar in de flat en ik was nog steeds bezig met de cursus stratenkennis. Nu moeten jullie niet denken dat ik dom ben omdat het zo lang duurde. Ik was dan op school misschien niet de beste van de klas, maar de meeste mensen doen er toch echt een paar jaar over om voor de cursus te slagen en hetzelfde gold voor mij. Pa was erin geslaagd om een oude taxi te lenen waarin ik kon oefenen, dus ik hoefde geen bromfiets te gebruiken zoals de meeste andere kandidaten. Vandaar dat ik een paar keer per week op pad ging om de diverse routes te rijden en te proberen ze uit mijn hoofd te leren.

Al die oefening moest natuurlijk ook op de proef worden gesteld en daarvoor moest ik me melden bij het kantoor van het openbaar vervoer in Penton Street. Dat is ongeveer wat White Hart Lane voor de supporters van Tottenham is: de plek waar alles om draait. Vergunninghouders moeten ernaartoe om hun taxi's te laten keuren of formulieren in te vullen en leerlingchauffeurs gaan ernaartoe om een proef af te leggen over hun stratenkennis.

De spanning was bijna te snijden als we met ons allen in een grauwe kamer zaten te wachten tot we een voor een naar binnen werden geroepen door twee in pak geklede heren van middelbare leeftijd. Die droegen ons dan op om bepaalde routes op te dreunen en gaven ons daar vervolgens een beoordeling voor, van A tot D. Het wordt 'routes opzeggen' genoemd en je wist altijd hoe goed je het had gedaan aan de hand van het cijfer dat je kreeg en de tijd tot je volgende oproep. Als je na veertien dagen terug moest komen begon je beter te worden, als het meer dan een paar maanden was, had je nog een lange weg te gaan. Maar het ergst van alles was dat er geen echt eind in zicht was; er bestond geen cijferlijst die je moest halen om voor de 'kennis' te slagen. In plaats daarvan werd je gewoon keer op keer teruggeroepen, tot een van de pakken besliste dat je er klaar voor was. Het leek een beetje op het lopen van een marathon zonder ook maar het flauwste benul van waar de eindstreep lag.

Ik moest ongeveer één keer per maand naar het centrum om de proef af te leggen en ik was er doodsbang voor. Als de pakken me met een zaklantaarn in mijn gezicht hadden geschenen en me hadden verteld dat ik tot slapen op een spijkerbed was veroordeeld had ik daar niet van opgekeken. Ze wisten precies hoe ze de duimschroeven moesten aandraaien en wat ze wilden zien was een goede houding, nette manieren en zelfvertrouwen. Als je aarzelde of in de war raakte bij het opdreunen van een route gaven ze je een D zonder ook maar met hun ogen te knipperen. Als iemands stropdas scheef zat, zeiden ze dat hij maar een andere keer terug moest komen. En de vent die tijdens de proef begon te vloeken werd letterlijk de klas uit gestuurd. We waren allemaal doodsbang voor dat stel en je kon een speld horen vallen als een van die examinatoren het vertrek binnen kwam waar we met ons allen zaten te wachten. Er zijn wel vrouwelijke taxichauffeurs in Londen, maar niet veel, en terwijl ik de cursus deed, heb ik er nooit een ontmoet. Het was een echte mannenwereld en bij mij keken die pakken altijd naar mijn krullende haar dat er meestal uitzag alsof ik net met mijn vingers in een stopcontact had gezeten, ook al had ik het nog zo dapper geborsteld. Af en toe kon ik wel gillen als ze me zo aankeken. Zij hadden immers nergens benul van? Ik zat met George opgescheept, ik had vrijwel geen oog dichtgedaan en ik deed ontzettend mijn best. Maar dat stel wenste geen excuses te horen.

Pa bleef me echter voortdurend aanmoedigen.

'Heb je nog geoefend, Ju?' vroeg hij dan als ik bij hen langs ging voor een kopje thee. 'Moet je binnenkort weer naar kantoor?'

Ik spande me echt ontzettend in, maar nadat ik al meer dan twee jaar bezig was, gaf ik er bijna de brui aan. In april 1999 begonnen mijn cijfers beter te worden en ik werd steeds sneller opgeroepen, maar ik was zo moe van al dat studeren en de zorg voor George dat ik er het liefst mee was gestopt. En wat ook niet hielp, was het feit dat pa steeds zieker werd en om de haverklap naar het ziekenhuis moest. Ik wilde eigenlijk alleen maar bij hem zitten, in plaats van continu stratenkaarten te bestuderen in de hoop iets te bereiken waarvan ik inmiddels het idee had dat ik het nooit zou halen. Dus toen ik op een dag weer op kantoor moest komen opdraven ging ik in plaats daarvan naar het ziekenhuis om pa op te zoeken.

'Wat doe je hier?' vroeg hij terwijl hij daar op zijn bed lag. 'Moest je niet naar Penton Street?'

'Dat kan ik vandaag niet opbrengen, pa. Ik blijf liever hier bij jou. Ik ga wel een andere keer.'

'Waar heb je het over?'

'Ik ga niet.'

Het leek alsof er een bom onder hem ontplofte.

'Neem je me nou in de maling, Ju?' riep pa, die meteen begon te worstelen om te gaan zitten en uit bed te stappen. 'Help me opstaan! Pak mijn spullen! Geef me mijn tabaksblik! En vergeet de lucifers niet.'

'Maar je mag het ziekenhuis niet uit, pa.'

'Nou, maar dat gaat toch gebeuren als dat de enige manier is om jou zover te krijgen dat je die proef aflegt.'

'Doe niet zo dom, pa. Je bent niet in staat om ergens naartoe te gaan.'

Hij kwam nooit verder dan naar beneden om een sigaretje te roken en dat kon alleen als ik hem in een rolstoel zette. De vijftien kilometer tot in hartje Londen zou hij vast niet uithouden.

'Jij hoeft me niet te vertellen wat ik wel of niet kan, dame!' riep pa uit. 'We gaan naar de stad.'

En als pa iets in zijn hoofd had, kon je hoog of laag springen, maar het gebeurde toch. Hij mocht eigenlijk niet eens het ziekenhuis uit, maar hij besloot gewoon dat hij ging. We hoefden ons niet echt naar buiten te graven, zoals ze in *The Great Escape* deden, maar toch had ik het gevoel dat ik een ontsnapte gevangene was toen pa tegen me zei dat ik hem in zijn rolstoel moest zetten en we naar de parkeerplaats liepen. We wisten allebei dat de verpleegkundigen woest zouden worden als ze wisten wat we van plan waren.

'Ik heb een goed gevoel over vandaag, echt waar,' zei pa een paar keer toen we eindelijk op weg waren. 'Je krijgt het voor elkaar, Ju. Ik weet het zeker. Vandaag laten ze je slagen.'

Maar wat pa ook zei, ik was nog steeds in paniek toen we eindelijk in het centrum van Londen arriveerden. Ik had mezelf niet voorbereid op een proef en ik wist niet of ik het wel kon opbrengen. Ik was in de war en ziek van bezorgdheid terwijl pa naast me op de voorstoel lag, die ik helemaal in de slaapstand had moeten zetten, omdat rechtop zitten te pijnlijk voor hem was.

'Ik weet niet waar ik naartoe moet,' jammerde ik terwijl ik naar een enorme rotonde reed.

'Wacht even,' zei pa en tilde zijn hoofd net ver genoeg op om over het dashboard te kunnen kijken. Hij wist meteen waar we waren. 'Rechtsaf, Ju.'

Ik probeerde van rijstrook te wisselen.

'Rechtsaf, naar RÉCHTS!' brulde pa.

Met een schietgebedje schoot ik over drie rijbanen naar rechts.

'Linksaf,' zei pa met een zucht van vermoeidheid en pijn.

We slaagden erin om het kantoor te bereiken, maar ik verkeerde in een soort roes toen ik naar binnen moest voor mijn proef. Waarschijnlijk heb ik al mijn routes als een soort robot opgedreund, want de man in het pak zag er zelf ook een beetje verwezen uit toen ik eindelijk klaar was.

Ik keek hem aan en wachtte tot hij zou zeggen wanneer ik terug moest komen.

'Dat was prima,' zei hij. 'Je bent geslaagd.'

Ik keek hem met grote ogen aan. Had ik het echt klaargespeeld? Had ik de 'kennis' gehaald?

Ik kon nauwelijks geloven dat het allemaal echt voorbij was toen ik terugliep naar de auto. Ik had pa in de stoel laten liggen, maar toen ik in de auto stapte zag ik een knalrode brandplek op zijn borst. Hij had zijn sigaret laten vallen terwijl ik weg was en hij was er niet in geslaagd om die met zijn mismaakte handen weer op te pakken. Hij had daar helemaal alleen gelegen terwijl die peuk een gat in hem brandde.

'O, pa!' zei ik terwijl de tranen me in de ogen sprongen.

'Ging het goed, Ju?' vroeg hij met een glimlach.

'Je borst, pa. Hoe voel je je?'

'Maak je geen zorgen, lieverd. Het doet geen pijn.'

'Weet je dat zeker?'

'Ja. Vergeet dat nou maar en vertel hoe je het hebt gedaan.'

Toen ik hem daar zo zag liggen, werd ik overstelpt door de

liefde die ik voor hem voelde. 'Ik heb het gered, pa. Ik ben geslaagd.'

Er verscheen een brede glimlach op zijn gezicht. 'Ik wist dat je het zou klaarspelen,' zei hij.

Met een zucht liet pa zijn hoofd weer tegen de rugleuning van de stoel zakken. 'Breng me nu maar terug naar het ziekenhuis. Die verpleegsters zullen me wel kunnen wurgen.'

Drie

Dit zou eigenlijk zo'n blij verhaal moeten zijn waarin ik taxichauffeur werd en dan een filmster oppikte met wie ik samen de zonsondergang tegemoet zou rijden. Maar zo gaat het in het echte leven nooit, hè? In ieder geval niet in het mijne. Twee maanden nadat ik voor de 'kennis' was geslaagd gebeurde er namelijk iets dat me het gevoel bezorgde dat ik nooit in mijn leven meer gelukkig zou worden. Nadat pa overleed, was George eigenlijk de enige reden dat ik nog uit bed kwam, want toen ik mijn vader verloor, stortte mijn hele wereld in.

Pa kreeg van ons het afscheid dat hij verdiende. Zijn doodskist stond in een rijtuig met glazen zijwanden, voortgetrokken door een paard met zwarte pluimen op zijn hoofd. De koetsier droeg een hoge hoed en een pandjesjas. Zijn vrienden en familie volgden in een lange rij taxi's, maar het gaf me toch een onwerkelijk gevoel. Hoe kun je nu afscheid nemen van de persoon die je houvast geeft en die met grapjes, vriendelijke woorden en stille liefde zorgt dat je met beide benen op de grond blijft staan? En ik was natuurlijk niet de enige die zich verloren voelde, mam en pa waren vanaf hun tienertijd samen geweest. Samen gingen we met zijn dood om op de enige manier die ons goed leek: door zo dicht mogelijk bij elkaar te blijven terwijl we leerden hoe we het zonder hem moesten rooien.

Pa werd op het plaatselijke kerkhof begraven en ik vond het vreselijk dat ik hem daar in die koude grond achter moest laten, dus ging ik zo vaak als ik kon naar hem toe en dan bleef ik bij hem zitten terwijl George en Lewis om me heen renden.

'Mogen we dat gat dichtgooien, Ju?' vroeg Lewis op een dag aan me toen ze een hoop verse aarde naast een pas gedolven graf vonden.

'Een beetje,' zei ik.

Een paar handjesvol aarde zou toch niets uitmaken, dacht ik bij mezelf terwijl ik toekeek hoe Lewis onder het spelen zat te lachen. Daarbij hijgde hij als een oud kereltje dat zijn leven lang een pakje sigaretten per dag had gerookt. George keek zwijgend toe hoe Lewis brulde van het lachen, alsof hij probeerde uit te vissen wat dat rare geluid was. Maar toen Lewis een hoestbui kreeg van de inspanning die het lachen hem had gekost, liet George hem bukken voordat hij hem op zijn rug klopte om hem te helpen weer op adem te komen. Ik wist dat het niet lang meer zou duren tot George ineens ophield met spelen. Als een konijn dat een vos hoort stond hij te luisteren naar het geluid van een trein die andere mensen pas hoorden als hij over de spoorbaan langs het kerkhof denderde. George was zo gevoelig voor geluid dat hij iedere keer als we een eindje gingen wandelen begon te krijsen als er een auto langskwam. Alsof het een tank was in plaats van een Ford Fiesta.

Zo gingen er een paar maanden voorbij. Ik ging regelmatig samen met George naar de begraafplaats, af en toe in het gezelschap van Lewis, dan weer met ons tweetjes. Dan zat ik daar en vroeg me af wat er van me moest worden, nu mijn droom om taxichauffeur te worden in duigen was gevallen. Omdat ik voor stratenkennis was geslaagd, hoefde ik alleen nog maar een rijexamen af te leggen in het centrum van Londen om mijn vergunning te krijgen, maar ik was al twee keer gezakt toen pa nog leefde en ik kon de moed niet meer opbrengen om het na zijn dood nog een keer te proberen. Hij had me altijd aangemoedigd om door te zetten, maar iedere keer als ik in een taxi stapte, hoorde ik hem lachen en zag zijn gezicht voor me. Dat werd me te veel, dus was al dat harde werk voor niets geweest. Ik voelde me een volslagen mislukkeling. Als moeder deugde ik al niet, nu was ik ook nog een slapjanus op de koop toe.

Zo ging de tijd voorbij, want die laat zich nu eenmaal niet tegenhouden. De aarde op het graf van pa werd steviger, en toen die toch ergens inzakte, scheelde het maar een haartje of ik werd gearresteerd nadat ik op een dag, toen de zon al begon onder te gaan, ineens besloot er wat gras op te leggen. Binnen een paar minuten kwam al een stel smerissen opdagen – compleet met zwarte helmen en kakelende radio's – en het kostte me behoorlijk wat moeite om hun aan het verstand te brengen dat ik geen kwaad in de zin had. En afgezien van het feit dat ik voor een grafschender was aangezien, ging ik toch graag naar de begraafplaats, omdat het daar zo rustig was dat ik goed kon nadenken.

Maar ook al zat ik nog zo te piekeren, ik bleef het gevoel houden dat ik geen millimeter opschoot. Terwijl George speelde, schoot er van alles door mijn hoofd. Het leven dat ik George bood, leek totaal niet op het leven dat mam en pa Boy, Nob, Tor en mij hadden gegeven toen we nog klein waren. En wat ik ook probeerde, ik leek er maar niet in te slagen om daar verbetering in te brengen. Ik had geleerd dat ik moest werken voor mijn brood, en voordat George geboren werd, had ik zelfs mijn eigen bloemenwinkeltje gehad. Maar dat had ik opgegeven toen ik moeder werd. Nu het idee om taxichauffeur te worden ook op niets was uitgelopen, wist ik niet meer wat ik moest doen. Ik voelde me echt volslagen nutteloos, en terwijl de maanden zonder pa voorbijgingen, bleef ik me voortdurend afvragen of ik ooit in staat zou zijn om verandering in ons leven te brengen.

En toen ik daar maar over door bleef piekeren, kwam één ding als een paal boven water te staan: ik mocht me niet overgeven aan het feit dat ik me zo ongelukkig voelde. Het werd tijd voor een nieuw begin.

George was vier toen hij in september 2000 voor het eerst naar school ging, en dat was weer zo'n dag waarop ik naar hem keek en me afvroeg waar ik toch zoveel drukte om maakte. Met zijn grote blauwe ogen en zijn blonde haar zag hij er volmaakt uit toen ik hem een knalrood sweatshirt en een zwarte broek aantrok. Ik wist zeker dat school precies was wat hij nodig had, nu we weer verhuisd waren naar een nieuwe wijk die echt veel leuker leek dan de vorige. Het was een nieuw begin voor ons allebei.

Ik ben een droomster, dat zei ik al. Het duurde maar een paar weken voordat ik bij de onderwijzers op het matje moest komen.

'Volgens ons heeft George gehoorproblemen,' zei een van hen.

'Hij reageert helemaal niet als we zijn naam roepen,' zei een ander.

'En als je hem een opdracht geeft, schijnt hij daar niets van te begrijpen,' deed nog iemand anders een duit in het zakje. 'Als we de kinderen vertellen dat we over een paar minuten gaan zitten, dan doet George dat meteen, en als we ze in een kring zetten om een verhaaltje te vertellen, kruipt hij achteruit en gaat met zijn handen over zijn oren onder een bank liggen.'

In zekere zin was het bijna een opluchting voor me om te horen wat de onderwijzers te vertellen hadden. Zij waren immers de eerste professionals die redelijk wat tijd met George doorbrachten en zij zagen ook dat er een probleem was, iets wat ik zelf al jaren tevergeefs had geroepen. Maar ik werd ook een beetje bang, want ook al kun je nog zo goed overweg met bepaalde dingen zolang ze onderbelicht blijven, dat soort problemen lijkt ineens enorm als ze plotseling in de schijnwerpers staan. Toen George naar een plaatselijk ziekenhuis werd verwezen om gezichts- en gehoortesten te ondergaan, prentte ik mezelf in dat ik niet bang hoorde te zijn: ik was zevenentwintig en een volwassen vrouw, dus als hij echt problemen had, was het beter om daar zo snel mogelijk achter te komen, dan konden ze ook meteen opgelost worden.

Ondertussen hield ik me in de nieuwe woonwijk een beetje afzijdig. Ik had mijn handen vol aan het nieuwe huis, want de oude vrouw die voor ons in de flat woonde, had dertien katten gehad en het huis zat onder de vlooien. Terwijl de verdelgingsdienst van de gemeente de kamers plat spoot, hadden George en ik bij mam gelogeerd, maar toen we er echt introkken, was het meteen alle hens aan dek. Ik mocht dan denken dat ik onafhankelijk was, maar ik had nog steeds mijn hele familie nodig om de boel in te richten.

Per slot van rekening had ik al op jonge leeftijd geleerd dat je je huis zo netjes mogelijk moest maken. 'Eerst de zijkant, dan bovenop, dan de voorkant,' zei mijn oma Doris altijd en dan wees ze naar een kast voordat ze me een grote pot meubelwas en een stofdoek in de hand drukte. Iedere zaterdagochtend moest ik naar haar toe om haar te helpen bij het poetsen van haar huis. Meestal deed ik mijn werk naar behoren, maar ik zal een jaar of tien zijn geweest toen ze me op een dag zonder te waarschuwen plotseling een dreun op mijn hoofd gaf.

'Blijf staan!' schreeuwde oma terwijl ik sterretjes zag. 'Niet bewegen. Ik ga je moeder halen.'

Ze holde naar het huis ernaast om mam op te halen en daarna stonden ze samen naar mijn hoofd te turen.

'Moet je toch eens zien,' zei oma.

'Dat komt van die kinderen van verderop in de straat. Daar heeft ze ze van gekregen,' zei mam.

'Wat is er aan de hand?' vroeg ik.

'Je hebt hoofdluis,' zei mam en ik barstte in tranen uit.

Nadat ik een stevige wasbeurt had gehad met antiluisshampoo was er niets meer aan de hand en toen mocht ik ook weer bij oma naar binnen om haar te helpen. Maar al die jaren van stof afnemen hadden me wel geleerd dat je met een beetje inzet bergen kunt verzetten en dat principe paste ik ook toe in onze nieuwe flat. Algauw was de keuken terracotta geschilderd, de hal wit, mijn slaapkamer roze en Georges kamer geel. Maar ik knapte niet alleen de binnenkant op. Onze flat op de tweede verdieping had een balkon met uitzicht op een veld waar een treurwilg stond en ik maakte volop gebruik van dat uitzicht door de vloer van het balkon te voorzien van strepen in de kleuren van de regenboog, de wanden groen te schilderen en potten vol bloemen neer te zetten. Als ik dan op dat balkon stond en bellen blies in de richting van George, die daar nooit genoeg van kreeg, keek ik omlaag naar de daken van de schuren en vroeg me af of die er niet veel beter uit zouden zien als er gras op groeide. Je kunt helemaal geen gras op daken laten groeien, maar ja, mijn fantasie kent geen grenzen!

Ik werd echter meteen weer met mijn neus op de realiteit van alledag gedrukt, als ik met George de flat uit ging, want er waren dagen bij dat het me zeker een uur kostte om hem naar school te brengen. Dan beet hij me, of hij klampte zich onderweg vast aan allerlei relingen, hij krijste, hij gilde, of hij bleef stokstijf staan staren naar de soldaten die op wacht stonden bij de plaatselijke kazerne en weigerde om nog een stap te verzetten. Het was zo'n toer, dat ik hem vaak in een wandelwagen zette. En als ik daar dan bonkend de trap mee af liep, kwam ik steeds vaker de vrouw tegen die in de flat onder ons woonde. Ik wist niet zeker wat ze van me dacht, omdat we flinterdunne muren hadden en George altijd onzettend veel herrie maakte. En het enige wat ik van haar wist, was dat ze zo dol was op stofzuigen dat ze daar dag in dag uit mee bezig leek te zijn. De vrouw leek ongeveer even oud als ik en ze had twee kinderen: een jongetje van een jaar of vier, net als George, en een meisje dat iets ouder was. Maar hoewel we altijd lachten als we elkaar op de trap passeerden, maakte ik toch geen praatje met haar. Ik kwam net uit een buurt waar mensen regelmatig zomaar omvielen omdat ze stomdronken waren of wasgoed van de lijnen jatten, ook al zagen ze er nog zo onschuldig uit.

Maar op een dag keek de vrouw toe hoe ik George moeizaam tree voor tree naar boven hees.

'Walgelijk, hè?' zei ze met een blik op de grauwe betonnen muren van het trappenhuis.

Ze waren bedekt met graffiti en vanaf de begane grond walmde de stank van urine omhoog, omdat mensen daar altijd stonden te piesen.

'Vreselijk,' zei ik.

'Ik ben Michelle,' zei de vrouw glimlachend.

'Ik ben Julia.'

'Aangenaam. Zullen we dan maar eens iets aan dat trappenhuis gaan doen?'

Dat was het begin van onze vriendschap. Michelle en ik ergerden ons allebei dood over dat trappenhuis, dus we trommelden iedereen op en klopten aan bij de man van de woningbouwvereniging.

'Mensen zullen hun huis alleen maar netjes gaan houden als jullie hun daar een reden voor geven, bijvoorbeeld door al die graffiti weg te halen en iets te doen aan die hondenpoep,' zeiden we tegen hem.

De man van de woningbouwvereniging sprak met ons af dat als Michelle en ik de trappen en de gangen met een hogedrukspuit schoonmaakten, de gemeente de muren zou schilderen en dan mochten we zelf een kleur uitkiezen. En wat denk je dat we kozen? Crème misschien? Wit? Of blauw? Nee, hoor. Roze. Zacht babyroze, want dat stond zo leuk bij die grijze betonnen vloer, nietwaar? Uiteindelijk werden we zo trots op ons trappenhuis dat we zelfs bloemen op de muren plakten en vanaf onze balkons een oogje hielden op de lastpakken die ons gebouw binnen liepen. 'Ik hoop dat je nou niet weer die hond binnen laat piesen,' riepen we dan naar een man van wie we wisten dat hij zijn hond altijd los liet lopen in de gang. Dat beviel hem helemaal niet, maar daar trokken wij ons niets van aan. We hadden ineens de geest gekregen, en om alles nog wat op te vrolijken schilderden we uiteindelijk zelfs de deuren van de berging die iedere flat op de begane grond had.

Maar hoe goed Michelle en ik ook met elkaar konden opschieten, ik was nog steeds een tikje terughoudend als het om echte vriendschap ging. Vroeger had ik misschien wel eens verlangd naar een vriendin van mijn eigen leeftijd, iemand met wie ik samen naar de film kon of met wie ik kon gaan winkelen of zo. Inmiddels wist ik dat ik de enige was die George kalm kon houden en daarom was het niet eerlijk tegenover hem of tegenover andere mensen om hem alleen te laten. Hij kwam op de eerste plaats en ik wilde gewoon niet zonder hem de deur uit.

Dus ook al had ik af en toe een slechte dag waarop ik stilletjes zat te huilen als hij eindelijk in slaap was gevallen, daar kwam ik dan ook wel weer overheen en ik pakte de draad snel weer op. Ik was Georges moeder en ik raakte eraan gewend om de meeste mensen uit de weg te gaan. We gingen natuurlijk wel naar onze familie toe, maar ik wilde niet dat vreemde mensen naar George stonden te staren als hij languit en stijf op de grond bleef liggen als hij zijn zin niet kreeg of anderen te zien hoofdschudden als hij de hele boel bij elkaar krijste. Ik wilde niet hoeven uit te leggen dat ik weer eens naar school moest komen omdat hij ruzie maakte met de andere kinderen en hen sloeg of beet als ze niet speelden zoals hij dat wilde, of dat ik een verzoek had ingediend om zijn gehoor en zijn gezichtsvermogen opnieuw te laten testen. De uitslag van de vorige onderzoeken was weliswaar normaal geweest, maar nu George op school zat, raakte ik er meer en meer van overtuigd dat er iets mis was. Ik was natuurlijk helemaal gewend geraakt aan zijn manier van doen toen we nog met ons tweetjes waren, maar nu kon ik er niet meer omheen dat zijn gedrag toch wel heel anders was dan normaal. Daarom wilde ik graag dat hij nog een keer getest werd, voor het geval ze zich vergist hadden.

Maar hoe moest ik dat allemaal uitleggen aan Michelle, die in Ricky en Ashley twee volmaakte kinderen had? Moest ik haar dan vertellen dat George er allerlei dingen begon uit te flappen als we samen op stap waren en gewoon weigerde daarmee op te houden, hoe vaak ik hem ook op de vingers tikte?

'Dikke!' zei hij dan als een forse vrouw ons passeerde.

'Harige aap!' riep hij naar iemand met lang haar.

'Moedervlekken!' schreeuwde hij als hij iemand met sproeten zag.

'Stinkerd!' voegde hij vrijwel iedereen toe die iets te dicht in de buurt kwam.

Dat leverde hem natuurlijk vreemde blikken op als de mensen verder liepen, maar hoe vaak ik ook tegen George zei dat hij dat niet moest doen, hij weigerde om zijn mond te houden. Op school wisten ze niet wat ze van hem moesten denken. Ze waren dan ook begonnen met een boekje waarin alles werd opgeschreven over zijn gedrag, bijvoorbeeld dat hij niet wilde drinken waar andere mensen bij waren of dat hij er een halfuur over deed om naar het toilet te gaan omdat hij altijd eerst al zijn kleren uittrok voordat hij iets deed. Er waren zoveel kleine dingen dat ik niet eens wist waarmee ik moest beginnen en daarom was ik bang om vrienden te maken.

Gelukkig bleek Michelle zich daar helemaal niet druk over te maken toen we steeds meer met elkaar begonnen op te trekken. Dat kwam misschien omdat ze een opleiding voor kinderverzorgster had gehad, of omdat ze gewoon een geduldig type was. Michelle liet zich in elk geval door niets uit haar evenwicht brengen, ook niet die dag toen we samen buiten op het veld waren en ik ineens zag dat George Ricky op de grond had gegooid en hem sloeg.

'Hou op!' schreeuwde ik terwijl ik naar hen toe rende.

George keek niet op toen hij mijn stem hoorde, en toen ik eindelijk bij hem was, keek hij me even nietszeggend aan voordat hij Ricky opnieuw een klap gaf.

'George, nee!' zei ik terwijl ik hem wegtrok. Ik dacht dat hij het dit keer echt helemaal verknald had en dat Michelle nooit meer een woord met me zou willen wisselen.

Maar ze trok zich er eigenlijk niets van aan. 'Kinderen hebben nu eenmaal dat soort streken,' zei ze terwijl ik George meesleurde.

Ik vond het echt naar toen ik besefte dat hij geen vrienden kon maken. Aan de manier waarop hij met Ricky en Ashley omging, kon ik zien dat George niets van andere kinderen begreep. Maar toch kon ik nog steeds niet de moed opbrengen om alles met Michelle te bespreken, tot ze er op een avond zelf over begon toen we samen op de trap tussen onze flats zaten. Dat was in de loop der tijd een gewoonte geworden en ik merkte dat ik steeds meer begon uit te kijken naar het moment waarop ik Michelle op de deur hoorde kloppen. We lieten allebei de voordeur op een kier staan, zodat we het meteen zouden horen als een van de kinderen wakker werd, en dan gingen we met ons tweetjes op de trap zitten. En daar zaten we ook op de avond dat ze er ineens zelf over begon.

'Is er een probleem met George?' vroeg Michelle.

Er was nog nooit iemand geweest die me dat zo onomwonden had gevraagd.

'Volgens mij wel,' zei ik. 'Maar zijn gehoor en zijn gezichtsvermogen zijn allebei getest en volgens de uitslag was alles in orde. Desondanks ben ik bijna aan het eind van mijn Latijn, want ik weet zeker dat er iets mis is en er is gewoon niemand die naar me luistert.'

Michelle keek me met haar grote ogen aan. 'Luister eens, Ju, je moet echt ophouden je steeds voor hem te verontschuldigen. George is zoals hij is en de mensen zullen dat moeten accepteren. Je maakt je daar echt veel te druk over, je moet je niet zoveel aantrekken van wat anderen denken. Ik begrijp wel dat het je dwarszit, maar dat hoeft helemaal niet.'

'En als hij Ricky dan een mep verkoopt of tegen Ashley zegt dat ze stinkt?' vroeg ik. 'Wat moet ik dan doen?'

'Je doet al alles wat in je vermogen ligt, dat weet ik best. Maar soms moet je het maar gewoon aan de kinderen zelf overlaten. En je moet je erbij neerleggen dat de mensen George zullen moeten accepteren zoals hij is, want voorlopig zal hij zeker niet veranderen.'

Ik ben er altijd van overtuigd geweest dat we mensen om een bepaalde reden ontmoeten en Michelle was mijn karma. Naarmate we elkaar beter leerden kennen, praatte ik vaker met haar over George: hoe ik hem iedere avond uiteindelijk in slaap wist te krijgen in de hoop dat we een paar uurtjes rust zouden hebben voordat hij weer opstond om tegen de muur te plassen. Hoe ik andere kinderen gezellig samen zag spelen en dan wenste dat George zou leren om gewoon mee te doen.

'Laat hem nou maar, Ju,' zei Michelle dan tegen me. 'Je kunt George niet dwingen om anders te zijn dan hij is en iedereen ziet heus wel dat je een goede moeder bent. Het zijn de andere mensen die zich maar moeten aanpassen, niet George. Als zij hem niet kunnen accepteren, dan zijn ze geen knip voor de neus waard.'

Michelle was zo begripvol dat ik me algauw voldoende op mijn gemak voelde om George mee te nemen naar haar flat. Het gaf niet dat hij daar cake tegen de muur smeerde of het hoofd van Ashleys pop tegen de muur sloeg, want Michelle gaf geen krimp.

'Probeer je Barbie soms wat gezond verstand in te stampen, George?' zei ze dan lachend. 'Wat een goed idee.'

En hoewel George nog steeds moeite had in de omgang met Ricky en Ashley, ook al waren ze allebei echt aardig voor hem, wist ik zeker dat hij Michelle wel mocht. Natuurlijk zou hij haar nooit knuffelen of zelfs maar tegen haar lachen. George keek Michelle meestal niet eens aan als hij iets tegen haar zei en liet ook nooit merken dat hij zich bewust was van haar aanwezigheid. Maar na een paar maanden begon hij iets te doen waaraan ik kon merken dat dat wel degelijk het geval was: hij begon te snuffelen. Iedere dag als we de flat uit stapten, haalde George diep adem en zei dan tegen me dat hij Michelle rook. Want ook al woonde ze een verdieping lager dan wij, hij rook het toch als ze een was draaide, en voor George was die geur synoniem met Michelle. Op de een of andere manier was ze tot hem doorgedrongen en George had zijn geheel eigen manier om mij dat te laten merken.

Vier

Ik bleef stokstijf staan toen ik de slaapkamer in liep en George zag. Ik was het liefst gaan gillen, maar ik wist dat ik rustig moest blijven. Op de een of andere manier had hij het slot van het raam open gekregen en was naar buiten geklommen. Nu stond hij aan de andere kant van de ruit, met blote voeten op de vensterbank naast het open raam. En we woonden op de tweede verdieping. Ik moest niets overhaasts doen, anders zou ik hem laten schrikken.

'Wat ben je van plan, George?' vroeg ik.

Hij staarde zonder iets te zeggen naar een plek achter mijn hoofd, terwijl hij zich aan de sponningen vasthield.

Ik trok voorzichtig mijn telefoon uit mijn zak en belde het alarmnummer. 'Ik heb hulp nodig,' zei ik tegen de telefoniste.

Een stem aan de andere kant van de lijn nam de bijzonderheden op en ik verloor George geen moment uit het oog terwijl ik de verbinding verbrak en bad dat er gauw iemand zou komen opdagen. Als hij ook maar een paar centimeter bewoog, zou hij naar beneden vallen. En ik had moeten weten dat hij zoiets als dit zou uithalen. George was zich eigenlijk nooit bewust van gevaar en hij voelde kennelijk ook nooit pijn. Als hij viel, kwam hij nooit naar me toe en hij huilde ook nooit. Hij stond gewoon weer op en liep door, ook al had hij een gat in zijn knie. Maar de laatste tijd deed hij niets anders dan op en neer springen als we een eindje gingen wandelen en dan zei hij dat hij vloog.

'O ja, lieverd?'

'Ja.'

'Waar dan?'

'Boven een groot gebouw.'

'Echt waar? En waar nog meer?'

'Over een boom.'

Ik maakte mezelf wijs dat George een grote fantasie had en ik was blij dat hij kon dromen. Maar nu ik daar met een bonzend hart zag hoe George naar me stond te kijken, wist ik dat ik beter op hem had moeten letten. Ik had het wel uit kunnen schreeuwen, maar ik wist dat ik gewoon moest blijven staan in plaats van naar hem toe te rennen. Ik had het gevoel dat er een eeuwigheid voorbijging, maar waarschijnlijk was het niet meer dan een paar minuten tot ik het geluid van sirenes hoorde. Ik had gevraagd of de brandweer klaar kon gaan staan om George op te vangen als hij viel, omdat ik ze niet binnen kon laten. Ik wist zeker dat hij het raam los zou laten als hij vreemden zag. Hij begreep gewoon niet dat hij in dat geval naar beneden zou vallen. George dacht dat hij kon vliegen, net als vogels.

Ik deed een stapje naar voren, klaar om naar hem toe te rennen en hem te grijpen als hij zich niet meer vasthield. Daarna keek ik op mijn horloge alsof het een gewone dag was en geen vuiltje aan de lucht.

'We zijn een beetje laat, George,' zei ik tegen hem. 'We moeten naar oma toe, want Lewis zit op ons te wachten.'

George keek me aan alsof hij stond na te denken of hij nu wel of niet in beweging zou komen.

'Ze zullen zich wel afvragen waar we blijven,' zei ik en deed mijn best om niet paniekerig te klinken.

George begon centimeter voor centimeter terug te schuifelen over de vensterbank en bij elke beweging hield ik mijn hart vast. Maar op het moment dat hij een voet door het raam naar binnen stak, greep ik die zo stevig vast dat hij met geen mogelijkheid achterover kon slaan en trok hem naar binnen.

'Brave jongen,' zei ik. Ik had hem het liefst willen knuffelen, maar ik wist dat ik dat niet mocht doen. 'Alleen moet je dat echt niet meer doen, hoor. Dat weet je best, hè George?'

Hij veegde met zijn handen over de plek waar ik hem had aangeraakt en keek me aan met ogen waar geen greintje begrip in te lezen stond. Mijn handen trilden toen ik achter George aan de kamer uit liep, en hoewel ik begreep dat ik van nu af aan elk raam in de flat op slot moest houden en de sleutels moest verstoppen, had ik nog steeds geen flauw idee wat ik er verder aan kon doen toen ik het voorval 's avonds met Michelle besprak.

'We zullen het hem moeten laten zien, Ju,' zei ze. 'George kan zich daar zelf geen voorstelling van maken, dus we moeten hem laten zien wat er had kunnen gebeuren.'

De volgende ochtend kwam Michelle de flat binnen met een doos eieren en we gingen samen met George naar de slaapkamer, waar we het raam openzetten.

'Zie je dit ei, George?' vroeg Michelle terwijl ze het hem onder de neus hield. 'Dat ben jij.'

Ze liet het ei uit het raam vallen en George keek toe hoe het naar beneden viel en kapotsloeg op het betonnen trottoir.

'Probeer jij het nu maar eens,' zei Michelle en overhandigde hem een ei.

Nadat we een stuk of zes eieren uit het raam hadden gegooid, renden we naar beneden, waar we tot de ontdekking kwamen dat het betonnen pad geel was van de dooiers en vol lag met scherven van eierschalen.

George keek met een uitgestreken gezicht om zich heen.

'Jij gaat ook kapot als je valt – precies zoals je kapotgaat als je voor een auto springt,' zei ik tegen hem terwijl ik knielde om hem aan te kunnen kijken. 'Jij bent net zo breekbaar als een ei, George. Snap je wat ik bedoel?'

Hij keek me niet aan en zei ook niets, maar we hadden ons best gedaan en ik begon langzaam maar zeker in te zien dat als je iets maar vaak genoeg tegen George zei het uiteindelijk wel bleef hangen. Als de meeste moeders bepaalde dingen wel honderd keer tegen hun kinderen moesten zeggen, moest ik dat bij George wel duizend keer doen. Hoe kon hij anders leren om zich aan te passen aan een wereld waar hij niets van begreep?

Op school kwam hij steeds vaker in de problemen en ik kende

een heleboel mensen die vonden dat George gewoon een ondeugend kind was dat niet wilde luisteren: hij klom tegen het hek op als de onderwijzers zeiden dat hij naar beneden moest komen, hij verstopte zich onder de sari van de mevrouw in de kantine, of hij duwde kinderen omver. Maar hij moest het toch leren, dus probeerde ik iedere keer als ik weer op school werd ontboden met hem te praten. Desondanks snapte George gewoon niet wat hij fout deed. Hij zag geen verschil tussen een duwtje of een uithaal waarmee hij de trui van een ander kind kapot scheurde en hij wist absoluut niet hoe hij met andere volwassenen of kinderen om moest gaan. Iedere keer als ik hem van school haalde, nam hij de benen zodra hij de deur uit was en als ik dan achter hem aan holde, liet hij zich op het moment dat ik hem vastpakte krijsend op de grond vallen.

George begreep ook absoluut niet dat hij degene was die anders was, en iedere keer als ik met hem probeerde te praten over wat hij fout had gedaan zei hij dat daar helemaal niets van klopte. Wat ik hem aan zijn verstand probeerde te brengen was gewoon niet logisch en hij wist zeker dat het juist de andere kinderen waren die voor problemen zorgden. Maar hoewel ik wist dat ik moest blijven proberen hem duidelijk te maken hoe de wereld in elkaar stak, kreeg ik steeds sterker het gevoel dat zijn school eigenlijk geen zin meer had om me daarbij te helpen.

In december van Georges tweede schooljaar, toen hij ongeveer vijfenhalf was, kreeg ik te horen dat hij niet mee mocht doen aan het kerstconcert, omdat alles in het honderd zou lopen als hij weer een van zijn woedeaanvallen kreeg. Ik wist dat George het hele concert niet zou missen, maar ik wel. Dat zijn toch juist de dingen waar je je als moeder op verheugt?

Maar onderwijzers maken kinderen geen vierentwintig uur lang mee. Ze kenden George niet zoals ik hem kende, tot in de kleinste bijzonderheden. Dus niet alleen zijn minder goede, maar ook zijn goede kanten. Om een voorbeeld te geven: in de meeste lessen leek hij nauwelijks geïnteresseerd, maar zodra het over geschiedenis ging, was hij altijd bereid om te luisteren. Vandaar dat ik hem mee begon te nemen naar alle historische plekjes die ik maar kon bedenken – van het paleis in Hampton Court en de Tower of London, tot Windsor Castle en oude herenhuizen. Eigenlijk precies dezelfde uitstapjes die ik ook in mijn jeugd had gemaakt, waarbij mam en pa ons alles hadden verteld over de oude gebouwen in Londen. Daardoor was ik echt van dat soort plekjes gaan houden. Mijn favoriet was altijd het paleis in Hampton Court geweest: iedere keer als ik die enorme hal was binnen gelopen, met die marmeren trappen, de oude schilderijen en die gigantische kroonluchter, had ik me verbeeld dat dit mijn eigen huis was.

Maar uiteraard ging het niet altijd even gemakkelijk. George kon niet tegen te veel mensen en ik moest erachter zien te komen wat hij wel en wat hij niet aankon. Om er met de ondergrondse naartoe te gaan was veel te eng, maar als we met de auto gingen, kon het net. Zeker als ik hem toestond zich te verstoppen als het te druk werd. George praatte nooit over de dingen die we gezien hadden, maar ik wist toch dat Windsor Castle zijn favoriete plek was. Hij zette echt grote ogen op van verbazing als we daar 's winters naartoe gingen en de kasteelmuren oplichtten als tegen de avond de schijnwerpers aanfloepten. Water, glimmende dingen en lichtjes vond hij mateloos boeiend.

Dus hoewel George het op school niet goed deed, wist ik toch dat hij intelligent was. En uit de dingen die hij deed, kon je opmaken dat hij wel degelijk leerde van alles wat zich in zijn omgeving afspeelde. Toen mam in zijn bijzijn een keer vertelde dat oma uit bijgeloof vroeger altijd zout over haar schouder gooide, ging hij precies hetzelfde doen. En als George in iets geïnteresseerd was, of dat nu om Windsor Castle, bomen, vogels, water of vissen ging, dan kon hij daar geen genoeg van krijgen.

Maar zijn onderwijzers zagen kennelijk alleen maar een klein jongetje dat niet naar hen wilde luisteren, dat lastig was, niet geïnteresseerd in leren en af en toe agressief. In een klas met rond de veertig kinderen hadden ze gewoon niet genoeg tijd voor hem en ik was ziek van angst dat George nooit hulp zou krijgen. Daarom vond ik het goed dat er voor mij een afspraak werd gemaakt met twee deskundigen toen ik weer terug moest naar de kliniek waar George zijn gehoortest had ondergaan. De tweede keer was immers opnieuw gebleken dat er niets aan de hand was en iemand was kennelijk tot de slotsom gekomen dat ik de reden was voor Georges problemen.

Bij de eerste paar afspraken moest George meekomen en dan verstopte hij zich achter mijn stoel als zij begonnen te praten.

'Wat doe je als George op de grond gaat liggen en niet wil opstaan, Julia?' vroegen de dames op een zoetsappig toontje en met veelbetekenende blikken.

Wat dachten ze eigenlijk? Dat ik hem bij zijn haren overeind sleurde?

'Zeg je wel eens "dat mag niet" als hij speelgoed kapotmaakt?' werd me gevraagd.

Zouden ze nu echt denken dat ik bang was om tussenbeide te komen als hij korte metten maakte met Buzz Lightyear?

'Waarom denk je dat hij niet met een lepel wil eten?'

'Hoe is de verstandhouding tussen George en zijn vader?'

'Heb je een vriend?'

Er was maar één woord van toepassing op die dames en dat was 'bevoogdend'. Het enige wat zij zagen was een alleenstaande moeder met een kind dat niet onder de duim te houden was en wat ik ook zei, dat kon ik ze niet uit het hoofd praten.

'Waarom gaan jullie niet met de school praten?' vroeg ik keer op keer. 'Daar kunnen ze jullie nog veel meer vertellen over George en zijn rare streken. Het is echt geen kwestie van discipline. Ik weet zeker dat er meer aan de hand is.'

Maar het antwoord was altijd hetzelfde. 'George is nog erg jong, Julia. Om hem te beoordelen hebben we meer tijd nodig.'

Dus ging ik maar naar de school toe en vroeg waarom zij niet wat meer voor George konden doen.

'Ze zijn bezig met een beoordeling, Julia. Dat duurt altijd wel even.'

Ik had het hele stel het liefst met de koppen tegen elkaar geslagen, want hoe langer deze toestand duurde hoe erger het werd. Ik raakte nog meer gefrustreerd toen ik naar een praatgroep werd gestuurd voor ouders van kinderen met gedragsproblemen. Het was de eerste keer dat ik het gevoel kreeg dat ik de beste van de klas was, omdat het advies zo elementair was.

Als je kind eenmaal het stempel 'lastig' heeft, is het kennelijk moeilijk om daaraan voorbij te gaan en af en toe wenste ik dat de school George gewoon een beetje met rust zou laten. Hij was bijvoorbeeld heel kieskeurig over wat hij wel en wat hij niet wilde eten, en hoewel hij me dat nooit echt verteld heeft, wist ik na een tijdje wel dat hij eten dat bij elkaar lag niet door zijn keel kon krijgen. Hij hield bijvoorbeeld van eieren en ook van witte bonen in tomatensaus, maar als ze samen op een bord lagen, bleef hij er alleen maar naar kijken. Het was net alsof George met betrekking tot voedsel een soort Berlijnse Muur in zijn hoofd had, want alles moest altijd streng gescheiden zijn. Toen ik eindelijk begreep dat hij alleen maar eten naar binnen kreeg als het in aparte schaaltjes zat, zette ik het hem op die manier voor.

Hij had ook vlagen dat hij dol was op bepaalde dingen – eerst waren het crackers, daarna drinkyoghurt en vervolgens roomtoetjes – en ik wist dat het geen kwestie was van lange tanden, want af en toe raakte George bijna in paniek als hij naar zijn bord keek en diep ademhaalde. Dus gaf ik hem zijn zin, omdat hij dan genoeg kalmeerde om te kunnen eten. En in de tijd dat ik begon te wensen dat zijn onderwijzers eens even de andere kant op zouden kijken, was hij net helemaal verslingerd aan boterhammen met jam. Maar je moest altijd heel precies zijn als je boterhammen voor George klaarmaakte, want hij raakte ze niet aan als er ook maar iets van boter te zien was. En zelfs als ik ze precies goed had klaargemaakt, kwam het er vaak op neer dat hij het brood zat te kauwen en dan vervolgens terug spuugde in zijn lunchtrommeltje. Dat vonden de onderwijzers echt helemaal niets, en hoewel ik hun vertelde dat ik bij een diëtiste was geweest die me had verzekerd dat George geen enkel probleem zou hebben zolang hij iedere dag maar melk, yoghurt en brood naar binnen kreeg en dat ik zijn trommeltje thuis wel weer zou schoonmaken, wilden ze niet naar me luisteren. Ik werd er echt doodmoe van. Waarom bleef iedereen maar vragen stellen? Waarom probeerden ze niet gewoon om me te helpen?

Ergens had ik toch het gevoel dat ik vertrouwen moest hebben in de artsen die tegen me zeiden dat George nog te jong was om echt vast te stellen of er iets mis was met zijn ontwikkeling, in de deskundigen die vonden dat ik gewoon tot tien moest tellen en in de onderwijzers, die maar volhielden dat elk kind een eigen tempo van leren heeft. Aan de andere kant wilde ik ze – eerst in het tweede en daarna in het derde jaar dat hij naar school ging – het liefst vertellen dat er nu iets aan gedaan moest worden, wat dan ook. Na zijn eerste schoolreisje kreeg ik te horen dat George niet meer mee mocht, omdat hij in de bus niet op zijn stoel wilde blijven zitten. En als ze gingen zwemmen – dat had Howard hem geleerd en hij kon het niet alleen goed maar hij was er ook dol op – luisterde hij volgens de onderwijzers ook niet en ik moest echt soebatten om ze zover te krijgen dat ze hem bleven meenemen. Soms haalde ik hem van school en kreeg dan, compleet met verbijsterde blikken, te horen dat hij weer in de klas in slaap was gevallen, omdat hij de nacht ervoor nauwelijks een oog dicht had gedaan. George werd steeds vaker naar de lange gang verbannen, waar hij samen met een onderwijsassistent aan een klein tafeltje moest zitten. Onwillekeurig dacht je dan: uit het oog, uit het hart.

Ik wist het natuurlijk niet zeker, maar ik vroeg me wel af of het ook tot George zou doordringen. Naarmate hij andere mensen steeds probeerde te mijden begon hij ook steeds meer het gevoel te krijgen dat iedereen tegen hem was.

'Hij kijkt naar me,' zei George bijvoorbeeld als we op weg naar school een man tegenkwamen.

'Welnee, lieverd,' zei ik dan tegen hem. 'Hij loopt gewoon naar zijn werk en denkt alleen maar aan zichzelf.'

Of George trok ineens de klep van zijn Pokémon-petje naar beneden en zei dat de zon hem bespioneerde, of dat de wolken ons achtervolgden. Een bezoek aan de tandarts bracht zoveel problemen met zich mee, dat ik met hem naar het ziekenhuis ging zodat hij verdoofd kon worden toen er een tand getrokken moest worden en toen hij weer bijkwam, zei hij dat de dokter had geprobeerd hem te vermoorden.

Ik denk dat ik daarom mijn best deed hem thuis zoveel mogelijk liefde te geven, zodat hij zich, in een wereld die hem zoveel angst aanjoeg, in ieder geval bij mij veilig voelde. Maar hoeveel ik ook van hem hield, George liet nooit merken dat hij ook iets om mij gaf. Ik mocht dan een kind hebben, af en toe leek het net alsof dat niet zo was. Soms betrapte ik mezelf erop dat ik naar de andere kinderen stond te staren die na schooltijd naar hun moeder toe renden om haar een kus te geven en dan verlangde ik er intens naar dat George mij ook zou willen knuffelen. Maar hij stond nooit toe dat ik hem aanraakte en hij gaf zijn gevoelens ten opzichte van mij niet prijs. Er waren dagen dat hij me 's ochtends, als hij wakker werd, aankeek alsof hij me voor het eerst zag. En dat zat me iedere keer opnieuw dwars, zo erg dat ik wel eens wenste dat ik weer iemand tegen zou komen en nog een kind zou krijgen, alleen maar om te weten hoe het voelde om moeder te zijn van een kind dat ook van mij hield.

Ik mocht George eigenlijk alleen aanraken als we nogal wilde spelletjes speelden. Dan deed hij net alsof hij een Power Ranger was en zaten we samen in een van de tenten die ik door de hele flat had opgezet, omdat hij daar zo van hield. Ik had er zelfs een op mijn bed gezet, in de hoop dat hij daarin zou willen slapen, omdat George echt uren achter elkaar in een tent kon zitten. Meestal bracht ik per dag toch gauw een uurtje of drie met hem in een tent door en dan hielden we knokpartijtjes. Als George zich dan op me stortte, hield ik hem gauw een paar seconden vast om te genieten van zijn mollige beentjes of zijn magere, smalle borstje. Ik was dol op dat soort momenten, want verder mocht ik George niet aanraken. Hij praatte ook niet echt tegen mij: hij had het nog steeds alleen maar over specifieke dingen zoals de Power Rangers of Buzz Lightyear. Vaak hield hij het bij één woordje of bleef voortdurend zangerig dezelfde zinnetjes zeggen.

'O en het vliegtuig, o en het vliegtuig,' riep hij bijvoorbeeld wel honderd keer achter elkaar voordat hij over iets anders begon.

Ik probeerde hem af te leiden met puzzels of potjes verf, maar George begon altijd te krijsen als hij iets fout deed. En dan wordt spelen een hele klus, want als je zes jaar bent, maak je fouten. Maar een van de dingen die hij wel heel leuk vond, was boetseerklei. Die kneep hij in zijn handen samen terwijl ik allerlei figuurtjes maakte waarnaar hij kon kijken. Op een dag kocht ik een plastic mannenfiguurtje voor hem met gaten in het hoofd waar je de boetseerklei doorheen kon duwen om er 'haar' van te maken. Aanvankelijk zat George lachend toe te kijken, maar op het moment dat ik een schaar pakte om het haar af te knippen begon hij te krijsen. Hij liet zich op de grond vallen en werd stijf van woede terwijl hij door bleef brullen. Hij zette zo'n keel op dat ik me ineens afvroeg of hij zich pijn zou hebben gedaan, dus ging ik op mijn knieën naast hem zitten.

'George,' zei ik smekend, 'zou je me alsjeblieft willen vertellen wat er aan de hand is?'

Maar daar kwam ik nooit achter, want George vertelde me niet wat hij voelde. Hoe kon hij ook? George wist zelf kennelijk niet eens wie hij was. Toen ik hem op een dag voor de spiegel zette, kreeg hij zo'n huilbui dat ik alle spiegels die ik in huis had van de muur haalde. Dus hoe moest hij dan die driftbuien verklaren die nog steeds uit het niets leken te ontstaan? George was een raadsel dat ik niet op kon lossen, een puzzel waarvan alle stukjes samen een beeld vormden waarvan ik niets snapte, ook al wilde ik dat nog zo graag.

Vijf

Wisten jullie dat zo'n foldertje dat op een doodgewone dag door de brievenbus wordt geduwd de aanzet voor iets heel belangrijks kan zijn? Ik in ieder geval niet, toen ik ongeveer een jaar in de nieuwe flat woonde en er eentje op de mat vond. Nadat ik had afgehaakt als taxichauffeur en was verhuisd had ik voortdurend geprobeerd om werk te krijgen, want mijn uitkering gaf me het gevoel dat ik geen knip voor de neus waard was. Dus toen George naar school ging, nam ik een baan aan in een pub waar ik eerst de boel schoonmaakte en daarna in de keuken hielp. Ik vond het heerlijk om weer onder de mensen te zijn, maar het drong al snel tot me door dat ik niet buitenshuis kon werken, omdat ik meestal bekaf was door gebrek aan slaap en voortdurend door de school werd opgetrommeld om over George te komen praten. Het duurde meer dan een jaar voordat ik accepteerde dat ik al mijn energie nodig had om voor hem te zorgen en uiteindelijk moest ik dan ook mijn werk opgeven omdat hij een complete dagtaak was. Maar ik greep toch de kans aan om me te melden bij de bewonersvereniging van de flat toen die een foldertje rondstuurde waarin moeders werden opgeroepen om mee te werken, want ik heb graag iets omhanden.

Nu zul je mij niet horen zeggen dat de bewonersvereniging

het meest opwindende was wat ik ooit had gedaan, want luisteren naar iemand van de gemeente die vertelt waar ze verkeersdrempels gaan leggen is niet bepaald boeiend. Maar er kwam toch iets bovendrijven toen ik naar al die mensen zat te luisteren. Ik ontdekte namelijk dat het stuk land naast het flatgebouw vroeger een gemeenschappelijke tuin was geweest. Dat zette me aan het denken, want vanaf het moment dat we in de flat woonden en een balkon kregen, was ik samen met George aan het tuinieren geslagen. Hij vond het zorgen voor planten en het stoeien met aarde zo leuk dat ons balkon inmiddels uitpuilde van hangbakken en potten vol kruiden, tomaten en zonnebloemen. Water geven vond hij het leukst: George gaf ze zoveel dat de bloemen bijna verzopen en Michelles balkon onder ons steeds een lading modderwater te verwerken kreeg waardoor haar schone was keer op keer werd verpest.

Toen ik dan ook hoorde dat het land naast de flats vroeger een tuin was geweest waar iedereen van kon genieten besloot ik te proberen of we die weer nieuw leven in konden blazen. Een van mijn buren die al jaren in het gebouw woonde, had nog foto's van hoe het er vroeger uit had gezien en ik wilde proberen of we dat weer voor elkaar konden krijgen. De woonwijk bestond uit vier flatgebouwen die elk vijftig gezinnen telden, dus er zouden genoeg mensen moeten zijn om iets van de grond te krijgen. Toen ik de bewonersvereniging om een bijdrage vroeg, zei ik dat een club van tuinierders veel goed zou kunnen doen. Onze wijk had immers een bepaalde reputatie en iets waaraan iedereen een steentje kon bijdragen zou misschien helpen. In de loop der jaren was er veel veranderd en onze wijk was net als zoveel andere een mengelmoesje geworden. Maar sommige asociale blanke mensen vonden dat maar niets en die hadden voordat ik er was komen wonen een Aziatisch gezin lastiggevallen. Ik wist het natuurlijk niet zeker, maar ik had het idee dat de mensen daarom gewoon uit zelfverdediging niets meer met hun buren van doen wilden hebben. Ze bemoeiden zich met niemand en moedigden hun kinderen ook niet aan om met elkaar te spelen, wat niet bepaald bevorderlijk was voor de gemeenschapszin.

Er zullen best mensen zijn die me voor gek verklaren, maar het leven is toch al zo kort, dus waarom moeten we dan ook nog eens met elkaar overhoopliggen? We zijn in wezen allemaal hetzelfde, wat de onderlinge verschillen ook mogen zijn, en hoewel er best een paar rotte appels in de wijk zaten, hadden de meeste mensen een goed hart. Er zijn altijd meer goede dan slechte personen in een wijk en ik had gelijk wat het tuinieren betrof. Toen ik de bijdrage van de bewonersvereniging kreeg, waren de mensen best bereid om te helpen. Vaders kwamen opdraven om het zware werk te doen en het gras rond de wilg weg te halen, terwijl moeders en kinderen Michelle en mij bij het planten hielpen.

Nadat we genoeg geld hadden gekregen om vier banken, wat gereedschap en een paar rozenstruiken te kopen werd de tuinclub een wekelijkse gebeurtenis. Oudere mensen kwamen naar ons toe om een babbeltje te maken, terwijl de kinderen aan de slag gingen met schepjes. Ik leerde ze hoe ze een gat moesten graven waar de plant in moest en de aarde rond de wortels aan te drukken zodat ze goed konden groeien, of hoe ze de rozen water moesten geven en de dode bloemen eruit knippen om nieuwe knoppen te krijgen.

Toen we Michelle, Ricky en Ashley een beetje beter leerden kennen, gingen George en ik vaker samen met hen uit. De kinderen reden rond op hun fietsjes terwijl Michelle en ik zaten te kletsen, of we speelden met ons allen buiten op het grasveld. Dus toen George met me meeging naar de tuinclub hoopte ik stiekem ook dat hij daardoor wat meer onder de mensen zou komen. Hoewel hij meestal alleen maar zat toe te kijken, was ik al blij als hij alleen maar een paar minuten lang een schep in zijn handen had. Dat was een begin, en op die manier werd de tuinclub iets wat we in de lente en de zomer iedere week samen konden doen. Maar wat nog belangrijker was, het maakte iets in Michelle en mij wakker, want we begonnen al snel te piekeren over andere dingen die we konden organiseren. Het was allemaal met het trappenhuis begonnen, maar inmiddels waren we echt besmet met gemeenschapszin.

Vandaar dat we voor Pasen van het jaar daarop een wedstrijd eieren zoeken organiseerden voor alle kinderen. Ik vond het een geweldig idee, want een van de mooiste herinneringen uit mijn jeugd was zo'n wedstrijd waaraan ik als kind had deelgenomen.

Dat was thuis bij mijn nichtje Sally, waar ze een tuin hadden die aan de Theems grensde, en mam had me mijn mooiste jurk aangetrokken. Het was echt wonderbaarlijk om al die chique boten voorbij te zien komen terwijl wij tussen de struiken naar eieren zochten. Mijn tante Rita was een goed opgeleide vrouw die het ver had geschopt en ik weet nog dat ik vond dat Sally wel een heel ander soort leven leidde dan ik. Ik kreeg wel een huilbui toen pa zei dat ik mijn eieren moest delen omdat ik er veel te veel had gevonden, maar die dag bleef in mijn geheugen gegrift staan. En juist dat soort herinneringen wilde ik George ook meegeven, want die geven je immers echt het gevoel dat je bemind wordt? Als er kinderen in mijn wijk woonden die niet zo'n fijn leven hadden, zou een eierzoekwedstrijd hun misschien een fijne herinnering bezorgen.

Michelle en ik kregen geen geld van de bewonersvereniging voor de paaseiwedstrijd, maar we hadden wat geld opzijgelegd om chocolaatjes te kopen en posters te maken om iedereen op de hoogte te brengen. De wedstrijd zou midden op de dag plaatsvinden, en er kwamen zoveel kinderen opdagen dat Michelle en ik ze twee aan twee op pad stuurden en hoopten dat er genoeg eieren voor iedereen zouden zijn. En ze kwamen in alle soorten en maten: de lieverdjes en de bengels. Ze waren allemaal even opgewonden, zelfs Georgia, een meisje met een grote bril en prachtig blond haar, dat uiteindelijk vloekend en tierend onder een boom op en neer stond te springen om te proberen een ei tussen de takken uit te plukken.

Er mag dan tegenwoordig een chronisch gebrek zijn aan gemeenschapszin, maar toen Michelle en ik van alles in onze wijk organiseerden, heb ik wel wat geleerd. Je kunt misschien niet de volwassenen overhalen om hun drankje en de tv te laten staan, maar je krijgt kinderen wel gemakkelijk naar buiten. In de jaren daarna bleven Michelle en ik gewoon doorgaan met het organiseren van allerlei dingen, en hoewel ze vaak tegen me zei dat de helft van de mensen ons stom vond en de andere helft zeker wist dat we hen iets uit de zak probeerden te kloppen, trok ik me daar niets van aan. Zo ben ik nu eenmaal en volgens mij heb ik dat van mijn vader en moeder geleerd.

Als er barricaden zijn dan moet je proberen die te slechten.

Dat deden we dan ook precies toen we bijna een opstand ontketenden door op een dag de waslijnen bij de flats voor een paar uurtjes weg te halen en in plaats daarvan badmintonnetten voor de kinderen op te hangen.

'Wat halen jullie nu weer uit?' werd er geschreeuwd toen ze zagen wat Michelle en ik deden. 'De witte was moet drogen!'

'Het duurt echt niet lang,' schreeuwden we dan terug.

Hun wasjes konden wel een paar uurtjes blijven liggen. Ik had als kind ook badminton gespeeld en dan had pa mijn hand vastgehouden om me te helpen. Nu deden Michelle en ik hetzelfde om de kinderen te leren de pluimpjes heen en weer te slaan. Terwijl we aan het spelen waren, zag ik een klein meisje op een van de balkons staan. Ze was hooguit een jaar of zes en ik kon aan haar zien dat ze te horen had gekregen dat ze niet naar beneden mocht, want iedere keer als ik haar blik probeerde op te vangen keek ze gauw de andere kant op. Vandaar dat ik, toen we de volgende keer badminton gingen spelen, aanbelde bij de flat waar ze woonde. Ik zei tegen haar moeder dat ik haar natuurlijk niet kon dwingen en dat ik ook niet de hele dag op haar kind kon letten, maar dat ik toch hoopte dat haar kleine meid nu even naar buiten mocht. De moeder zei niets en ik was een beetje bang dat ze me een bemoeizuchtig mens zou vinden. Maar dat was kennelijk toch niet zo, want daarna mocht het kleine meisje altijd naar beneden om met ons mee te spelen.

Het mooiste wat Michelle en ik voor elkaar hebben gekregen, waren de cricketavonden die wij zijn begonnen, ook al ging alles niet meteen van een leien dakje. Inmiddels hadden we het, vanwege het succes van de tuinclub en het badminton, een beetje hoog in de bol gekregen, dus we besloten dat iedereen mee zou moeten doen aan de cricketavonden, ook de vaders en de moeders. Om bekend te maken wat we van plan waren, gebruikten we ons geheime wapen: de plaatselijke kletskousen. Je weet toch wel wie ik bedoel? Mondjes die nooit stil staan en genoeg tijd om uren te staan kletsen. Ik vertelde hun tussen neus en lippen door wat we van plan waren en wist dat ze het meteen zouden doorkleppen. Maar toen Michelle en ik samen met George, Ricky en Ashley naar beneden gingen voor de eerste clubavond op het grasveld, stond daar alleen onze vriendin Sharon met haar kinderen op ons te wachten, plus een paar oude dametjes. De kletskousen hadden hun werk niet zo goed gedaan als we hoopten, maar we moesten er wel mee doorgaan. Overal stonden immers mensen op balkons te kijken en zich af te vragen wat dat stel gekken nu weer van plan was.

Daarna moesten we iets anders bedenken om ons spelletjesprogramma van de grond te krijgen. We moesten het groots aanpakken. Vandaar dat Michelle en ik besloten dat we de cricketavonden maar moesten aankondigen door middel van een gezellig dagje voor het hele gezin op het grasveld, waarbij we dan iedereen zelf konden vertellen wat we van plan waren. Na overleg met mijn familie, die wel bereid bleek er wat geld in te steken, kochten we een goedkoop plastic zwembad en huurden voor een dag een springkussenkasteel. We waren zo opgewonden over alles, dat we ons pas op de ochtend van de feestdag zelf realiseerden dat er meer nodig zou zijn dan een paar emmertjes water om dat zwembad te vullen. Het had het formaat van een Olympisch wedstrijdbad.

'We zullen het rechtstreeks uit de kraan moeten halen,' zei Michelle.

Dus werden er tuinslangen aan elkaar gekoppeld om het bad te vullen en die dag zou een van de mooiste van mijn leven worden. Er kwamen massa's mensen opdagen en de kinderen waren niet uit het zwembad of het springkussenkasteel weg te slaan. Michelle hield een oogje in het zeil en ik organiseerde slagbalwedstrijden om de mensen aan het spelen te krijgen. George was ook naar buiten gekomen, schopte zijn voetbal rond en keek naar de mensen die slagbal speelden. Zelfs de man die aan het eind van mijn galerij woonde, deed mee, ook al was hij zo dronken dat hij nauwelijks een bal kon raken.

'Ik weet best dat je van een pilsje houdt en dat geldt ook voor mij,' zei ik, ook al dronk ik eigenlijk nooit meer dan één glaasje cola met cognac en had hij zeker al acht blikjes bier op, 'maar het lijkt me niet zo'n goed idee om met een blikje bier in je hand te komen kijken naar spelende kinderen. Dat is geen goed voorbeeld, hè?'

De man keek me scheef aan, voordat hij lachend zijn blikje in de lucht gooide. Later raakten we in gesprek en toen hoorde ik dat hij dakloos was geworden na de dood van zijn ouders en daardoor aan de drank was geraakt. Waaraan je maar weer eens kunt zien dat je nooit meteen met je oordeel klaar moet staan, hè? Je hebt nou eenmaal allerlei types en volgens mij heeft die man best plezier gehad, ook al raakte hij geen bal. We hebben ons die dag allemaal kostelijk geamuseerd, en het enige probleem dat we hadden, was dat een van de waterreservoirs op het dak kapotging omdat we de kranen zo lang open hadden laten staan. Toen allerlei zeurtantes begonnen te klagen dat ze geen water meer uit de kraan kregen, moesten we de gemeente bellen.

'Wat is hier aan de hand?' vroeg de monteur die daarna kwam opdagen. Hij stond met grote ogen naar het enorme zwembad, de natte kinderen en het soppende gras te staren.

Toen moest ik natuurlijk wel vertellen wat we hadden gedaan, maar gelukkig barstte hij alleen maar in lachen uit en ging hij het dak op om de schade te repareren.

Ik moet altijd glimlachen als ik terugdenk aan die dag. We waren met een heleboel mensen, allemaal uit verschillende flats en van verschillende leeftijden, die eigenlijk nog nooit een woord met elkaar gewisseld hadden, en na die gezellige dag was het ijs echt gebroken. Daarna kwamen er meer mensen naar beneden om samen cricket of slagbal te spelen. Het werd zo'n populaire bezigheid dat oudere mensen gewoon gezellig op een bankje kwamen zitten voor een praatje. De kinderen stonden al op Michelle en mij te wachten als we naar de keet liepen waar we alle spullen bewaarden. Ik vond het heerlijk om dat soort dingen te doen en op die manier ontdekte ik ook dat achter iedere deur een ander verhaal schuilgaat: de oude vrouw van wie ik dacht dat ze zoveel familie had, was juist heel eenzaam, en een Aziatisch gezin, dat zich altijd een tikje onveilig had gevoeld in de wijk, had nu voldoende vertrouwen om met hun kinderen naar buiten te komen, omdat ze beseften dat de meeste mensen best aardig waren. Maar wat ik er vooral van opstak, was dat als je iets voor anderen doet je daar zelf ook van profiteert. Nu George en ik onze buurt langzaam maar zeker leerden kennen, kregen we echt het gevoel dat we ergens thuishoorden. Je zou kunnen zeggen dat de wereld voor ons openging.

Op Georges school zaten allerlei soorten kinderen. Naast de leerlingen die een gemiddeld tempo aankonden, waren er ook kinderen die meer moeite met de lesstof hadden omdat ze een bepaalde afwijking hadden. En dan heb ik het over bijvoorbeeld ADD of lichamelijke gebreken, die maakten dat ze meer hulp nodig hadden dan het gemiddelde kind. Sommigen werden ondergebracht in een groep voor bijzonder onderwijs, terwijl anderen hulp kregen van een assistentonderwijzer. Die hielp sommige kinderen een paar uur per week, maar kon ook voor constante begeleiding gedurende de gewone lessen zorgen.

Nadat ik deskundige hulp had gekregen en de oudercursus had gevolgd kreeg ik steeds sterker het gevoel dat de school George links liet liggen. Ik was per slot van rekening bijna net zo vaak aanwezig geweest als hij – omdat hij weer eens in moeilijkheden was geraakt, of om te vragen of ze iets bepaalds voor hem konden doen – en het was net alsof ik steeds met mijn kop tegen de muur liep. Mijn arme moeder kreeg het zwaar te verduren, omdat ik telkens bij haar mijn beklag kwam doen.

Maar er gebeurde eindelijk iets, toen George na drie jaar van het kleutergedeelte verhuisde naar de normale lagere school, waar hij nog vier jaar op moest zitten voordat hij op zijn elfde aan een middelbare opleiding zou beginnen. De school besloot dat hij vanaf dat moment bij de groep bijzonder onderwijs ingedeeld werd, omdat hij niet genoeg opstak. Dat was nog maar zwak uitgedrukt, want George was zeven en kon nog geen woord lezen of schrijven, hij zei geen 'A' als je hem een appel liet zien en hij herkende zijn eigen naam niet als die voor hem werd opgeschreven. Ik was blij dat er eindelijk iets gebeurde, want ik kan je niet vertellen hoe alles me had aangegrepen. Af en toe sloot ik mezelf 's avonds op in het toilet en jankte een handdoek nat, omdat ik niet wilde dat George zou horen dat ik overstuur was. De ene dag was ik eenzaam, de volgende dag was ik verdrietig en de dag erna deed ik mijn best om een sprankje hoop te voelen.

Toen George bij de groep bijzonder onderwijs kwam, moest ik een afspraak maken met zijn onderwijzeres, juf Proctor, die alles wilde weten over zijn specifieke manier van doen en wat hij allemaal wel en niet leuk vond. Ze liet niet echt het achterste van haar tong zien terwijl we met elkaar zaten te praten, maar toen ik eindelijk mijn mond hield, keek juf Proctor me ontzet aan.

'Wat heeft George in vredesnaam uitgespookt in de tijd dat hij op school heeft gezeten?' vroeg ze.

'Ik zou het niet weten,' antwoordde ik.

'Ik weet dat u zich zorgen maakt en dat is volkomen terecht, mevrouw Romp. George loopt in de klas ontzettend achter. Hij reageert op niemand en toont ook geen emotie ten opzichte van de andere kinderen in zijn groep. Daarnaast heeft hij woedeaanvallen waarvan zijn klasgenootjes overstuur raken en af en toe kan hij erg driftig zijn.'

Heel even vroeg ik me benauwd af of juf Proctor de zoveelste persoon zou zijn die besloot dat George alleen maar lastig was. Maar meteen daarna besefte ik dat dat niet zo was: je kunt alles altijd van twee kanten bekijken en in plaats van hem te beschouwen als een ondeugend jongetje dat niet wilde luisteren keek juf Proctor heel anders tegen hem aan.

'Ik ben echt ziek van bezorgdheid,' flapte ik eruit en vroeg me af of ik nu ineens onder de neus van die arme juf Proctor in tranen uit zou barsten. Je staat ervan te kijken hoe emotioneel je wordt als je al zo lang met een probleem worstelt en iemand zegt plotseling: 'Dat moet een hele last zijn, hè?'

'Ik heb al problemen met hem vanaf zijn geboorte en niemand luistert naar me,' zei ik tegen juf Proctor. 'George is bijna een vreemde voor me. Ik weet dat het afschuwelijk klinkt, maar zo voelt het echt, en ik durf hem niet bij andere kinderen te laten, omdat ik nooit weet wat hij gaat doen. En hij is nooit in iemand geïnteresseerd, meestal zelfs niet in mij. Bij George is nooit sprake van knuffelen of lachen, en het enige dat ik ooit te horen heb gekregen is dat hij er wel overheen groeit. Maar het is heel moeilijk, want soms lijkt het net alsof hij niet eens weet wie ik ben. Ik bedoel, dat weet hij natuurlijk wel, maar het zegt hem niets. Alsof hij eigenlijk niet begrijpt dat ik zijn moeder ben.'

Juf Proctor wierp me een vriendelijke blik toe. 'We gaan George helpen,' zei ze. 'Er zijn een heleboel technieken en manieren die we kunnen gebruiken om de interesse te wekken van kinderen die niet willen leren. George heeft overduidelijk problemen, maar die kunnen we wel de baas.'

Ik mocht juf Proctor vanaf het eerste moment en ik was blij dat zij George onder haar hoede zou krijgen als hij ging pendelen tussen de groep voor bijzonder onderwijs en de normale klas. Begrijp me goed, ik had heus niet het idee dat iemand met een toverstaf had gezwaaid en dat er ineens een goede fee was verschenen die ons allemaal zou redden. Juf Proctor werkte op een school met massa's kinderen. Maar in ieder geval zou George nu hulp krijgen en binnen een paar maanden kwam er ook een opvoedkundig psycholoog bij, een zekere Michael Schlesinger. Ik kreeg te horen dat hij George zou gaan bestuderen om erachter te komen hoe groot zijn leercapaciteiten en zijn sociale vaardigheden waren en ik wachtte vol spanning op de uitslag van zijn onderzoek.

'Ik ben vandaag bij een meneer geweest,' zei George boos toen hij thuiskwam op de dag dat hij zijn eerste afspraak met meneer Schlesinger had gehad.

'Wat voor meneer?' vroeg ik.

'Hij rook naar koffie.'

'O ja?'

'Hij zat vlak naast me. En hij had grote ogen die helemaal uitstaken.'

'Echt waar?'

'Ja. Ik wil nooit meer dat hij zo dicht bij me gaat zitten.'

Ik begreep dat George zich zorgen maakte, maar ik hoopte toch dat meneer Schlesinger iets voor hem zou kunnen doen. Ik had al zo lang het gevoel gehad dat ik na een schipbreuk samen met George op een eenzaam strand stond te kijken naar mensen die op zee vrolijk zwaaiend voorbij zeilden. Misschien zou nu eindelijk eens iemand een poging doen om ons te redden.

Een paar dagen later had ik zelf een afspraak met meneer Schlesinger en hij bleek een heel lange man te zijn, welbespraakt en met vriendelijke ogen. Ik voelde me meteen op mijn gemak, omdat hij echt kalmte uitstraalde. Meneer Schlesinger begon met me te vertellen wat hij had gedaan om George te beoordelen: een hele serie testen, waarbij hij bijvoorbeeld plaatjes te zien kreeg en moest vertellen wat ze voorstelden.

'Bruin,' was het enige wat George had gezegd nadat hij een paar minuten lang naar een piano had zitten staren.

Meneer Schlesinger vertelde me dat de meeste kinderen 'muziek' zeiden, of 'zingen' als ze dat plaatje zagen. En hij merkte op dat George nauwelijks gelaatsuitdrukkingen kon onderscheiden.

'Hij heeft ernstige leerproblemen en grote moeite met sociale interactie,' zei meneer Schlesinger. 'Georges bevattingsvermogen is ongeveer dat van een driejarig kind. Het is een heel ingewikkelde toestand die we nog maar net beginnen te begrijpen. Maar ook al zal George veel hulp nodig hebben, ik kan u toch verzekeren dat we de aard van zijn problemen zullen ontdekken en die dan een voor een aan zullen pakken.'

Ik bleef meneer Schlesinger zwijgend aankijken.

'Is alles in orde, mevrouw Romp?'

Ik wist niet zeker of ik wel eerlijk durfde te zijn. Na al die jaren en al die zorgen, was er eindelijk een echte deskundige die me zonder iets te verbloemen precies had verteld wat er allemaal mis was. Maar ik was niet verdrietig, ik was opgelucht. Meneer Schlesinger had dwars door het blonde, blauwogige en schattig uitziende jongetje heen gekeken en de echte George gezien, het eenzame, bange kind dat hij vanbinnen was. Ik zweer dat ik ineens het idee had dat er een zonnestraaltje door de wolken brak en ik kon de warmte ervan bijna op mijn huid voelen.

DEEL TWEE

Ben komt bij ons

Zes

Ik had nooit kunnen vermoeden dat een zwerfkat, die eruitzag alsof hij net tien rondjes tegen Mike Tyson achter de rug had, al de liefde en fantasie die zo lang in George verborgen hadden gezeten tevoorschijn zou halen. Ben verscheen in de zomer van 2006, vlak nadat George tien was geworden en een paar maanden nadat ik eindelijk te horen had gekregen dat hij autistisch was. Het had twee lange jaren gekost om tot die diagnose te komen, en nadat ik meneer Schlesinger had leren kennen dacht ik eigenlijk dat een van al die mensen die zich plotseling om ons bekommerden – van artsen en psychologen tot onderwijzers en een logopediste – de sleutel zou vinden om George open te breken. Maar het leven blijft je toch steeds weer verrassen, hè? Hoewel al die mensen enorm veel ervaring hadden en echt hun uiterste best deden om George te helpen was het Ben die zijn leven – en het mijne – voorgoed zou veranderen.

Het had zo lang geduurd om Georges problemen op een rij te zetten, omdat er zoveel mis was geweest. Aanvankelijk werd me verteld dat hij hyperactief was en een gebrek had aan concentratievermogen (ADHD, dus) en dat moest dan de verklaring zijn waarom hij in de klas of thuis nooit stil kon zitten. Maar dat leek toch niet te kloppen toen ik naar een groep werd gestuurd voor ouders van kinderen met ADHD en zag dat sommige vaders en moeders gewoon zwijgend zaten toe te kijken hoe hun kinderen de meubels aan barrels sloegen. Het leek bijna alsof ze de moed hadden opgegeven, en dat was niet de manier waarop ik met George wilde omgaan. De puzzelstukjes vielen eindelijk op hun plaats toen hij naar een psychiater moest die zou beoordelen of hij al dan niet autistisch was. Zij was de eerste die met me over die stoornis begon en ik besefte vrijwel meteen dat we daarmee waarschijnlijk de sleutel in handen hadden tot een beter begrip van de wereld waarin George leefde. De arts vertelde me dat autisme gepaard ging met een groot aantal symptomen, die zich op verschillende manieren konden uiten. George was geen standaardvoorbeeld, omdat hij ook nog andere problemen had, waaronder ADHD en lichte paranoïde neigingen. Wat de toestand nog eens extra ingewikkeld maakte, was dat George weigerde om te praten met de mensen die hem moesten beoordelen, ook al was hij vrij spraakzaam vergeleken met andere autistische kinderen.

Na haar wekelijkse afspraak met George, praatte de psychiater met mij over wat haar aan hem was opgevallen en alles waar ze de vinger op legde – zijn overgevoeligheid voor geuren en geluiden, zijn onvermogen om mensen in de ogen te kijken of zich aan iets of iemand te hechten, zijn driftaanvallen en zijn overdreven drang om alles volgens vaste patronen te laten verlopen – leek de diagnose alleen maar te versterken. Hoe meer de psychiater me over autisme vertelde, des te logischer het klonk. Ze vertelde me dat Georges zintuigen veel gevoeliger waren dan die van de gemiddelde mens, dus het geluid van een auto klonk hem in de oren alsof er een goederentrein voorbij denderde, geuren waren allesoverheersend, en als iemand hem aanraakte, voelde dat eerder bedreigend dan geruststellend aan. Toen ik dat allemaal te horen kreeg, begon ik bepaalde dingen veel beter te begrijpen – waarom George niet wilde dat ik bij hem in de buurt kwam, of waarom hij dwars door me heen keek en zelfs af en toe scheen te denken dat ik zijn vijand was – en ik was blij dat me eindelijk een blik in zijn wereld werd gegund. Want ik had nog steeds moeite met het feit dat George maar niet scheen te begrijpen dat ik zijn moeder was, de persoon die altijd van hem zou houden, wat er ook gebeurde.

Op een keer moesten we ons op een doordeweekse dag haasten om op tijd op school te zijn, want George was pas om vijf uur 's ochtends in slaap gevallen, dus hij had geen zin gehad om op te staan. Vervolgens was het misgegaan bij het aankleden omdat zijn T-shirt niet zacht genoeg was geweest en moest alles weer uit om van voren af aan te beginnen. Daarna was het ontbijt ook nog min of meer in het honderd gelopen omdat ik het geroosterde brood had laten aanbranden en George me vertelde dat de korstjes van het nieuwe brood dat ik had gepakt veel te bruin waren (soms moest ik wel vier broden pakken voordat er een bij zat die George wel wilde eten). Daarna had ik zo haastig de boter op de boterham gesmeerd dat het mes op de grond was gevallen toen ik het neerlegde.

'Dat ruim ik zo wel op,' zei ik toen ik hem zijn ontbijt voorzette.

Een paar uur nadat ik hem naar school had gebracht ging de telefoon.

'Mevrouw Romp?' zei een stem aan de andere kant van de lijn.

'Ja.'

'Ik werk voor de sociale dienst van Hounslow. Ik wil u graag spreken omdat uw zoon een beschuldiging heeft geuit waarnaar we een onderzoek instellen.'

'Waar hebt u het over?'

'George zegt dat u hem neergestoken hebt.'

'Houdt u me nou voor de gek? George is helemaal niet neergestoken. Ik heb hem net naar school gebracht.'

'Tja, ik ben bang dat hij tegen een van de onderwijzers heeft gezegd dat hij met een mes in zijn zij is gestoken.'

'Is dat een grap?'

'Nee, mevrouw Romp.'

Ik kon mijn oren niet geloven. Natuurlijk vond er een groot onderzoek plaats. Ik werd ondervraagd, George werd ondervraagd en het ging maar door, tot iedereen er eindelijk van doordrongen was dat ik hem helemaal niet had aangevallen. Maar op de een of andere manier had het mes dat op de grond viel George het idee gegeven dat ik had geprobeerd hem kwaad te doen en ik kreeg gewoon koude rillingen van de manier waarop hij me nog dagenlang aankeek. Het was alsof ik van glas en onzichtbaar was. Hij keek dwars door me heen en weigerde zijn mond open te doen.

'Mijn moeder heeft geprobeerd me te vermoorden,' bleef hij maar volhouden. 'Mijn moeder heeft geprobeerd me te vermoorden.'

Kun je je voorstellen hoe het is om je eigen kind zoiets te horen zeggen? Maar de psychiater hielp me er begrip voor op te brengen door me te vertellen dat Georges autisme inhield dat doodgewone dingen, zoals een mes dat op de grond viel, heel bedreigend konden overkomen.

Aanvankelijk joeg het woord 'autisme' me angst aan, omdat ik het niet goed begreep. Maar als de dokter geduldig antwoord had gegeven op al mijn vragen, ging ik naar huis met de aantekeningen die ik had gemaakt en zocht op de computer alles nog eens op. Daardoor begon ik meer inzicht in zijn wereld te krijgen.

Maar je moet niet denken dat het leven ineens volmaakt was nadat de deskundigen zich ermee gingen bemoeien. We waren het lang niet altijd met elkaar eens en je moet wel stevig in je schoenen staan om nee te zeggen tegen mensen met een dure opleiding en allerlei diploma's. Zo zei de psychiater bijvoorbeeld tegen me dat Georges ADHD misschien minder zou worden als hij medicijnen ging gebruiken, dus daar ging ik mee akkoord. Maar ik hield op met de pillen toen ik George ineens op de bank zag liggen met een verwarde blik in zijn ogen terwijl het kwijl uit zijn mond droop. Ik had geen leerboeken of een witte jas nodig om te weten dat daar niets van klopte.

'Ik heb nog liever dat er niets aan hem verandert, dan dat ik hem zo moet zien,' zei ik tegen zijn dokter.

Ergens was ik wel een beetje bang dat ze het bijltje erbij neer zouden gooien omdat ik al die jaren om hulp had gevraagd en toch hun adviezen niet altijd opvolgde. Maar ik moest doen wat volgens mij juist was. Medicijnen mogen dan getest zijn, mensen mogen dan een jarenlange opleiding hebben genoten om ze voor te kunnen schrijven en die pillen waren misschien de beste oplossing voor andere kinderen, dat laatste gold niet voor George.

Maar ook al verschilden de psychiater en ik in dat opzicht van mening, in andere opzichten hielp ze me wel heel goed. En hoewel een diagnose niet alles in één keer oplost, werd ik toch een beetje geruster omdat ik nu tenminste wist waar ik mee te maken had. En dat betekende weer dat ik kon leren hoe ik George moest helpen om zich wat beter te kunnen redden. Het enige waar ik het echt moeilijk mee heb gehad, was toen de psychiater me vertelde dat George me waarschijnlijk nooit zou laten merken dat hij van me hield, zoals de meeste kinderen dat wel doen.

'Dit is een afwijking waarmee hij de rest van zijn leven zal moeten leven,' zei ze. 'Je kunt jullie leven verbeteren door meer begrip te krijgen voor autisme en te leren hoe George in elkaar steekt, maar er is geen genezing voor autisme. George zal nooit het aanhankelijke jongetje worden waar u zo naar verlangt, mevrouw Romp. Dat hoort er allemaal bij en er bestaat geen tovermiddel voor.'

Dat was voor mij bijna de genadeklap. Vergeet al die gedragsproblemen maar, net als dat gedoe om eten, de nukken en de stemmingswisselingen. Het feit dat George niemand of niets nodig scheen te hebben, zelfs mij niet, was wat mij zijn leven lang het meest had dwarsgezeten. En ik kon me er gewoon niet bij neerleggen. Ik had geprobeerd hem een soortgelijke jeugd te geven als ik zelf had gehad, in de hoop dat hij op een dag een beetje geluk zou vinden met zijn familie en vrienden. Maar waarschijnlijk was het stom van me dat ik dat zo graag wilde, want de dokter dacht kennelijk dat het daar nooit van zou komen.

En wat heb ik toen gedaan? Heb ik de moed opgegeven? Heb ik de bittere waarheid geaccepteerd en me erbij neergelegd dat George nooit enige liefde voor me zou tonen? Nee. Geen denken aan. Ik prentte mezelf in dat de dokter maar een dokter was en ik zijn moeder. Ik zou tot in lengte van dagen mijn best blijven doen om George te leren dat hij deel uitmaakte van deze wereld en hem helpen zich daar een plekje in te verwerven. Niets was erger dan te moeten zien hoe George iedere dag opnieuw worstelde met zijn frustraties en zijn boosheid. Al lang voordat was vastgesteld dat hij autistisch was, had ik geaccepteerd dat hij anders was en hield van hem om wie hij was. Toch piekerde ik er niet over om mijn pogingen hem te helpen op te geven nu zijn afwijking een naam had.

Diep vanbinnen was ik er nog steeds van overtuigd dat ik op de een of andere manier de sleutel zou vinden waarmee ik wat in hem zat eruit zou kunnen krijgen en hem wat rust zou kunnen geven, ook al was dat niet het geluk dat me altijd voor ogen had gestaan. Maar al had ik duizend jaar de tijd gehad om die sleutel te vinden, dan nog was ik nooit op het idee gekomen dat die uiteindelijk de vorm zou blijken te hebben van een pluizige zwart-witte kat met heldergroene ogen. Dus toen ik hem op een doodgewone ochtend voor het eerst zag, had ik geen flauw idee dat deze kat ons hele leven zou veranderen.

De kat zag er mager en ziek uit. Hij stond op het dak van het schuurtje in de tuin van ons nieuwe huis. Een jaar eerder hadden we van de gemeente een schattig huis met twee slaapkamers gekregen, vlak bij mam en Lewis, en daar hoorde een lapje grond bij dat meer weghad van een modderpoel dan van een tuin. Maar ik legde er gewoon een gazonnetje in, met een paadje van stapstenen, en zette er rozen, kamperfoelie en clematis omheen. Daarna vond ik op internet een tweedehands schuurtje dat ik lichtgroen beitste en met bloemetjes beschilderde. Vervolgens kocht ik nog een miniprieeltje in hetzelfde groen, en als ik daarna naar mijn snoezige tuintje keek, kon ik mijn geluk niet op.

De eerste keer dat ik de kat in de verte zag, op een zomerochtend in 2006, dacht ik al dat het dier ziek was. Het was een zwart-witte kat, maar zo vies dat het wit in de vacht bijna bruin leek, en meteen nadat ik hem had gezien verdween hij weer. Ik had zo'n medelijden met het beestje dat ik 's avonds een bakje melk met wat brood buiten zette en dat was de volgende ochtend leeg. In de dagen daarna zag ik de kat nog een paar keer, maar steeds heel even want het dier ging er meteen vandoor als ik de tuindeur opendeed. Na een paar dagen slaagde ik erin om iets dichterbij te komen en het wat beter te bekijken. Ik had vaak genoeg wilde katten gezien die geen onderdak hadden en zich in leven hielden met alles wat ze maar te pakken konden krijgen, maar dit dier leek toch anders. Alsof het echt ziek was en hulp nodig had.

Toen ik voorzichtig dichterbij kwam, keek de kat op. Om de hals zat een kale plek vol geronnen bloed. Het leek bijna alsof iemand had geprobeerd het dier op te hangen. En vanachter was het net zo rauw en rood. Bovendien had het voor zo'n mager beestje wel een erg dikke buik en ik besefte vol schrik dat het zwanger moest zijn. In feite leek het erop dat de kat ieder moment jongen kon krijgen. Maar ze was vast niet sterk genoeg om de bevalling te overleven.

Ik liep nog een stapje verder om haar beter te bekijken, maar toen raakte de kat in paniek. Ze blies en sloeg haar poot naar me uit, voordat ze via het hek op het dak van de schuur sprong en er als een pijl uit de boog vandoor ging. Ik vroeg me af of we haar weer zouden zien, nu ze zo van me geschrokken was, maar katten hebben eigenlijk altijd honger, hè? Het zwervertje kwam diezelfde avond en de avond erna gewoon terug voor haar bakje met brood en melk en was algauw ook overdag in de tuin te vinden.

Ze scheen het daar wel fijn te vinden, maar ik begon me toch steeds meer zorgen te maken. Ik had al hier en daar mijn licht opgestoken, in de hoop dat er iemand een kat kwijt was, want het komt wel vaker voor dat ze weglopen en dan hun huis niet meer kunnen vinden. Bovendien had ik de plaatselijke dierenbescherming opgebeld om te vragen of er iemand misschien een zwart-witte kat kwijt was. Per slot van rekening zag ze er heel opvallend uit. Onder haar neus had ze een witte vlek in de vorm van een vlinder en op haar borst een wit slabbetje. Haar ogen waren ook opvallend – lichtgroen, maar wel heel fel. Ik had nog nooit zulke ogen gezien. Maar er was niemand op zoek naar een zwangere zwart-witte kat. Ik wist dat ik haar zo gauw mogelijk naar de dierenarts moest brengen, want haar jongen konden ieder moment geboren worden.

Het hield me zo bezig, omdat ik min of meer toevallig een soort redder van huisdieren in nood was geworden. Dat was begonnen toen George en ik nog in de flat woonden en Michelle een labrador in huis had genomen die het naar de zin van de oorspronkelijke eigenaar niet goed genoeg had gedaan op de puppycursus. Nu kon Michelle haar kont niet eens keren in haar flat, laat staan dat ze ruimte genoeg had voor een speelse pup, maar het was een prachtig hondje, met een chocolabruine vacht en grote ogen, dus ik snapte best waarom ze het wilde helpen.

Het enige probleem was dat we daar geen huisdieren mochten hebben en Michelle had geen schijn van kans om te verbergen dat ze een halfvolwassen labrador in huis had, zodra ze het dier in de buurt zou gaan uitlaten. Dan zouden de kletskousen meteen beginnen te zeuren. 'Heeft ze een hond in huis?' hoorde ik ze al zeggen. 'Dat pikken we niet! We wonen al zestig jaar in deze flat, lieve kind, en huisdieren zijn niet toegestaan. Dat mag niet van de gemeente.'

Dus ik zei tegen Michelle dat ze die hond weg moest doen, omdat ze anders vast door iemand zou worden aangegeven. Maar in plaats van verstandig te zijn en het dier naar een asiel te brengen, smokkelden we het een verdieping hoger naar mijn flat, waar al evenmin huisdieren gehouden mochten worden. We wilden geen afstand doen van de hond tot we een goed tehuis voor hem hadden gevonden, dus brachten we hem naar mijn flat waar ik mijn best deed om hem zo rustig mogelijk te houden. Het enige probleem was dat de hond knettergek werd zodra er werd aangebeld.

'Heb je een hond in huis?' hoorde ik vervolgens iemand vragen als ik de deur op een kiertje opendeed.

'Nee, hoor, dat is gewoon de tv,' zei ik dan terwijl de Hound of the Baskervilles vlak achter me tekeer zat te gaan.

Uiteindelijk moest ik wel zeggen dat de hond bij mij op vakantie was. Maar wie ging er nou naar Hounslow op vakantie? Het is niet bepaald Barbados, zelfs niet voor een labrador. Maar gelukkig vond ik een paar weken later een goed tehuis voor hem bij een kennis van me uit Kent. En daar ging hij dus naartoe, naar een heerlijk leventje vlak bij het strand.

Op die manier was mijn carrière als redder van huisdieren dus begonnen en dankzij George ging dat gewoon door nadat we verhuisd waren. Hij had altijd van dieren gehouden, en toen mams hond Polly was overleden, had hij een kruis gemaakt voor haar graf in de tuin en tegen zijn oma gezegd dat ze nu nooit meer kon verhuizen, omdat ze dan Polly achter moest laten. Ik had George uitgelegd dat we geen huisdieren mochten hebben in een gemeenteflat en was in plaats daarvan regelmatig met hem naar alle kinderboerderijen in de buurt gegaan. Maar hij wist dat het verbod op huisdieren niet langer van kracht zou zijn als we naar een huis met een tuin verhuisden, en zodra het zover was, wilde hij van alles in huis halen, van vissen tot honden. Ik kocht een parkiet voor hem – een knalgeel diertje dat we Polly noemden – maar die bleef maar een paar weken, omdat George gek werd van haar gekeuvel. Dus verhuisde ze naar mam en Lewis. Daarna besloot hij dat hij een konijn wilde, maar omdat het met Polly misgelopen was, aarzelde ik. Ik besloot om hem mee te nemen naar de dierenwinkel bij ons in de buurt om naar de konijnen te kijken, in de hoop dat hij daarmee tevreden zou zijn. Maar het probleem was dat ik meteen was verkocht toen we ernaartoe gingen en ik dat schitterende grote hangoorkonijn zag waarvan George zei dat hij het best wilde hebben. We noemden haar Fluffy en binnen de kortste keren was ze ondergebracht in de met bloemen beschilderde schuur. Maar opnieuw ebde de belangstelling van George al snel weg en ik dacht bij mezelf dat hij kennelijk niet in staat was om zich aan een dier te hechten, ook al wilde ik dat nog zo graag.

Maar de buren wisten dat we een konijn hadden, omdat iedereen in een wijk dat soort dingen wel van elkaar weet. Dus klopte op een dag een mevrouw die om de hoek woonde bij me aan omdat ze op straat een loslopend konijn had gevonden. Ze wist niet wat ze met het dier moest beginnen, dus pakte ik het maar aan en vanaf dat moment had ik een soort vrijblijvend asiel aan huis.

En ik kreeg steeds meer toeloop. Nadat ik dat konijn in huis had genomen en er een nieuwe eigenaar voor had gezocht werd ik een soort doorgangshuis voor verweesde dieren: een wild konijntje dat een kind in een park had gevonden, een wit albinokonijn dat een goed nieuw huis kreeg en diverse cavia's die mensen voor hun kinderen hadden gekocht, maar die na verloop van tijd toch ongewenst waren. En ik kon nooit nee zeggen. Die dieren konden er niets aan doen dat ze geen dak meer boven hun hoofd hadden en ik vond het leuk om de konijnen over het gazon te zien huppelen, terwijl cavia's tussen hen door schuifelden, zodat ze eindelijk een beetje plezier konden maken.

Maar ook al ben ik van kinds af aan dol geweest op dieren, ik was vastbesloten om niets anders in huis te halen dan een konijn. En het laatste wat ik wilde, was een kat. Dat kwam door mam, omdat ze zoveel zwervertjes in huis had gehaald toen ik nog klein was, dat ik op school werd uitgelachen omdat mijn uniform altijd onder de haren zat. Ik had bezworen dat ik nooit een huis vol dieren zou krijgen. Dus toen de konijnen en de cavia's begonnen te verschijnen was ik best bereid om te helpen, maar ik zorgde er wel voor dat ik niet aan ze gehecht raakte. Ik gaf ze geen namen, omdat ze toch naar een ander adres zouden gaan. Ze heetten gewoon 'konijn' of 'cavia'. Het was een puur zakelijke relatie, of beter: pure liefdadigheid.

Maar toen maakte die zwerfkat haar opwachting en alles veranderde toen ze steeds vaker in onze tuin begon op te duiken. Ze had gewoon iets speciaals en dat kwam door de manier waarop ze me met die grote groene ogen aankeek. Ze leek op een wijs oud vrouwtje, zo vredig en geruststellend, dat ik er iedere dag opnieuw naar uitkeek om haar te zien, ook al wilde ze absoluut niet aangeraakt worden. Ik vroeg me af waar ze de afgelopen tijd was geweest, wat ze allemaal had meegemaakt en wat voor leven ze achter de rug had voor ze in mijn tuin opdook. Ik moest haar helpen en ik wist dat ik haar zou moeten vangen om haar naar de dierenarts te kunnen brengen. Ik wende me algauw aan om haar eten in het schuurtje te zetten, vlak naast een reismand, waarin ik een lekker dekentje had gelegd. Zodra ze daarin ging liggen slapen, zou ik het deurtje dichtdoen en de kat naar de dierenarts brengen.

Maar ze was bepaald niet dom. Het dekentje zat algauw onder de kattenharen, maar de kat was nooit in de buurt als ik een kijkje kwam nemen en dan liep ik zuchtend en puffend van ergernis weer naar huis.

'Wat zit er in de schuur?' vroeg George op een dag toen ik binnenkwam.

'Alleen maar een zwerfkat,' zei ik.

'Mag ik hem zien?'

'Ik weet het niet, George. Ze houdt niet echt van mensen. Ze is ontzettend schichtig, dus ik denk dat ze bang wordt als we er met ons tweeën naartoe lopen.'

'Waarom is ze hier?'

'Omdat ze jongen moet krijgen en ik probeer haar te helpen.'

Dat gaf de doorslag. George hoorde het woord 'jongen' en de

volgende dag toen ik weer een kijkje bij de kat wilde nemen, was er geen houden meer aan. Zoals de meeste tienjarige kinderen vond hij niets spannender dan jonge dieren.

'Je moet wel achter me blijven,' zei ik tegen hem. 'Het kan zijn dat ze naar je uithaalt als je te dichtbij komt en ik wil niet dat je gekrabd wordt.'

George stond achter me toen ik de deur opentrok en een blik in de schuur wierp. Maar binnen was het zo donker dat ik niets kon zien.

'Daar zit ze,' zei George en wees.

Ik keek in de richting die hij aanwees en zag boven ons hoofd twee glanzende groene ogen. De kat zat op een plank en keek op ons neer. En in plaats van ernaartoe te rennen deed George precies wat ik tegen hem had gezegd en bleef rustig naast me staan.

'Het duurt niet lang meer tot ze kindjes krijgt, hè?' zei hij.

'Volgens mij kan het ieder moment gebeuren.'

Daarna liep hij iedere dag met me mee. Maar hoewel George zich in het bijzijn van de kat altijd rustig hield, omdat hij begreep dat ik haar probeerde te vangen, was zij net zo vastbesloten dat ze zich niet zou laten pakken. Iedere dag zat ze overal, behalve in de reismand, en ze bleef blazen en naar ons uithalen als we iets te dicht in de buurt kwamen.

'Wat is er met haar aan de hand?' vroeg George dan.

'Ik denk dat ze bang is.'

'Waarom?'

'Omdat ze niet gewend is aan mensen.'

'Weet ze dan niet dat we haar willen helpen?'

'Volgens mij niet.'

Ik vond het fijn dat George de kat graag wilde helpen, toen hij haar daar zo in het donker zag zitten. Zoals hij ook altijd had laten zien als hij bij Lewis was, voelde George zich aangetrokken tot alles en iedereen waarvan hij dacht dat ze hem nodig hadden. Voor George viel de wereld in twee delen uiteen: de ene helft zat vol mensen die zich raar gedroegen en dingen deden waarvan hij de schuld kreeg en in de andere helft zat alles wat hulp nodig had.

'Boe!' zei George ineens tegen de kat en lachte.

De kat verroerde zich niet.

'Boe!' zei George opnieuw en ik keek hem verrast aan.

George probeerde te spelen. Hij wilde de kat verleiden om mee te doen aan zijn favoriete spelletje – verstoppertje – ook al moest ze daar niets van hebben. De kat bleef George strak aankijken, zonder zelfs maar met haar ogen te knipperen toen hij tegen haar praatte, maar op het moment dat hij een voet binnen de schuur zette, week ze achteruit als een vampier die met een bos knoflook wordt geconfronteerd.

'Boe!' riep George, terwijl hij naar haar keek. 'Baboe!'

'Wat betekent dat?' vroeg ik.

'Zo heet ze.'

'Baboe?'

'Ja. Baboe.'

De naam bleef hangen, en naarmate eerst de dagen en daarna de weken verstreken, raakte ik er 's morgens als ik wakker werd steeds vaster van overtuigd dat ik een nest jonge katten zou vinden. En de interesse die George voor de kat had, nam niet af. Maar ze wilde nog steeds niet naar ons toe komen en ik begon me af te vragen hoe ik het voor elkaar moest krijgen om haar eens goed na te laten kijken. Want hoeveel eten ik Baboe ook voorzette, ze bleef even mager, afgezien van die dikke buik.

Daarom besloot ik op een vroege ochtend dat het afgelopen was met die voorzichtige aanpak. Nadat ik George naar school had gebracht liep ik naar de tuin en sloop naar de schuurdeur toe. Terwijl ik naar binnen gluurde, deed ik een schietgebedje dat ik vandaag eindelijk eens geluk zou hebben. En dat was inderdaad zo. De kat lag in de reismand te slapen. Ik pakte voorzichtig een bezem op en duwde met ingehouden adem het deurtje van de mand met de lange steel dicht. Ik verwachtte eigenlijk dat het zwervertje in razernij zou ontsteken als ze erachter kwam dat ze opgesloten zat. Maar in plaats van tekeer te gaan als een kat in een tekenfilm bleef ze gewoon rustig in de mand zitten toen ik het deurtje op slot deed. Ik durfde te wedden dat ze zich afvroeg waarom ik zo lang had gewacht.

Zeven

Ik probeerde mezelf wijs te maken dat ik helemaal niet aan de kat gehecht was geraakt toen ik haar bij de dierenarts achterliet. Maar wie probeerde ik nou eigenlijk voor de gek te houden? Ik had al een heleboel andere dieren geholpen, maar dit beest was toch anders. Het had iets te maken met de ogen van de kat en de manier waarop ze me aankeek, alsof ze de wijsheid in pacht had. Ik ben er altijd van overtuigd geweest dat dieren een ziel hebben, net als mensen, en de ziel van dit dier leek eeuwenoud. En het was net alsof ze me iets wilde vertellen wat ze tijdens haar lange leven had geleerd. Maar wat?

Nadat ik de kat aan de dierenarts had gegeven bleef ik nog even wachten tot hij haar onderzocht had, omdat ik graag wilde weten wanneer ze haar nest zou krijgen. Maar de dierenarts had ander nieuws voor me.

'Het is een hij,' zei hij na een korte blik.

Ik keek hem met grote ogen aan. 'Wat bedoelt u?'

'Het is een mannetje.'

'Maar wat heeft hij dan in zijn buik als het geen jongen zijn?'

'Een grote cyste, die weggehaald moet worden. Hij is ook gecastreerd, dus hij moet een baasje hebben gehad.'

Het arme beest was kennelijk op straat gezet of zo. Maar toen ik bij de dierenarts wegging, prentte ik mezelf in dat de kat in goede handen was en dat iemand anders nu voor haar zou zorgen. Of liever gezegd, voor hem. Baboe zou geopereerd worden en daarna zou hij weer helemaal gezond worden. Hoog tijd om terug te gaan naar de dieren die tijdelijk aan mijn zorgen waren toevertrouwd en niet moeilijk te doen. Ik moest die kat gewoon vergeten.

Alleen lukte dat natuurlijk voor geen meter.

Nadat ik mijn telefoonnummer had achtergelaten om te horen hoe de operatie was verlopen, moest ik constant aan de kat denken. Terwijl ik posters maakte waarin onderdak werd gevraagd voor een kater in plaats van voor een zwangere poes, deed ik net alsof het de gewoonste zaak van de wereld was dat ik probeerde zijn baasje op te sporen, maar ondertussen vroeg ik me voortdurend af hoe het met hem zou zijn. En toen ik de dierenarts had gebeld en te horen had gekregen dat de kat de operatie misschien niet zou overleven, omdat de cyste ook een kwaadaardig gezwel zou kunnen zijn, was ik ziek van ongerustheid.

Ik vroeg me af of ik niet terug moest komen op mijn besluit om geen huisdieren te nemen en George wilde na ieder telefoontje naar de dierenarts weten hoe het met de kat ging. Toch lukte het me nog steeds niet om mijn hand over mijn hart te halen. Dat kon toch ook niet? Ik wist wat er zou gebeuren als ik de kat in huis nam. Precies hetzelfde als met Polly en Fluffy was gebeurd en ik had al een complete dagtaak aan de zorg voor George. Ik was pas drieëndertig, maar af en toe had ik het gevoel dat ik honderd was, want George sliep nog steeds maar drie of vier uur per nacht. En naarmate hij ouder werd, begon hij ook steeds angstiger te worden en dat bracht weer allerlei nieuwe problemen met zich mee.

Dat was een jaar eerder begonnen, in juli 2005, toen op een vreselijke dag in Londen tweeënvijftig mensen gedood werden door bomaanslagen op een bus en drie treinen van de ondergrondse. George had alles bij het nieuws gezien. Terwijl hij vroeger dingen die hem dwarszaten al vrij snel weer vergat, kon hij de bomaanslagen niet uit het hoofd zetten. Hij bleef er constant over praten en toen ik hem hoorde, besefte ik ineens dat hij dacht dat iedereen met een bruine huid van plan was om mensen kwaad te doen, net als de mannen die verantwoordelijk waren voor de Londense bomaanslagen. Ik kon hem nog zo vaak vertellen dat er goed en kwaad in ieder mens kon steken – of ze nou zwart, wit of paars waren – hij wilde er gewoon niet aan. Het vervelendste moment van de dag was als ik hem, op weg naar school, zover probeerde te krijgen dat hij in een bus stapte die vol zat met mensen op weg naar hun werk.

'Er is een bom in de bus, er is een bom in de bus,' scandeerde George iedere keer als hij een Aziatisch uitziende persoon met een rugzak zag.

Of hij begon af te tellen als hij ze in zag stappen. 'Tien, negen, acht, zeven, zes, vijf...' riep hij dan, alsof hij een explosie verwachtte.

Het was echt afschuwelijk en ik kon wel door de grond zakken als George dat deed. Omdat ik wist dat ik hem toch nooit stil zou krijgen, legde ik mijn hand over zijn mond terwijl de andere passagiers ons met grote ogen zaten aan te kijken.

'Hijg me niet in mijn nek, raak me niet aan!' riep hij dan. 'Ik wil uitstappen, ga weg, raak me niet aan.'

Dus dan drukte ik maar op de stopknop, ook al was de school nog anderhalve kilometer verderop en zouden we de rest van de weg moeten lopen.

Op een dag was de chauffeur me voor. Hij trapte abrupt op de rem terwijl George weer luidkeels zat te scanderen. 'Stap uit,' riep hij naar me. 'Hij maakt de mensen bang.'

Ik wist niet wat ik moest doen. 'Hij begrijpt niet wat hij zegt,' zei ik tegen de chauffeur. 'Hij meent er niets van. Hij is geen akelig jongetje. Het komt gewoon doordat hij ongerust is. Hij probeert niet echt mensen bang te maken.'

'Maar ik meen het wel echt. Jullie moeten allebei uitstappen. Ik kan hier niet tegen.'

Terwijl de mensen met hun tong klakten en ons aanstaarden, stond George op. Hij had geen flauw idee wat er aan de hand was, maar ik nam hem toch mee naar buiten. Toen de deuren met een klap dichtsloegen, had ik wel kunnen huilen.

Daarna werden die angstaanvallen van George alleen maar erger: hij wilde niet langs de strepen op het wegdek lopen omdat hij dacht dat hij dan in een gat zou vallen waar hij nooit meer uit kon komen, hij snakte naar adem als mijn voet de naad tussen twee stoeptegels raakte, dus moesten we voetje voor voetje naar school lopen zonder daarop te trappen, en als er een auto voorbijkwam, dook hij met zijn hoofd een heg in, omdat het geluid hem zo bang maakte.

Het was al een helse opgave om hem alleen maar naar school te brengen, dus hoe zou ik dan ook nog voor een kat kunnen zorgen, zelfs als ik dat zou willen? Ik wist best dat het me nauwelijks tijd zou kosten, maar de helft van de tijd voelde ik me als een stuk elastiek dat op knappen stond en ik had gewoon geen zin om ook nog eens de zorg voor een ziek dier op me te nemen. George liep nog steeds bij zijn psychiater, en hoewel ik wist dat hij haar voldoende vertrouwde om haar spreekkamer binnen te lopen en te gaan zitten terwijl ze tegen hem praatte, gedroeg hij zich tegenover haar even afstandelijk als tegen andere mensen. Terwijl hij met het speelgoed speelde en de dokter met hem probeerde te praten, zat hij uit het raam te kijken of zei tegen haar dat hij helemaal niemand wilde zien. Hij vond de therapiegroep waar hij naartoe moest ook niet leuk en leefde nog steeds in zijn eigen wereld. Dus zelfs als ik tot de conclusie zou komen dat het goed voor hem was om een kat te hebben, dan kon ik toch beter een jong poesje nemen dat hij kon zien opgroeien – waardoor de kans groter was dat hij eraan gehecht zou raken – in plaats van zo'n oude kat die eruitzag alsof hij zo van een poster van de dierenbescherming was gestapt?

En toen ging de telefoon.

'De kat mag naar huis,' zei de dierenarts tegen me. 'Heb je al iemand gevonden?'

'Helaas niet,' zei ik.

Ik moest sterk blijven. Voet bij stuk houden. Nu mocht ik niet toegeven.

'Maar zouden jullie dan wel even bij de kat langs kunnen komen?' vroeg de dierenarts. 'Hij maakt zo'n verdrietige indruk. Hij zit daar maar in die kooi en laat echt zijn kopje hangen. Misschien knapt hij wel op als hij bezoek krijgt.'

Maar ik nam die kat niet mee naar huis. Absoluut niet.

Jullie weten inmiddels al waar het op uitdraaide: George liep die kamer in, de kat keek hem aan en George beantwoordde die blik en keek de kat recht in de ogen. Dat deed hij nooit. Hij kon de blik van iemand anders maar heel even verdragen, en dan heb ik het over mensen zoals mam, Lewis en ik. Zeker niet over vreemden en al helemaal niet over een vreemde kat. Toen begon George tegen de kat te praten op dat zangerige hoge toontje dat ik nog nooit eerder had gehoord. Het was zo'n stemmetje dat mensen gebruiken voor baby's of jonge kinderen en er klonk zoveel genegenheid in door dat de kat meteen naar hem luisterde. Het zwervertje dat ons niet in de buurt had geduld toen hij nog in onze schuur woonde, sloeg om als een blad aan de boom toen George zo zacht en lief tegen hem praatte. Hij leek bijna op het ritme van Georges woorden te dansen toen hij langs de tralies van zijn kooi begon te schurken en George strak bleef aankijken. Kennelijk waren ze dolblij om elkaar weer te zien. Op het moment dat ik zag hoe het tussen hen klikte, verdwenen al mijn twijfels als sneeuw voor de zon. Baboe ging met ons mee naar huis.

Baboe leek wel een echte raskat, want binnen de kortste keren had hij zowel een echte naam als een roepnaam. Hij zou behalve Baboe ook Ben gaan heten, omdat mam jaren geleden een kat had gehad die zo heette en omdat George dat graag wilde. Mij maakte het niet uit hoeveel namen het beest zou krijgen, want George kon niet wachten tot hij thuis zou komen.

'Wanneer komt hij nou? Wanneer komt hij?' vroeg hij in de dagen voordat we Ben bij de dierenarts op zouden halen.

Ze hadden tegen me gezegd dat ik Ben eerst een paar dagen in een klein, afgesloten vertrek moest zetten en de dierenarts had me gewaarschuwd dat hij de eerste keer dat ik hem daar uit zou laten waarschijnlijk zou proberen de benen te nemen. Nadat ik een slaapplaats voor hem had gemaakt in een doos met een paar zachte dekentjes die ik in het toilet op de begane grond zette, hield ik hem scherp in de gaten. Meestal zag ik alleen maar het puntje van zijn neus boven de dekentjes uit piepen als ik de deur opendeed om hem water of eten te geven, want Ben was nog steeds ontzettend bang. Zelfs als hij uit zijn schuilplaats tevoorschijn kwam, leek hij zich nog steeds niet lekker te voelen. En met die grote kaalgeschoren plek en de hechtingen op zijn buik plus een plastic kap om zijn kop die moest voorkomen dat hij daaraan zou gaan knagen, zag hij eruit alsof hij van het slagveld kwam. Maar George liet zich daardoor absoluut niet uit het veld slaan en bleef controleren of Ben nog steeds in de wc zat.

'Hij zit in zijn kamp,' zei hij dan als hij om de deur gluurde, met datzelfde lieve hoge stemmetje dat ik voor het eerst bij de dierenarts had gehoord. 'Is alles goed met je, Baboe? Wil hij dan lekkere hapjes? Ja hè, dat wil hij best, dat wil hij best.'

Iedere keer als George zich tot Ben richtte, klonk hij als een figuurtje uit een Disneyfilm. Zijn hoge stemmetje klonk zacht en vol genegenheid, een stem die hij alleen voor Ben gebruikte. Het drong al snel tot me door dat hij veel meer begon te praten, want hij vertelde me niet alleen waar Ben was, maar ook wat hij deed en of hij iets te drinken of te eten wilde hebben. Algauw begon ik op een soortgelijke toon terug te praten, gewoon om hem aan te moedigen. Ik wist niet zeker waar die kattenstemmen van ons vandaan kwamen of wat ze precies betekenden. Maar ik wilde wel zien wat ze ons zouden brengen, want het was al lang geleden tot me doorgedrongen dat ik me moest aanpassen aan de manier waarop George wenste te communiceren. Toen hij een jaar of vijf was, had George een periode gehad waarin hij alleen maar liep te blaffen en destijds was ik er ook in geslaagd om uit te vissen dat één blaf nee betekende en twee blafjes ja. Die kattenstemmen waren misschien ook maar tijdelijk, maar zolang George het prettig vond om ze te gebruiken, zou ik meedoen. Ik moest altijd proberen om het beste uit bepaalde omstandigheden te halen.

Het was duidelijk dat George hunkerde naar de dag dat Ben eindelijk uit het toilet mocht. Maar ik wilde hem gewoon een beetje laten aansterken voordat hij voor het eerst van de vrijheid mocht proeven.

'We zullen heel rustig moeten doen als we hem eruit laten,' zei ik ten slotte tegen George toen Ben een week in het toilet had gezeten. 'Hij zal heel angstig zijn, dus we moeten stil blijven zitten en hem niet bang maken.'

Ik zette de deur van het toilet op een kier en liep naar de woonkamer waar George op een bank zat. Even gebeurde er niets, maar toen kwam Ben ineens de kamer binnen rennen. Hij leek wel een bliksemschicht, een flits met een zwart-witte vacht die recht op het raam en de vrijheid af stormde. Zijn kap botste tegen het raam voordat zijn lichaam bij de ruit was, waardoor hij achterover sloeg en op de grond belandde. Ik had het gevoel dat ik flauw zou vallen toen ik zag hoe Ben opkrabbelde en onder het tv-meubel dook. Na alle moeite die het had gekost om hem te vangen en weer beter te laten maken, had hij zichzelf nu waarschijnlijk verschrikkelijk verwond.

'O nee!' riep George. 'Wat is er met hem aan de hand? We zijn hem kwijt. Baboe is verdwenen.' Ineens begon hij te brullen van het lachen op een manier die ik nog nooit had gehoord. Het was alsof de lach in hem opborrelde en als een vulkaanuitbarsting door de kamer rolde.

Ik greep de kans om mee te spelen met beide handen aan. 'Bel een ziekenwagen!' zei ik met mijn kattenstem. 'Ben heeft een dokter nodig.'

'Maar hij verstopt zich. Hij is bang.'

'Echt waar?'

'Ja. Hij denkt dat de Power Rangers achter hem aan zitten.'

'Wat gaan die dan doen?'

'Ze willen met hem vechten. Ben is echt heel bang.'

'Waarom ga je dan niet met hem praten? Misschien voelt hij zich dan weer een beetje beter.'

George ging op zijn knieën op de grond zitten. 'Kom maar, Baboe. Kom maar bij ons zitten.'

George bleef zacht met zijn kattenstem praten en probeerde Ben tevoorschijn te lokken. Hij scheen niet alleen te begrijpen dat Ben bang was, maar we hadden net ook op een manier met elkaar gepraat die maar zelden voorkwam. Als George bang of een beetje ongerust was, communiceerde hij voornamelijk door dingen te scanderen of steeds dezelfde vragen te stellen. Meestal was er geen sprake van gesprekken waarin hij reageerde op de dingen die ik had gezegd.

'Baboe?' riep hij terwijl hij onder het tv-meubel gluurde. 'Is je bang?'

Maar Ben piekerde er voorlopig niet over om tevoorschijn te komen, het enige wat we konden doen was geduldig wachten tot het hem beliefde om uit zijn schuilplaats te komen. Toen het echter zover was, wandelde Ben naar het midden van de kamer en leek kalmer dan ik hem ooit had gezien. Het was alsof hij daar onder de tv met een groot probleem had geworsteld: moest hij zich nou weer gaan verzetten of zou hij zijn gemak ervan nemen? En het leek erop dat hij voor het laatste had gekozen. Zijn ogen waren even kalm als ze de eerste paar keer in de schuur waren geweest en hij wandelde de hele kamer rond voordat hij ons strak ging zitten aankijken. *Waar maken jullie zo'n drukte over,* leek hij te willen zeggen. *Ik voel me best, hoor. Niks om je zorgen over te maken.*

Ben snoof even de lucht op voordat hij op fluwelen voetjes naar George liep. Daarna begon hij met zijn hele lichaam langs Georges benen te strijken, telkens heen en weer. Hoe zou George op die aanraking reageren? Ik wilde niet dat hij Ben zou laten schrikken door hem weg te jagen.

Maar George vertrok geen spier en hij duwde Ben ook niet weg. En hij wreef evenmin over zijn benen om het gevoel van die aanraking kwijt te raken en schreeuwde ook niet dat hij met rust gelaten wilde worden. Hij bleef doodstil zitten tot Ben wegliep. Ik vroeg me af of dat een eenmalige gebeurtenis was of het begin van iets nieuws.

Dat werd me de volgende dag al duidelijk toen ik George op de bank achterliet om naar een film te kijken. Hij lag onder zijn blauwe dekentje, het dekentje dat niemand anders aan mocht raken. Toen ik een paar minuten later weer binnenkwam, zag ik Ben languit boven op George liggen, op het dekentje, alsof hij ergens aan een Spaans strand lag te zonnen. En George zag eruit alsof het de gewoonste zaak van de wereld was om met een kat te knuffelen.

'Ben houdt van tv-kijken, mam,' zei hij tegen me.

'Echt waar?'

'Ja. Hij wil *Pokémon* zien. En *Peter Pan*. Hij heeft meegedaan in *Peter Pan*.'

'Kan hij dan vliegen?'

'Ja. Dat kan hij heel goed. Hij heeft Tinkerbell en Superman ook ontmoet. Hij is al heel vaak op tv geweest.'

Op datzelfde moment realiseerde ik me plotseling dat Ben niet zomaar een kat was. Hij was veel en veel meer.

Acht

Hebben jullie ooit een kat gekend die van trampolinespringen en van ijsjes houdt? Die verstoppertje blijft spelen tot hij bekaf is en dan languit op zijn rug op bed gaat liggen met zijn pootjes in de lucht? Ik niet, tot ik Ben leerde kennen, en als iemand me voor die tijd had gezegd dat een kat dat soort dingen deed, zou ik hem of haar voor niet goed snik hebben verklaard. Maar Ben deed dat allemaal. En daar bleef het niet bij.

Vanaf de eerste dag dat we hem uit het toilet lieten en hij meteen tegen George aan ging zitten, was Ben niet meer bij hem weg te slaan. Hij leek meer op een hond dan op een kat. Hij was absoluut niet koel en bedaard en had ook niets van de terughoudendheid waar katten bekend om staan. Ben leek op een trouw hondje dat achter George aan liep vanaf het moment dat hij 's ochtends opstond tot het moment dat hij 's avonds de trap op ging om naar bed te gaan. En zelfs dan liep Ben nog achter me aan om te zien hoe ik George instopte. Hoe vaak ik 's nachts ook opstond om even naar hem te gaan kijken, iedere keer zat hij naast me. Als George de volgende ochtend opstond, trof hij Ben altijd op hetzelfde plekje aan, op de stoel in mijn slaapkamer. Als George hem kwam ophalen, rekte hij zich eens lekker uit en liep vervolgens met hem mee naar de badkamer, waar George zijn tanden ging poetsen. En als ik George aankleedde, liep hij op en neer over het bed en liet miauwend weten dat hij nog één keer geknuffeld wilde worden voordat George de deur uit ging, op weg naar school.

En zo ging het iedere dag. Ben scheen te begrijpen dat George een sterke behoefte had aan routine en die gaf hij hem vanaf de dag dat hij kwam opdagen. Hij was ook een huiselijke kat, die tevreden was met ons bescheiden huis en onze tuin en dat paste ook weer precies in het straatje van George. De eerste keer dat we Ben in de tuin lieten, was hij echt in paniek geraakt.

'Hij loopt weg, hij loopt weg!' riep hij toen ik de deur opendeed.

Maar Ben liep gewoon het grasveld op, wandelde naar het eind en keek even om zich heen, om vervolgens weer naar binnen te hollen, op de bank te gaan liggen en opgekruld te gaan liggen slapen. Het duurde twee dagen voordat hij zich opnieuw buiten waagde, en als hij dat daarna weer deed, snuffelde hij alleen even rond in de tuin of ging naar het prieeltje, waar hij uren kon zitten. Hij hoefde niet verder weg en meestal was George degene die hem uiteindelijk mee naar buiten lokte om te gaan spelen door naar het raam te rennen en hem te roepen als wij in de tuin zaten.

Ondertussen was George niet meer weg te slaan van de trampoline die ik voor hem had gekocht toen we verhuisden. Ik wist eigenlijk niet of Ben daar wel aan mee moest doen toen ik ze voor het eerst samen op en neer zag springen. Bens wond was inmiddels wel helemaal geheeld en zijn gezondheid ging vooruit, maar waarschijnlijk was het toch verstandiger als hij het voorlopig nog een beetje rustig aan deed. George kon heel ruw zijn als hij speelde en hij hield ook niet op als de dingen uit de hand liepen.

'Dit lijkt me geen goed idee,' riep ik terwijl ik de tuin in liep. 'Dat vindt Ben vast niet leuk.'

George ging onmiddellijk zitten en bewoog geen vinger meer. Ik begon me langzaam maar zeker te realiseren dat me nog heel wat onverwachte dingen te wachten stonden nu we Ben hadden.

'Is jij wel in orde, Baboe?' zei hij met dat zangerige kattenstemmetje. 'Vin jij het wel leuk met mij op de trampoline?'

Nu was George altijd wel heel zorgzaam geweest voor Lewis – eerst met die zuurstofslangetjes, en later, toen Lewis wat ouder werd en door andere kinderen werd uitgelachen omdat hij zo klein was, had hij zijn handen tegen Lewis' oren gedrukt zodat hij hun pesterijen niet kon horen – maar daar had hij nooit echt over gepraat en hij had ook nooit gevraagd hoe Lewis zich voelde, zoals hij nu wel met Ben deed.

'Vin je het wel leuk om te springen of niet?' vroeg hij aan hem. 'Of word je er zenuwachtig van?'

Ben zag er niet uit alsof hij van de trampoline af wilde, maar ik was nog niet overtuigd.

'Volgens mij kan hij er maar beter af komen,' zei ik terwijl George hem aaide.

Ben keek eerst George aan en staarde toen naar mij met die groene ogen. *Laat ons met rust. Zie je dan niet dat we aan het spelen zijn? George en ik willen alleen maar plezier maken.*

Eigenlijk wist ik niet wat ik moest doen. Ik leek wel niet goed wijs om naar een kat te luisteren. Ik kon toch niet toestaan dat George Ben een meter omhoog gooide, ook al leken ze het allebei nog zo leuk te vinden.

'Volgens mij vindt hij trampolinespringen helemaal niet leuk en het rubber zal kapotgaan als hij zijn nagels erin zet,' zei ik, terwijl ik Ben van de trampoline pakte.

'Dat doet hij vast niet.'

'Ik denk dat hij daar niets aan kan doen, George.'

Ik zette Ben naast me op de grond waar hij een onderdeel van een seconde bleef zitten. Toen kromp hij in elkaar en sprong met een zwaai van zijn staart terug op de trampoline. *Snap je het nou?* leek Ben tegen me te willen zeggen. *Ik wil spelen. Laat ons nou maar met rust. We hebben lol!*

Ik wist wanneer ik verslagen was. 'Oké, maar doe wel een beetje rustig aan.'

George begon inderdaad kalm, maar algauw sprong hij weer hoog in de lucht, terwijl Ben even hoog mee stuiterde.

'Hij lacht!' riep George terwijl hij omhoog vloog en ik kon met mijn eigen ogen zien dat hij gelijk had: Bens mondhoeken krulden om terwijl hij door de lucht vloog.

De volgende paar dagen was het bij elk spelletje dat George

speelde hetzelfde liedje: Ben maakte zich nergens druk over. Na al dat geblaas en gesis toen hij nog in de schuur zat, had ik me afgevraagd of hij George niet zou krabben als de zaak uit de hand liep. Maar Ben reageerde nooit als George iets deed, of hij hem nu aan zijn staart trok of met zijn oren zat te spelen. Hij bleef gewoon achter George aan wandelen, en als George naar school was, ging Ben rustig binnen liggen tot hij het geluid van de voordeur hoorde. Dan kwam hij meteen aan rennen om hem te begroeten.

'Baboe!' zei George dan, terwijl hij zich bukte om Ben aan te halen.

Het gemak waarmee ze met elkaar omgingen was een zegen van iets of iemand daarboven, want het ontspannen gedrag van George met Ben stond in schril contrast met de stand van zaken op school. Op het moment dat we Ben kregen, zag het er zo slecht uit dat George het risico liep om van school gestuurd te worden en ik werd er niet goed van, want ik moest om de haverklap komen opdraven. Ik wist dat juf Proctor alles deed wat in haar macht lag en George werkte inmiddels ook samen met een assistent-onderwijzer die juf Bahsin heette en met wie hij goed kon opschieten. Samen met juf Proctor hadden ze alles geprobeerd om George aan het leren te krijgen. Toen ze besefte dat hij dol was op glimmende dingen, begon juf Bahsin hem te belonen met kleine cadeautjes, zoals een gummetje dat bedekt was met glitters, en om zijn zelfvertrouwen te stimuleren plakten ze zijn rapporten vol met stickers. Bovendien regelden ze speciale sessies voor hem in de speelzaal met niet meer dan een paar kinderen. Desondanks ging George zich op school steeds slechter gedragen.

'Ik heb ADHD,' zei George telkens als hij de mensen hoorde praten en als ik hem vroeg of hij samen met mij een boek in wilde kijken, zei hij tegen me dat hij dat niet kon omdat hij niet zoals andere kinderen kon lezen en schrijven.

George wist namelijk heel goed dat hij anders was door de manier waarop mensen op hem reageerden. Het ergst was dat op de speelplaats. Het lag niet zozeer aan de kinderen, maar vooral aan de moeders die naar adem snakten als hij lelijke woorden riep die hij had opgepikt of mensen opzijduwde als hij wegrende. En natuurlijk wist George heel goed dat er over hem werd gepraat. Ik wist dat er twee Georges waren: eentje die de andere kinderen van de groep voor bijzonder onderwijs blij wilde maken door ze zo hard in hun rolstoelen over de speelplaats te duwen dat ze gilden van het lachen en een ander die helemaal gek van woede kon worden. En dat was de George die de meeste mensen te zien kregen.

'Die knul luistert gewoon voor geen meter,' hoorde ik de andere moeders mopperen als ik langsliep en ze me kil aankeken.

'Als hij ook maar in de buurt van mijn Casey komt, zeg ik het tegen de onderwijzers.'

'Heb je de taal gehoord die hij uitslaat?'

Voor mijn gevoel was de speelplaats een oorlogsgebied waar ik dag in dag uit strijd moest leveren en hoewel ik echt probeerde om geen aandacht aan dat gefluister te schenken, kun je niet altijd doen alsof je een bord voor je kop hebt. Iedere dag kwam ik weer opdagen met een starre grijns op mijn gezicht en zei opgewekt 'hallo' tegen iedereen die maar in mijn richting keek, maar zelfs de beide moeders die inzagen dat George niet helemaal in orde was en die bereid waren met me te praten, hielden daarmee op nadat hij ruzie had gekregen met een van hun zoontjes. Ik zal wel even afgeleid zijn terwijl we naar de school liepen, want toen ik opkeek, zag ik ineens dat George het jongetje tegen de grond had gewerkt.

'Nee, George!' riep ik terwijl ik hem wegtrok. Ik snapte niet wat hem ineens zo kwaad had gemaakt.

De moeder van het jongetje was verstijfd van woede toen ze me aankeek en het duurde niet lang voordat we allebei op het matje werden geroepen. 'George is een echte bullebak,' zei de moeder telkens opnieuw. 'Dat hadden ze me al vaker verteld, en kijk nu wat hij gedaan heeft!'

Ik kon niets anders doen dan mijn verontschuldigingen aanbieden, maar de moeder wilde daar niets van weten. Vanaf die dag heeft ze geen woord meer tegen me gezegd.

'Ik snap er niets van,' zei ik later tegen de onderwijzeres. 'Ik dacht dat George juist goed met dat jongetje kon opschieten.'

'Soms wel,' zei ze. 'Maar de meeste kinderen zijn een beetje bang voor hem en ze blijven bij hem uit de buurt.'

Je gaat toch kapot als je zoiets te horen krijgt? Uiteindelijk slaagden we erin om het raadsel op te lossen, en toen kwamen we erachter dat het jongetje met wie George had gevochten zijn Pokémon-kaartjes had afgepakt. Dat betekende nog niet dat George juist had gehandeld, maar er was in ieder geval een reden geweest waarom hij zich zo had gedragen. Maar dat liet iedereen koud: George was een lastpak en dat betekende dat hij zowel door de ouders als door de kinderen gemeden werd. Vanaf die tijd gingen we door een andere uitgang de school in en uit, omdat de staf meende dat dat zowel voor George als voor de anderen beter zou zijn.

Vandaar dat Ben precies op het juiste moment arriveerde om George iets te geven dat hij op dat moment meer dan iets anders nodig had: aanvaarding. Ben hield van George zoals hij was en ik had niet geweten hoe hij daarnaar snakte tot hij ineens onder mijn ogen begon op te bloeien. En wat ik ook niet wist, was hoe ik er zelf naar gesnakt had om hem gelukkig te zien. Het was een soort pijn die in de loop der jaren zo diep in mijn botten was ingevreten, dat ik eraan gewend was geraakt. Toen ik er steeds vaker getuige van was dat George om Ben moest lachen, begon die pijn eindelijk weg te ebben.

Ben was een kleurrijke persoonlijkheid. Net als de meeste mensen waren er dingen waarvan hij hield en dingen waaraan hij een hekel had. Hij was dol op kip, ham, geroosterd brood met boter, zalm met aardappelpuree, hotdogs en een lik van Georges ijsje. Hij had bijna net zo'n hekel aan blikvoer als aan het geluid van de stofzuiger, waarvoor hij op de vlucht sloeg alsof hij door een horde wilde honden achterna werd gezeten. Maar waar hij, afgezien van mensen, het allermeest van hield, was warmte. Hij was al tevreden met een straaltje zonlicht in het prieeltje, een warme radiator of een stapeltje kleren dat net uit de droogtrommel kwam. Hij begon zelfs in mijn bed te kruipen. Hoewel we vlak nadat hij bij ons kwam, hadden geprobeerd om Ben zover te krijgen dat hij in zijn eigen mandje op de overloop voor onze slaapkamers zou gaan slapen, wilde hij daar helemaal niets van weten. Ben wist wat hij wilde en hij kon urenlang zitten miauwen voor een gesloten deur. Dat begon als een zacht gejammer, dat steeds luider werd tot hij klonk als een huilende baby. Natuurlijk wilde George dat Ben bij hem kwam slapen, maar hij maakte hem zo vaak wakker dat ik ten slotte de pineut was. Algauw had Ben zijn eigen kussen op de lege kant van mijn bed en daarna bleef hij net zolang naast me liggen tot ik opstond. Als ik 's morgens wakker werd, lag Ben meestal languit op zijn rug met zijn pootjes in de lucht, en als ik dan bewoog, deed hij zijn ogen open en keek me aan.

Wat een leven hebben wij, hè Ju? Alles even fijn en gezellig. Wat heb ik lekker geslapen!

Het ergste wat Ben kon overkomen was dat hij alleen moest slapen, want dat was niet warm. Toen ik hem beter leerde kennen, kon ik niet begrijpen dat hij zo lang had gezworven. Hij had zo'n hekel aan kou dat hij ronduit weigerde om naar buiten te gaan als het regende en dan moesten we hem met een paraplu in de tuin uitlaten. Misschien was hij in een vorig leven de Koningin van Sheba geweest of zo, want Ben vond het heerlijk om aanbeden te worden. Als hij op de bank zat en George had het lef om hem even niet aan te halen, begon Ben net zolang te jengelen tot hij weer over zijn buikje geaaid werd en dan ging hij tevreden achterover tv liggen kijken. Hij vond het altijd heerlijk bij de tv, maar als Katie Price op het scherm verscheen, leken zijn ogen helemaal aan het toestel gekluisterd en dan zat hij doodstil naar haar te kijken. Ben werd binnen de kortste keren de meest verwende kat van Londen, met een voorkeur voor chique beroemdheden.

Ben had twee kanten, en de kant waarmee ik het meest te maken had, was die van de wijze oude man met de vredige blik. Als George naar school was, kwam Ben een tijdje bij me op schoot zitten om geknuffeld te worden. Dan bleef hij me kalm aankijken tot ik eindelijk opstond om iets in huis te gaan doen, waarop hij ergens ging liggen slapen. Maar meestal duurde het niet lang voordat hij me weer kwam opzoeken, want Ben hield het niet lang uit zonder geknuffeld te worden, en als hij het gevoel had dat hij te lang werd genegeerd zorgde hij er zelf wel voor dat hij aandacht kreeg. Als ik buiten in de tuin werkte, ging hij midden in het bloemperk zitten waarmee ik bezig was en keek me strak aan. Als ik iets op de computer wilde opzoeken, ging Ben languit op het toetsenbord liggen. En als ik de tafel dekte, sprong hij er middenop.

Het is al wel een uur geleden dat je me geaaid hebt! Dat pik ik niet. Ik wil nu een knuffel.

En George en ik waren niet de enigen van wie Ben liefde eiste. Als er iemand op bezoek kwam, zorgde hij er altijd voor dat hij het middelpunt was. Als Boy met zijn kinderen – Harry, William, Chloe en Frank – langskwam, klom Ben in een boom op de oprit om hun aankomst gade te slaan. Daarna gaf hij ons net genoeg tijd om elkaar te begroeten, voordat hij om ons heen begon te rennen om te zorgen dat we daarmee ophielden en onze aandacht naar hem verplaatsten. Als mam op bezoek kwam en we buiten op het terras zaten, rolde Ben om en om over de vloer tot ze hem begon te aaien. Of hij ging met opgeheven kop naar ons zitten luisteren, om er zeker van te zijn dat wij begrepen dat hij ook deel uitmaakte van het gesprek. Als we dan zaten te kletsen keek hij van de een naar de ander, afhankelijk van degene die aan het woord was. Ik zou er niet van hebben opgekeken als hij op een dag zijn keel had geschraapt om zelf ook een duit in het zakje te doen.

Ook al was Ben maar klein, hij slaagde er uitmuntend in om de aandacht van een kamer vol mensen vast te houden. Onze vrienden en familie hielden allemaal van katten maar zelfs vreemden voor wie dat niet gold moesten zich overgeven. Toen een sociaal werkster in verband met George bij me op bezoek kwam, sprong Ben meteen op haar schoot en ging midden op haar papieren zitten. De vrouw verstijfde min of meer toen hij haar aankeek, maar Ben miauwde om haar duidelijk te maken dat ze er niet onderuit kwam om hem te aaien. Hij kwam ook altijd meteen naar buiten als ik op de oprit met iemand stond te praten en draaide dan om onze benen heen tot hij onze aandacht had. Hij werd algauw het lievelingetje van alle bejaarden die in de bungalows vlak bij ons woonden. Als de zon scheen, ging hij altijd op de oprit zitten wachten tot ze voorbijkwamen op weg naar het postkantoor of om boodschappen te gaan doen. 'Hallo, Ben,' koerden ze dan als hij naar ze toe kwam en vol genot langs hun benen streek, terwijl ze zich stram bukten om hem te aaien.

Maar Ben mocht dan nog zoveel van mensen houden, als

George in de buurt was, had hij alleen oog voor hem. Het was net alsof er niemand anders bestond en de wijze oude opa die ik zo goed kende en die het grootste gedeelte van de dag op fluwelen voetjes rondwandelde, veranderde in een energiek klein jongetje dat om ons heen tolde vanaf het moment dat George thuiskwam. Hoewel ik van de dierenarts had gehoord dat Ben volgens zijn schatting een jaar of zes was, en dat is voor een kat zo ongeveer de middelbare leeftijd, kon hij zich – als hij dat wilde – nog steeds als een jong katje gedragen. Hij was vooral dol op verstoppertje spelen. Als hij en George te lang stil hadden gezeten, kon Ben ineens opspringen en er als een pijl uit de boog vandoor gaan, wat betekende dat hij achtervolgd wilde worden. 'Ik kom al,' riep George dan terwijl hij achter Ben aan naar boven holde, waar de kat zich meestal onder een bed of een kast had verstopt.

Op het moment dat hij was gezien, ging Ben er als een haas vandoor om een nieuwe schuilplaats te zoeken en kon het spelletje van voren af aan beginnen. Daar kon hij samen met George uren zoet mee zijn.

Een andere favoriete bezigheid was een stokje met aan het eind een elastiekje waar een pluizig muisje aan hing. Iedere avond, ongeveer een uur voordat George naar bed moest, keek Ben hem aan.

Kom op, George, ik verveel me. Laten we een spelletje doen. Waarom pak je de muis niet?

En dan stond George op om het stokje te pakken, waar Ben dan roerloos als een standbeeld naar bleef staren tot George het bewoog. Dan werd Ben helemaal gek en begon achter de vliegende muis aan te hollen en te springen. Hij tolde om zijn as en duikelde in het rond, terwijl George gierde van het lachen. George voelde zich zo ongedwongen en op zijn gemak als hij met Ben speelde, dat hij het niet eens erg vond als er iets misging. Als George met een ander kind speelde, dat per ongeluk een van zijn plastic riddertjes of piraten omgooide, tilde hij het hele bord boven zijn hoofd, gooide het vervolgens op de grond en liep weg zonder zelfs maar om te kijken. Maar bij Ben gebeurde dat soort dingen nooit – als Ben de boel in de war stuurde, moest hij lachen.

'Jij wilt zeker winnen, hè Baboe?' riep hij dan voordat hij de poppetjes weer op hun plaats zette.

Het duurde niet lang tot ze allebei het andere spelletje ontdekten dat ze erg leuk vonden: de zandbak. Op een dag liep ik de tuin in en zag dat George in de zandbak zat en een kasteel bouwde. Toen hij klaar was, ging hij op zijn hurken zitten en wachtte tot Ben zich langzaam uitrekte, opstond en achteloos naar het kasteel liep om er doodleuk bovenop te gaan liggen. George begon te lachen toen het zand onder Ben instortte.

'Baboe!' zei George met zijn kattenstem. 'Wat doe je nou?'

Het spelletje kon eindeloos doorgaan want George wist niet van ophouden, maar hoe vaak hij een spelletje ook over wilde doen, Ben deed altijd mee. Hij weigerde nooit om op te staan en raakte ook niet verveeld. En het liep slecht af met iedereen die zich ermee bemoeide, zoals de oorwurm die George op een dag in de zandbak zag lopen.

'Baboe!' riep hij en rende naar de woonkamer om Ben op te pakken. Hij nam hem mee naar de tuin en wees naar de oorwurm die daar in het zand rondscharrelde.

'Pak hem!' riep hij uit.

Terwijl George toekeek, richtte Ben zijn blik op de oorwurm en begon er met zijn poot tegen aan te tikken. Hij probeerde hem te vangen en sprong alle kanten op terwijl hij achter het kleine insect aan zat.

'Kom op, Ben!' riep George. 'Je kunt het best.'

Ben huppelde rond, de ogen vast op de kleine indringer gevestigd. Maar de oorwurm was zo snel dat iedere keer als hij zijn poot met een klap neer liet komen het insect weer tevoorschijn kwam en ervandoor probeerde te gaan. George en ik brulden van het lachen terwijl we toekeken hoe Ben ronddanste, op en neer sprong en vooruit en achteruit scharrelde, tot zijn poot voor de laatste keer met een klap op het zand plofte. Hij had hem! Ben griste de oorwurm met zijn poot op en stopte hem in zijn mond.

Zalig!

'Jij is echt heel knap!' zei George lachend.

Ik begon me onwillekeurig af te vragen waar de kat tijdens de rest van mijn leven had uitgehangen. We hadden hem nog maar een paar weken en toch was ons leven al in zoveel opzichten veranderd. Ben had een luik in George opengezet, en toen we daar samen doorheen liepen, ontdekten we een nieuwe wereld.

'Er zit een vogel in huis,' schreeuwde George toen ik uit de auto stapte.

De moed zakte me in de schoenen. Ik wist wat dat betekende. Binnen een maand waren we er namelijk al achter dat Ben het leuk vond om cadeautjes te geven, levend of dood. Vanaf het moment dat hij bij ons kwam, vond ik regelmatig muizen die door zijn scherpe nagels aan flarden waren gescheurd en bij wijze van presentje op de vloer van de zitkamer werden achtergelaten. Op een dag bracht hij zelfs een kikker mee, die hij in het vijvertje in onze tuin had gevonden. Alle goudvissen waren al door reigers opgevreten, dus we hadden niet verwacht dat er nog iets in het water was achtergebleven. Maar Ben was er in geslaagd om het enige wezen te vinden dat het bloedbad had overleefd en ik schrok me een ongeluk toen ik 's avonds opstond om de televisie uit te zetten en er ineens een kikker door de kamer sprong. Ben was languit op de grond gaan liggen, klaar voor de sprong, terwijl ik alles bij elkaar gilde en George op de bank sprong. Uiteindelijk belde ik Nob, die naar ons toe kwam en de kikker ving, omdat ik dat veel te eng vond. Ben had me vol afkeer aangekeken toen de kikker teruggebracht werd naar de tuin.

Waarom vond je mijn presentje niet leuk, Julia? Het was een hele toer om die kikker te vangen en nu heb je hem weer laten gaan.

George was net zo laf als ik, en wat we het naarst vonden, was als Ben muizen mee naar huis bracht die nog steeds leefden, maar doodsbang waren. Als George en ik er een in het huis ontdekten, gingen we op de bank zitten met onze voeten van de vloer en dan werd Nob weer gebeld. Hij moest zelfs een keer om twaalf uur 's nachts komen, want ik wist zeker dat ik geen oog dicht zou doen in de wetenschap dat er een muis door het huis liep. Nob had het diertje in een glazen pot gevangen en het naar de tuin gebracht terwijl George en ik toekeken.

'Klaar,' zei hij toen hij weer binnenkwam. 'Mag ik nu alsjeblieft weer naar bed?'

Maar toen ik daar samen met George op de oprit stond, wist ik dat Nob ons niet zou kunnen helpen, want die werkte. Ik was alleen met George en mijn buurvrouw Wendy, die een oogje op

George had gehouden terwijl ik even een pak melk ging halen. Ik kende haar inmiddels goed, want ze woonde een paar huizen verder met haar man Keith en haar dochters Nikki en Kayleigh. Aanvankelijk had ik me afgevraagd of ik, nadat ik was verhuisd, weer zo'n vriendin als Michelle zou vinden. We bleven weliswaar contact met elkaar houden, maar we hadden het allebei veel te druk om elkaar vaak op te zoeken. Maar zodra ik met Wendy in gesprek raakte, wist ik al dat ik weer een van de zeldzame mensen had ontmoet die George namen zoals hij was.

'Kayleigh is hyper,' zei George tegen haar terwijl we bij de deur stonden te praten. 'Keith heeft geen haar.'

'Dat klopt, George,' zei Wendy dan zonder zelfs maar met haar ogen te knipperen.

Intussen waren we zo goed bevriend geraakt dat George het zelfs goed vond dat Wendy bij ons thuis kwam oppassen als ik even weg moest. Maar ik kon hem nog steeds niet lang met haar alleen laten en ik moest zelfs na een lichte ingreep in het ziekenhuis meteen naar huis, hoewel de dokter eigenlijk had gewild dat ik een nachtje zou blijven. Als ik te lang wegbleef, werd George onrustig en bang dat alles anders zou gaan dan hij gewend was. Dat hij het goed vond dat Wendy even op hem lette, was al een hele stap vooruit.

Ik keek Wendy aan en vroeg me af hoe ik de warboel die tijdens mijn afwezigheid in mijn huis was ontstaan moest oplossen.

'Het is een jonge ekster,' zei ze en ik wist dat ik het arme dier uit Bens klauwen moest redden.

Terwijl ik naar de voordeur liep, holde George achter me aan.

'Baboe gaat helemaal uit zijn bol,' schreeuwde hij. 'De vogel is bij hem weggevlogen, maar nu gaat hij zijn vleugels halen om hem gevangen te nemen. Ben kan vliegen als een vliegtuig. Hij was vroeger straaljagerpiloot.'

George begon steeds vaker dit soort kattenpraatjes op te hangen. Met zijn kattenstem vertelde hij me alle verhalen die hij over Bens avonturen fantaseerde. Ik vond het heerlijk om ernaar te luisteren, want George was nooit in staat geweest op die manier met me te praten. Ben hielp hem dingen te zeggen die hij vroeger niet kon uiten en ik wist dat George die kattenpraat ook gebruikte om me te vertellen wat hij allemaal had geleerd. Ik wist nooit of er iets was blijven hangen van alles wat ik hem samen met andere mensen in de loop der jaren had willen bijbrengen – van historische gebeurtenissen tot lessen over goed en kwaad – maar nu liet George merken dat dat wel degelijk het geval was. Hij had ook allerlei andere, min of meer nutteloze informatie opgepikt.

'Ben neemt drie keer per dag het Slim Shake-dieet, maar hij beduvelt ons want ik heb zelf gezien dat hij alle Twix heeft opgegeten,' zei George bijvoorbeeld en daardoor wist ik dat hij best had gezien dat ik al jaren probeerde om minder te gaan eten.

'Je moet naar de Weight Watchers toe,' zei hij tegen Ben terwijl hij stukjes van blaadjes en grassprietjes uit de zachte witte vacht op Bens buik plukte. Ik schoot in de lach toen ik dat hoorde, want daar had ik zelf met mam over zitten kletsen.

Ik had hem keer op keer verteld dat Ben alleen maar een hangbuikje had omdat hij al jaren geleden was gecastreerd, maar George bleef ervan overtuigd dat hij te zwaar was. Bens buik was zo uitgezakt dat er van alles aan bleef hangen, dus moest George hem schoonhouden. En Ben vond het heerlijk als George hem borstelde, want hij vond het heel belangrijk om schoon te zijn. Hij kon zich uren door George laten borstelen, en als er niemand in de buurt was om hem te vertroetelen kon Ben wel een ochtend lang bezig zijn met het schoonpoetsen van zijn oren. Maar zijn kostbaarste bezit waren zijn pootjes. De achterpoten zagen eruit alsof hij witte kniekousjes aanhad, maar op de voorpootjes zat maar een likje wit, alsof hij babyschoentjes droeg. En Ben zorgde er altijd voor dat ze schoon waren. Maar als Ben achter George aan naar boven liep om toe te kijken hoe zijn vriendje in bad ging, werd hij vaak geplaagd.

'Heb je gele tanden?' zei George dan opgewonden als Ben in de wastafel zat, want dat was zijn favoriete plekje om het gebadder te bekijken. 'Heb je je tanden gepoetst? Heb je je achter je oren gewassen en onder je armen?'

Het enige wat Ben kon verleiden om de wasbak te verlaten, was als George zeepbelletjes over de vloer blies, want hij vond het prachtig om die achterna te zitten.

'Ik heb geen gele tanden!' zei George dan voor Ben. 'Ik ben een heel schone kat. Jij bent van ons tweetjes de stinkerd, George.'

'Ik stink helemaal niet!' riep George dan weer. 'Ik was mezelf met zeep en ik ben zo schoon dat ik glim.'

Ik moest altijd ontzettend lachen als ik dat soort zinnetjes hoorde die George overal had opgepikt. In zijn gesprekken met Ben kon hij alles wat hij had gehoord in zijn rijke fantasie toepassen.

'Ga maar gauw naar buiten,' kon George ineens opgewonden tegen me zeggen. 'Baboe zit op het dak. Hij gaat met een parachute naar beneden springen. Hij heeft alle daken al gerepareerd. Hij heeft er met zijn hamer nieuwe op getimmerd.'

Als George dat soort dingen zei, zag ik in gedachten Ben voor me zoals hij hem had afgeschilderd. Dan schoot ik onwillekeurig in de lach als ik bedacht hoe Ben eruitzag als timmerman, compleet met hamer en gereedschap, of in een pilotenuniform. Soms konden we samen uren zitten fantaseren over Bens avonturen en ik kon me nauwelijks herinneren hoe stil het thuis was geweest voordat hij er was. Tegenwoordig praatten en lachten we honderduit, en George bleef blij terwijl de dagen en weken voorbijgingen en hij Ben kon gebruiken om me alles te vertellen wat hij niet rechtstreeks aan me kwijt kon: de gedachten die hij had, wat hij voelde en de verhalen die voortsproten uit zijn verbeelding.

Ben was voor ons allebei constant aanwezig, ook als hij er niet bij was, want zelfs als we uit waren, praatten we aan een stuk door over hem.

'Ben heeft deze gordels zelf uitgeprobeerd,' zei George als we in een pretpark in een van de attracties stapten, want dat soort uitstapjes bleven we maken, net als toen hij nog klein was. 'En als het begint, komt hij ineens tevoorschijn en geeft alle kinderen een klap voor de kop.'

Dan zaten we samen te giechelen terwijl de achtbaan langzaam in beweging kwam.

'Ik kan gewoon niet geloven dat hij een vaste baan heeft!' riep ik uit.

'Ja hoor. Hij werkt bij de beveiliging. Hij heeft deze attractie helemaal alleen voor mij gebouwd, echt waar. Dit vindt hij de leukste.'

Ben kon alles zijn wat George wenste en ik vond het heerlijk om te horen wat hij allemaal had bedacht. Maar het was niet allemaal uit de lucht gegrepen: af en toe gebruikte George kattentaal om dingen te zeggen die hij me wilde vertellen. Dat kon iets zijn waar hij om had moeten lachen of iets ongelooflijks dat hij op tv had gehoord.

Maar met kattenpraat zou ik nu, samen met George en Wendy op de oprit, niets opschieten, want de ekster binnen was echt geen product van onze verbeelding. Ben zat nog steeds achter de vogel aan terwijl wij ons afvroegen wat we konden beginnen, en het dier moest gered worden. Met een diepe zucht liep ik naar binnen en deed de deur van de zitkamer open.

De ekster fladderde wild in het rond, terwijl Ben eronder stond te springen.

Heb ik geen mooi cadeautje voor je meegebracht? Moet je die vogel zien! Geweldig, hè?

Terwijl Ben vol trots naar de ekster stond te staren zag ik alleen maar beelden voor me uit *The Birds*, die oude Hitchcockfilm. Ik trok de deur met een klap dicht en liep naar buiten.

'Ben je bang?' vroeg Wendy toen ze mijn gezicht zag. Ik was doodsbleek.

Ik zei niets.

'Ik los het wel op,' zei Wendy dapper. 'Geef me alleen maar een paar handschoenen. Je hoeft niet in paniek te raken.'

Ik rende naar de keuken om een paar rubberhandschoenen voor haar te pakken en Wendy trok ze aan met een gezicht alsof ze een chirurg was die op het punt stond de operatiekamer binnen te gaan.

'Blijven jullie hier maar wachten,' zei ze en liep naar binnen.

Maar vijf seconden later kwam ze de voordeur alweer uit rennen. 'Ik geloof niet dat ik het voor elkaar krijg,' zei ze. 'Ik ga Keith wel even halen.'

Ik wist niet of dat arme vogeltje het nog veel langer uit zou houden. Er zat bloed op de voordeur, waar het kennelijk in paniek tegenaan was gevlogen en ik vond het een akelig idee dat Ben het arme dier misschien wel zat te martelen. Voor zo'n beminnelijke kat had hij toch echt nare trekjes. Maar Keith loste het probleem op: hij kwam naar ons toe, ving de ekster en liep ermee naar de tuin, waar de vogel gewoon wegvloog.

'Wat ben je toch stout, Ben,' riep ik nadat we weer naar binnen waren gegaan en George hem opgepakt had. Maar toen ik me naar Ben boog om hem streng aan te kijken, beet hij me.

Je hoeft niet zo op me te mopperen, Julia! Ik heb gewoon een presentje voor jullie meegebracht! Waarom ben je nou boos? Ik probeerde alleen maar aardig te zijn!

Terwijl ik Ben daar zo in Georges armen zag zitten, wist ik dat ik hem toch niet zou kunnen veranderen. Ik moest maar accepteren dat Ben, zoals iedereen, ook rare afwijkingen had. Die paar ondeugende trekjes maakten hem er niet minder om. Kijk maar eens wat hij voor George en mij had gedaan: zoals we tegenwoordig met elkaar praatten, hadden we nooit eerder gedaan, en dat kwam allemaal door Ben. Hij had ons stemmen gegeven, en ook al waren dat de hoge stemmetjes van stripfiguurtjes die een beetje raar klonken, dat kon me toch niets schelen. Nu kon ik op mijn beurt iets voor hem doen. Als Ben een tikje te veel van knaagdieren en vogels hield, of het niet leuk vond als er op hem gemopperd werd, dan moest ik me daarbij neerleggen.

Negen

George had behalve Ben nog een nieuwe vriend: een jongetje dat Arthur heette en dat samen met zijn moeder naast ons woonde. Hij was zo'n kind dat over alles nadacht voor hij eraan begon, een tienjarig knulletje dat op een vent van vijfenvijftig leek. Arthur was geduldig en lief en hij trok er zich weinig van aan dat George altijd schreeuwde dat hij er genoeg van had, als Arthur tijdens hun spelletjes niet precies deed wat hij wilde. Dan ging hij gewoon naar huis en kwam even zo vrolijk een dag later weer terug.

Ik was ervan overtuigd dat de speelse aard die Ben in George naar boven had gebracht van grote invloed was op het feit dat hij zulke goede vrienden werd met Arthur. Maar de grondslag ervoor was al gelegd voordat Ben op het toneel verscheen, omdat Howard nadat we waren verhuisd een computer voor George had gekocht. Hij was zo dol op al die spelletjes, dat hij ze zelfs via internet ging spelen met mensen uit andere landen. Ik wist eigenlijk niet wat ik ervan moest denken toen George me vertelde dat hij in een bepaald spelletje een van de besten ter wereld was, omdat ik zelf maar net de tv aan kon zetten. Maar toen zei Howard tegen me dat George er niet ver naast zat en ik besefte ineens dat ik daar niet echt van opkeek, want het was een wereld waarin George de mensen met wie hij contact had niet hoefde aan te kijken. Maar toch, als ik zat te luisteren terwijl George via het internet met iemand in gesprek was – per slot van rekening kun je niet voorzichtig genoeg zijn – viel me wel op dat hij steeds vaker zat te lachen en grapjes maakte met andere mensen.

'Hoe oud ben jij?' hoorde ik bijvoorbeeld een stem uit Amerika of Australië vragen.

'Tien,' antwoordde hij dan.

'Tien? Echt waar, man? Ben jij pas tien?'

George begon af en toe te giechelen als hij dat hoorde en soms zei hij tegen de persoon met wie hij sprak dat hij drieëndertig was, waar hij dan zelf nog het hardst om moest lachen. Hij was een echte papegaai en kon alle accenten nabauwen als hij vertelde wat hij had gehoord.

Ben bracht die speelsheid nog meer naar voren, en toen George die eindelijk ook ten opzichte van Arthur tentoonspreidde, had ik het gevoel dat hij een marathon had gewonnen, na al die jaren van pogingen om samen met andere kinderen over de startstreep te komen.

In de eerste paar maanden dat ze bevriend waren, zaten Arthur en George computerspelletjes te spelen of tv te kijken, maar ze waren ook uren in de tuin samen aan het trampolinespringen. Daarbij kwamen ze zo hoog dat Arthur een keer in de klimroos tegen de schutting bleef hangen. Zijn hele hoofd zat onder de krassen toen ik hem eindelijk had bevrijd.

George kwam ook even naar hem kijken. 'Wil je soms een snoepje?' vroeg hij aan Arthur. 'Dan voel je je wel weer beter.'

Arthur zei niets toen ik hem weer op zijn voeten zette. Hij wreef alleen over zijn hoofd en keek naar de roos.

'Zal ik je aan het lachen maken?' vroeg George. 'Zal ik ook in de roos springen?'

Daar moest Arthur wel om grinniken. 'Niet doen, George,' zei hij tegen hem. 'Laten we maar een glaasje limonade nemen of zo.'

Ben wist aanvankelijk niet wat hij van Arthur moest denken, en als Arthur bij ons kwam spelen, bleef hij vaak binnen zitten en keek alleen maar naar de beide jongens. Maar af en toe ging hij naar ze toe als ze op de trampoline waren en Ben was zeker niet bereid om George uit het oog te verliezen toen die samen met Arthur op onderzoek begon uit te gaan. Ergens wist ik natuurlijk wel dat George op een dag de tuin uit zou willen. Maar ik vond het nog steeds eng als hij vroeg of hij samen met Arthur naar het speelveld tegenover ons huis mocht. Daar waren altijd veel kinderen die voetbalden of in de bomen klommen, maar ik had nooit eerder toegestaan dat George zonder mij het huis uit ging. Uiteraard begreep ik best dat ik George wat vrijheid moest gunnen, maar dat blijft moeilijk bij een kind dat je eigenlijk het liefst continu zou willen vasthouden. Maar hij wist ook dat andere kinderen van zijn leeftijd gewoon zonder hun ouders buiten mochten spelen, precies zoals ik wist dat ik hem niet voor eeuwig in het kleine wereldje dat we samen met Ben gecreëerd hadden – alleen wij drietjes – vast kon houden.

Twee dingen bewogen me er uiteindelijk toe om George naar buiten te laten gaan. Het begon met Arthur. Precies zoals er volwassenen zijn die nooit opgroeien, zo zijn er ook kinderen als Arthur die gewoon oud worden geboren. Als er één woord op hem van toepassing was, dan was dat 'verstandig'. Ik heb nooit aan Arthur hoeven uit te leggen wat het betekende dat George autistisch was, hij begreep meteen dat hij op George moest passen. En ten tweede lag het speelveld recht tegenover mijn keukenraam, zodat ik het meteen zou zien als George niet bij Arthur in de buurt bleef. Dat zei ik ook tegen George, plus dat ik hem nooit meer naar buiten zou laten gaan als hij weg zou lopen. Iedere keer als ze op het veldje waren, ging ik maar afwassen, zodat ik George als een soort spion voortdurend in de gaten kon houden. Maar daarbij had ik wel de hulp van een extra stel ogen, want Ben liep altijd achter hen aan, en als George buiten ging spelen of met zijn radiografisch bestuurbare auto op het veld was, ging Ben op het trottoir liggen om een oogje op hem te houden.

Toen Arthur en George samen op stap begonnen te gaan, kon ik zelf ook zien dat George de grootste lol had als hij aan het voetballen was of in bomen klom, terwijl Ben meestal niet ver weg was. Op een dag toen ze met Arthurs neefje Charlie gingen spelen had ik zelfs een lunch voor ze ingepakt en ze amuseerden zich kostelijk tot het onheil toesloeg omdat George besloot uit een boom te springen. Mijn hart klopte in mijn keel toen Arthur en Charlie aan kwamen hollen met de mededeling dat George aan een hek hing. Ik rende naar het speelveld toe en ontdekte dat hij aan zijn kraag aan het hek hing. Toen ik hem eraf tilde, vroeg ik me meteen af of ik hem ooit weer zou durven laten gaan.

'De kinderen in het park zeiden "wedden dat je er niet uit durft te springen?"' zei George tegen me toen we thuis waren. 'Dus toen dacht ik: eens even kijken of ik dat kan. Ik probeerde naar dat plekje met gras te springen.'

Arthur keek George streng aan toen hij dat vertelde. 'Je kunt niet zomaar uit bomen springen, George,' zei hij. 'Want dan kun je je benen pijn doen en hoe moet je dan voetballen? En waarom zou je zoiets doen... ook al zeggen ze van alles tegen je?'

George bukte zich naar Ben die naast hem op de bank zat. 'Luister je?' zei hij. 'Je moet niet uit bomen springen, Ben. Dat is stout.'

Onwillekeurig moest ik denken aan die dag, inmiddels al zo lang geleden, toen Michelle en ik met eieren hadden geprobeerd George aan zijn verstand te brengen dat hij kwetsbaar was. Nu scheen dat eindelijk tot hem door te dringen – ook al had hij daarvoor eerst uit een boom moeten springen – en ik was enorm opgelucht toen George dat tegen Ben zei, die miauwend reageerde.

'Niet lachen,' zei George tegen Ben, op dezelfde ernstige toon waarop Arthur net tegen hem had gesproken. 'Het is echt geen grapje.'

Ik kreeg meteen het gevoel dat George niet zo gauw nog eens uit een boom zou springen.

Vanaf die dag waren de jongens boezemvrienden. Het duurde niet lang voordat George zich even beschermend gedroeg ten opzichte van Arthur als ten opzichte van Lewis, en als iemand aanmerkingen had op Arthur konden ze van katoen krijgen.

'Hij is de beste voetballer van allemaal,' zei hij dan als een kind een grapje over Arthur maakte. 'Hij is fantastisch. Hij kan heel goed doelpunten maken.'

George beschouwde zijn vriend als een held en had hem alles willen geven waar Arthur om vroeg. Maar Arthur maakte nooit misbruik van dat vertrouwen.

'Wil je misschien de chocolaatjes hebben die ik van oma voor mijn verjaardag heb gekregen?' vroeg George dan bijvoorbeeld. 'Wil je mijn Pokémonkaarten hebben?'

'Dat soort dingen kost een boel geld, hoor,' zei Arthur dan tegen hem terwijl ze computerspelletjes deden. 'Je kunt me toch net zo goed één chocolaatje geven in plaats van de hele doos?'

Vervolgens kreeg hij dat van George, die de andere kant opkeek als Arthur het aannam.

'Jij bent mijn beste vriend,' zei George terwijl hij in de verte staarde en daarna speelden ze weer verder zonder er nog een woord aan vuil te maken.

Mijn hart zwol van trots als ik George zoiets hoorde zeggen. Ik weet best dat de meeste moeders van tienjarige kinderen al die dingen doodnormaal vinden. Maar ik had nooit eerder dat soort mijlpalen met George bereikt – het eerste echte vriendje met wie hij werkelijk een band had – en ik was ontzettend blij dat hij eindelijk liet zien wie hij werkelijk was en niet langer het lieve en vriendelijke jongetje dat in hem school, probeerde te onderdrukken.

Natuurlijk hadden ze af en toe ook ruzie. George vond het nog steeds moeilijk om te accepteren dat mensen bepaalde dingen op hun eigen manier deden en af en toe zat hij weer tegen Arthur te schreeuwen als het spelletje niet zo verliep als hij wilde. Maar de enige keer dat Arthur echt kwaad werd, was toen George hem berispte omdat hij iets zomaar weggooide.

'Geef jij dan niets om de wereld?' riep George uit toen Arthur een plastic bekertje op de grond gooide. 'Weet je dan niet dat de aarde helemaal volgepropt wordt met plastic?'

Dat was tegen het zere been, want Arthur vond het helemaal niet leuk dat George hem de les las, maar uiteindelijk legden ze het toch weer bij. En George begon steeds vaker mensen op de vingers te tikken. Na al die jaren dat ik had geprobeerd hem manieren bij te brengen, was hij er eindelijk achter gekomen hoe belangrijk dat was. Als een kind iets deed wat volgens hem niet hoorde, kregen ze dat dan ook meteen voor de voeten geworpen, ook al vertelde ik hem nog zo vaak dat mensen dat niet altijd op prijs stelden.

'Maar iemand moet het toch tegen hen zeggen, mam,' zei George dan. 'Ze moeten het gewoon leren, want ze doen maar.'

Toen hij dat zei, moest ik onwillekeurig glimlachen. George was er altijd van overtuigd geweest dat de wereld rondom hem tegen de draad in was en niet hijzelf. Maar hij had in zekere zin wel gelijk, want er waren kinderen in onze wijk bij wie de dingen een beetje uit de hand liepen. Toch zorgde ik er wel voor dat ik niet lachte toen ik tegen George zei dat andere kinderen het misschien niet leuk vonden als hij hen op de vingers tikte. Zo was het leven met George nu eenmaal: een soort flipperkast waarin je meteen weer verder ketste als je een bepaald doel had bereikt.

De meeste kinderen snapten er niets van als George hun vertelde hoe iets moest, of zei dat de tanden van hun moeder scheef stonden. Maar Arthur hield van George zoals hij was en ik was allang blij dat George net zoveel om Arthur gaf. Het leven bestaat nu eenmaal uit kleine stapjes voorwaarts die er allemaal samen voor zorgen dat je weer een eindje verder komt. Georges vriendschap met Arthur leek een grote sprong vooruit die hij met behulp van Ben had kunnen maken.

Ben werd steeds territorialer. Het had even geduurd tot hij had bepaald hoe groot zijn koninkrijk was, maar toen hij dat eenmaal wist, beschouwde hij elk ander dier als een indringer.

Hij had vanaf het begin geweten dat Fluffy, het konijn, bij het gezin hoorde, maar Ben trok zich niets van haar aan, hoewel ik in het begin een beetje bang was geweest dat hij zou proberen haar te bijten. 'Ze is Bens huisdier,' zei George vaak tegen me. 'Fluffy is van hem. Hij houdt niet van katten, want daar is hij allergisch voor. Maar Fluffy vindt hij wel leuk.' Uiteindelijk zette ik Fluffy af en toe in de tuin om van de zon te genieten en soms ging Ben dan languit naast haar liggen. Hij scheen net als George te denken dat hij helemaal geen kat was, dus waarom zou hij zich dan druk maken over een konijn?

Maar met andere dieren ging het niet zo gemakkelijk, en de vriendelijke houding van Ben verdween als sneeuw voor de zon als het om honden of om andere katten ging. Dat waren de twee dingen die Bens vechtlust meteen aanwakkerden en maakten dat de lieve, vriendelijke kat die wij kenden ineens veranderde in een Ninja-strijder.

Nadat ik Ben in huis had genomen, waren er nog een paar zwerfkatten geweest met wie ik medelijden kreeg en die ik gevoerd had. De meeste verdwenen even snel als ze opdoken, maar een paar waren vaste bezoekers geworden en die gaf ik bijna iedere dag te eten. Een daarvan was een cypers katertje waarvoor ik altijd een bak in de tuin zette, net als ik vroeger voor Ben had gedaan, en de ander was een prachtig, langharig poesje. Dat was de Oliver Twist van mijn tijdelijke kudde omdat ze altijd door het keukenraam naar binnen stond te gluren en om meer eten vroeg. Maar ook al tolereerde Ben die twee bezoekers zolang ze buitenshuis bleven, het werd een ander verhaal als ze probeerden een poot over zijn drempel te zetten.

'Je moet lief voor ze zijn,' zei George altijd tegen Ben als hij stond te blazen tegen zo'n zwervertje dat binnen probeerde te komen. 'Jij bent toch ook dakloos geweest en toen had je net zo'n honger als zij nu, of niet soms?'

Maar dan wierp Ben hem alleen maar een boze blik toe en zocht zijn toevlucht op de bank.

Dit is mijn huis George. Van mij. En ik wil het niet met een ander delen. Begrepen? Ik hou niet van andere katten.

Doorgaans slaagden we er wel in om ruzie te vermijden, maar toen kwam de dag waarop het katertje, dat we de bijnaam Buster hadden gegeven, besloot om eens wat verder op onderzoek uit te gaan. Intussen had Ben zich het prieel volledig toegeëigend, en terwijl ik er vroeger nog wel eens zat om naar mijn tuin te kijken, had Ben er nu zijn intrek in genomen. Als hij niet in de woonkamer zat of op een van de bedden lag, was hij altijd in het prieel te vinden. Van daaruit kon hij alles prima in het oog houden.

George en ik waren tomaten aan het plukken op de dag dat Buster vanuit de tuin naar de deur van de woonkamer sloop. Ben lag te slapen. Dat leek tenminste zo, tot zijn ogen ineens open vlogen op het moment dat het cyperse katertje langs het prieeltje kwam en spleetjes werden toen Buster nog een paar stappen in de richting van het huis zette. In een flits sprong Ben van zijn stoel en rende met opgezette haren over het gazon, grommend als een leeuw.

Maak dat je wegkomt! En wel meteen! Waag het niet om mijn huis in te lopen!

Ben rende in volle vaart naar Buster, die omkeek en zijn vijand als een goederentrein op zich af zag denderen. Buster had genoeg aan één blik, legde zijn oren plat en ging er als een haas vandoor terwijl Ben bleef grauwen en blazen. Met één grote sprong over de schutting was Buster verdwenen. George en ik stonden met open mond toe te kijken, onze handen vol tomaten. George begon te lachen terwijl Ben trots terug slenterde door de tuin, met opgeheven kop en een zwiepende staart. Hij zag er bijzonder zelfingenomen uit toen hij aan de rand van het terras ging liggen om er zeker van te zijn dat Buster niet opnieuw zou proberen om naar binnen te dringen.

De overwinning die Ben die dag had behaald gaf hem zoveel zelfvertrouwen dat hij zijn grondgebied wenste uit te breiden, en een van die nieuwe gebieden was vreemd genoeg mijn auto. Iedere keer als ik mijn auto waste, kwam Ben naar buiten, stapte in, sprong op het dashboard en ging door de voorruit naar de voorbijgangers zitten kijken. Terwijl de autoradio een vrolijk deuntje speelde en ik samen met George de hele auto sopte, bleef Ben ons in de gaten houden.

Goed zo. Ga maar door. Heb je daarginds geen stukje overgeslagen?

Zelfs als hij binnen was, wenste Ben zijn grondgebied nog in de gaten te houden en dat veroorzaakte allerlei problemen. Ik heb al twee keer de jaloezieën in de slaapkamer moeten vervangen omdat hij die kapot had gemaakt door net een keer te vaak zijn kop tussen de latjes door te duwen. En met een stel gordijnen liep het al even slecht af, omdat Ben ze met zijn nagels aan flarden scheurde toen hij erin klom. Met de luxaflex in de keuken was het hetzelfde liedje. Ben leek op een bewaker die constant op wacht stond. Zelfs als hij even vrijaf nam, maakte hij er opnieuw een puinhoop van door zijn nagels niet alleen in de bank te zetten, maar ook in het vloerkleed en de stoelpoten. Als ik de kamer binnen kwam, trof ik hem regelmatig aan terwijl hij zijn lange nagels zat te scherpen, helemaal pluizig en met ogen zo vol van genot dat hij zo dronken als een tor leek terwijl hij de stof enthousiast te lijf ging. Voor Ben stond het aan flarden trekken van de bekleding van mijn meubels gelijk aan een verblijf in de zevende hemel. Dat we uiteindelijk een krabpaal voor hem kochten, hielp nauwelijks, want dat was niet half zo leuk.

'Wil je daar wel eens mee ophouden!' riep ik dan als ik de zitkamer binnen kwam waar Ben zijn nagels weer in het vloerkleed had gezet of opnieuw de bekleding van de bank te lijf was gegaan.

Maar George kwam altijd op voor zijn vriendje. 'Die krabpalen zijn voor katten, dus daar heeft Ben niets aan,' zei hij dan tegen me. 'Hij vindt het vloerkleed veel leuker, dus waarom kopen we gewoon geen nieuwe als deze te oud wordt?'

'Omdat het geld me niet op de rug groeit,' riep ik dan. 'Ik kan niet zomaar nieuwe banken, vloerkleden, gordijnen of luxaflex kopen omdat Ben het leuk vindt om zijn nagels erin te zetten.'

'Ach, mam,' zei George dan. 'Ben vindt het heerlijk en je leeft toch maar één keer?'

Ik wist dat George het nooit met me eens zou zijn en ik zweer dat iedere keer als dit gevoelige onderwerp ter sprake kwam, Ben naast hem ging zitten en me met een voldane grijns aankeek.

Je kunt me toch niet tegenhouden, hoor. Ik ben Georges kat en hij is zo lief dat ik van hem alles mag doen wat ik wil. Geef het nou maar op, Julia, ik vind de bank veel te fijn om hem met rust te laten.

Maar hoewel Ben af en toe zo ondeugend was dat hij voor problemen zorgde, kon ik meestal mijn lachen toch niet inhouden, want hij liet zich door niets uit het veld slaan. Terwijl de katten die hij wegjoeg ongeveer even groot en zwaar waren als hij leek Ben zich er totaal niet druk over te maken dat de honden die hij pestte zeker twee keer zo groot waren. Na katten waren zij zijn lievelingsvijanden. Hoewel hij Oli en Sally, mams honden, aanvankelijk had getolereerd door net te doen alsof hij ze niet zag, begon Ben langzaam maar zeker zijn ware aard te tonen. Als Sally en Oli op bezoek waren, zat hij op de vensterbank buiten voor het raam van de zitkamer en bleef ze zo strak aanstaren dat wij in de lach schoten. Het leek net alsof hij ze probeerde te hypnotiseren.

Maar toen ik een hond te logeren kreeg was het gedaan met Bens geduld en hij besloot dat het maar eens uit moest zijn met al die hondse indringers.

Toen Arthur en zijn moeder op vakantie gingen, wilde ik wel op hun Britse buldog passen. Hij heette Jedi en ik had hem altijd al een schatje gevonden. Jedi was zo zachtaardig dat hij het best vond om als een baby in dekentjes gewikkeld te worden als hij het koud had en hij vond niets leuker dan voor in de auto naast me te zitten als ik boodschappen ging doen. Maar Ben was er alleen maar op uit om onze logé te intimideren. Jedi kon niet eens rustig een plasje doen, want Ben liep altijd achter hem aan naar buiten en zat hem dan zo strak aan te kijken dat die arme Jedi niet eens zijn poot op durfde te tillen. Daar kon ik alleen iets aan doen door achter hen aan de tuin in te lopen als Jedi zijn behoefte moest doen. Maar op een middag sloeg de vlam in de pan toen Jedi naar buiten glipte zonder dat ik het in de gaten had.

'Ben is aan het paardjerijden,' hoorde ik George roepen, en toen ik naar de woonkamer holde, kwam Jedi net binnen rennen.

Hij liep te kronkelen en te schudden in een poging iets van zijn rug te gooien: een lange zwarte schaduw met een vleugje wit. Een kat. Ben klemde zich op Jedi's rug vast alsof hij op een bokkend paard zat.

'Laat los!' riep ik. 'Ga van die arme hond af!'

Maar daar had Ben toevallig helemaal geen zin in. Hij sloeg zijn nagels nog dieper in de hond, waarop Jedi begon te janken en weer terug rende naar de tuin waar hij wanhopig bleef proberen om zijn aanvaller af te schudden. Terwijl Ben zich uit alle macht vastklampte, schudde Jedi zich nog één keer uit volle macht en slaagde erin om hem af te gooien. Ben vloog door de lucht, maar op het moment dat zijn pootjes de grond raakten, stond hij alweer klaar om aan te vallen. Jedi besefte dat hij vrij was, ging plat op de grond liggen en wierp mij met zijn kop tussen de poten een verbijsterde blik toe, terwijl Ben om hem heen bleef draven. Jedi mocht hem dan afgeschud hebben, hij had hem echt de doodschrik op het lijf gejaagd. Victorie voor Ben en dat smaakte alleen maar naar meer.

Toen Jedi na een week weer naar huis ging, wende Ben zich aan om in een boom op onze oprit te gaan zitten wachten tot hij uitgelaten werd. Meestal zat hij hem alleen maar dreigend aan te kijken, maar één keer sprong hij vanaf een tak zo op Jedi af, en toen een Staffordshire bullterriër de vergissing maakte om onze oprit op te lopen, ging Ben op zijn achterpoten staan en begon met zijn poten de snuit van de hond te bewerken.

Maar hij verdedigde zijn terrein niet alleen uit praktische overwegingen, hij vond het gewoon leuk. Toen het tot Ben doordrong hoeveel lol je kon hebben met het pesten van honden, had hij al snel zijn ideale slachtoffer gevonden: Scruffy, de Yorkshireterriër van Wendy. In de zomer had Wendy meestal een babyhekje voor de deur van de zitkamer, om hem veilig binnen te houden terwijl ze de voordeur openzette om het huis te luchten. Toen Ben besefte dat Scruffy achter tralies zat, liep hij iedere keer als hij Wendy's deur open zag staan de oprit op en ging op de stoep naar binnen zitten gluren. Dan werd Scruffy, die toch al zo gek als een deur was, prompt wild en begon op en neer te springen om te proberen over het hekje bij Ben te komen. Uiteraard was Scruffy veel te klein om dat voor elkaar te krijgen, maar Ben genoot van elk moment dat hij hem zat te treiteren. Hij zette nooit een poot in Wendy's huis en kwam ook nooit in de buurt van die arme Scruffy, maar hij bleef daar gewoon buiten bereik naar hem zitten staren.

Had Ben een blinde vlek als het om andere katten en honden ging, met betrekking tot mensen was hij een stuk objectiever, zoals ik langzaam maar zeker zou merken. Aanvankelijk dacht ik dat hij een door-en-door vriendelijke kat was, want Ben hield van alle mensen die George en ik het alleraardigst vonden: als mam op bezoek kwam, rende hij naar haar toe om opgepakt te worden, als Nob, Tor of Boy langskwam, ging hij op zijn rug liggen om over zijn buik geaaid te worden en als Wendy aanklopte, holde hij met zo'n vaart naar de deur dat ik bang was dat hij er dwars doorheen zou vliegen.

Maar na een paar maanden begon tot me door te dringen dat hij in feite veel kieskeuriger was. Jullie kennen die mensen toch wel die altijd in de problemen lijken te zitten en die daar dan onder het genot van eindeloze kopjes thee over willen praten? Ik had ook zo'n vrouw leren kennen – laten we haar voor het gemak Sue noemen – met wie eeuwig iets aan de hand was, en dan was ik meestal de persoon met wie ze daar absoluut over wilde praten. Sue kwam op elk uur van de dag of de avond aankloppen, vaak diep in mineur, en dan zat ik op de bank naar haar te luisteren terwijl George maar heen en weer bleef lopen. Het gebeurde niet vaak dat hij een hekel had aan mensen, maar Sue kon hij echt niet uitstaan. Hij vond dat ze met haar zonnebankbruine gezicht en haar getatoeëerde wenkbrauwen sprekend op een clown leek en daar moest hij niets van hebben.

Ben bleef ook altijd bij Sue uit de buurt en ik begon me al af te vragen of ik ooit de moed zou kunnen opbrengen om haar te vertellen dat haar bezoek niet altijd gelegen kwam. Maar het toeval wilde dat ik de kans niet eens kreeg, want op een avond toen Sue weer kwam opdagen en half tegen George aan viel, zette Ben zijn klauwen in haar om zijn vriendje te verdedigen. Daarna hebben we Sue nooit meer gezien. Misschien was het gewoon toeval, maar ik heb me altijd afgevraagd of het kwam omdat ze begreep dat we genoeg van haar hadden. Ik was altijd te slap geweest om Sue de deur te wijzen, maar Ben had onomwonden laten merken hoe we over haar dachten. Natuurlijk wist ik wel dat hij eigenlijk geen mensen mocht aanvallen, maar ik was toch best een beetje dankbaar dat hij Sue uit naam van ons allemaal had verteld dat het genoeg was. Als hij alleen maar een beetje aardiger was tegen katten en honden zou het leven volmaakt zijn.

Een heleboel mensen praten met een speciale stem tegen hun huisdier. Sommigen met een hoge piepstem, anderen juist laag en gruizig. Of het nu om hondentaal, hamstertaal of het-maakt-niet-uit-wat-voor-dier-het-is-taal gaat, de meesten doen dat alleen maar als ze alleen zijn met dat beest, uit angst dat ze anders uitgelachen zullen worden. Maar dat kon mij niets schelen. George en ik gebruikten onze kattenstemmen om over van alles en nog wat te praten. Als we kattentaal spraken, was ons leven veel gelukkiger en leuker, en het bracht ons steeds dichter bij elkaar. Mensen als mam, Boy, Nob en Tor hoorden ons dan ook vaak zo praten als ze op bezoek kwamen. Maar in plaats van zich af te vragen of het me uiteindelijk toch in de bol was geslagen, begonnen ze zelf ook mee te doen toen ze zagen hoe goed George erop reageerde. Moet je je voorstellen hoe dat klonk als Nob en Boy het deden. De een is taxichauffeur en de ander werkt bij de gemeente als loodgieter, maar toch praatten ze met die hoge piepstemmetjes omdat ze tot alles bereid waren om George uit zijn schulp te lokken. We begrepen geen van allen waarom die kattentaal werkte, maar we hoorden zelf dat George daardoor allerlei dingen zei die hij nooit eerder had gezegd.

'Mijn oma is gepensioneerd,' zei hij bijvoorbeeld op zijn kats tegen Ben als mam op bezoek was.

'Ja, dat klopt,' antwoordde ze dan met haar speciale stem.

'Ze is oud,' merkte George vervolgens op. 'En als er iets gebeurt, belt mijn mam meteen haar mam op, want zij is gepensioneerd en ze weet alles.'

Kattentaal gunde ons allemaal een blik op de wereld van George, omdat hij voor het eerst van zijn leven vragen begon te stellen en naar de antwoorden luisterde. Als mam hem vroeger bijvoorbeeld iets vertelde wat mij als kind was overkomen had George daar nooit op gereageerd. Nu moest hij lachen als ze hem vertelde wat ik allemaal had uitgespookt. Hij vond het prachtig om te horen hoe opa mij ooit op mijn rug had moeten slaan toen ik per ongeluk een ballon had ingeslikt of hoe ik een van de kopjes van mijn plastic theeserviesje aan een met helium gevulde ballon had gebonden en dagenlang had moeten huilen omdat het de lucht in vloog.

'Je had haar gezicht moeten zien,' riep mam dan huilend van het lachen terwijl George schaterde.

Kattentaal gaf George de kans om over en via Ben te praten, wat hem gemakkelijker viel dan over of voor zichzelf te praten. En toen we Ben bijna een jaar hadden, begon ik me af te vragen of ik hem ook kon gebruiken om met George over andere dingen te praten. Discipline was een van die dingen waarvan ik besloot om het met kattentaal te proberen. We waren er geen van beiden ooit iets mee opgeschoten als ik George berispte, want hij begreep gewoon de zin van veel regels niet en in de loop der jaren was het langzaam tot me doorgedrongen waarom dat zo was.

Sommige regels zijn overduidelijk. George had bijvoorbeeld moeten leren begrijpen dat hij andere mensen geen pijn mocht doen. Toen hij klein was, had ik hem dan ook gewoon gebeten als hij dat bij andere kinderen deed, was op zijn voet gaan staan in de tijd dat hij alles stampvoetend probeerde op te lossen en had hem aan zijn haar getrokken toen hij op de speelplaats voortdurend aan paardenstaarten trok. Gewoonlijk duurde het een paar jaar voordat George begreep wat ik hem probeerde bij te brengen. Ik ben dan ook de tel verloren van al die keren dat ik hem probeerde te laten voelen dat iets pijn deed – niet te hard natuurlijk – en hij zich op de grond had laten vallen en riep dat ik een ambulance moest laten komen omdat ik zijn arm gebroken had of zijn voet had gekneusd. Maar hoewel hij dat soort regels uiteindelijk toch leerde begrijpen, waren er andere regels waarmee hij veel meer moeite had, omdat die meer te maken hadden met gevoelens en nuances dan met pure feiten. En daar kon George niets mee, ik kon hem net zo goed vertellen dat de lucht ineens roze was met groene spikkels. Maar nu kon ik Ben gebruiken om George dingen duidelijk te maken.

Ik begon met boeren laten. George had de vervelende gewoonte om dat regelmatig en behoorlijk hard te doen, en dat had me altijd geërgerd, want ik wilde hem het liefst zoveel mogelijk manieren bijbrengen. Maar wat ik in de loop der jaren ook over boeren had gezegd – en dat was heel wat – George bleef er gewoon mee doorgaan, dus besloot ik om een andere aanpak te proberen.

'Ben vindt dat helemaal niet leuk,' zei ik op een dag dat George weer een boer had gelaten toen we aan tafel zaten.

Zijn gezicht bleef uitdrukkingsloos toen ik dat zei en het bleef even stil terwijl hij daarover na zat te denken.

'Echt niet?' vroeg George na een poosje.

'Nee.'

'Waarom niet?'

'Omdat hij dat onbeleefd vindt en Ben houdt er niet van om onbeleefd te zijn.'

'Echt niet?'

'Nee. Ben is een heel beleefde kat. Hij vindt dat boeren niet mag.'

George zei verder niets, maar al snel na dat gesprek begon hij de kamer uit te rennen als hij een boer moest laten en haalde dan een stuk wc-papier uit het toilet. Met het papiertje voor zijn mond liet hij dan nog steeds een flinke boer, maar het was in ieder geval een begin. En hij maakte me aan het lachen door wat hij net had geleerd weer op die typische George-manier flink te overdrijven. Toen het eenmaal tot hem doordrong dat Ben een bijzonder beleefde kat was, begon hij iedereen die in zijn bijzijn per ongeluk een boer liet op de vingers te tikken.

'Dat vindt Ben helemaal niet leuk, hoor,' zei hij dan ernstig. 'Volgens hem is dat heel onbeleefd.'

Kattentaal hielp mij niet alleen om beter met George te communiceren, het hielp hem ook om beter met mij te communiceren. Hoewel hij nooit belangstelling had getoond voor boeken liet George me veel vaker merken dat hij allerlei verhalen in zijn hoofd had. Ze moesten alleen op een manier verteld worden waar geen papier en woorden aan te pas kwamen.

'Hou jij nou wel of niet van zandkastelen?' vroeg George aan Ben toen ze samen in de zandbak zaten en Ben hem zat aan te kijken.

'Jawel, maar ik hou het meest van Windsor Castle en daar is helemaal geen zand,' zei George terwijl hij net deed alsof hij Ben was.

'Nou, ik ga toch maar een kasteel voor je bouwen,' antwoordde George daarop. 'Maar je moet wel op de emmer gaan staan, want als ik de sluizen openzet, stroomt het water met een vaartje om het kasteel heen en dan krijg je misschien natte poten. Begrepen, meneertje?'

Opnieuw reageerde hij als Ben. 'Ja hoor, ik begrijp het best en ik vind het helemaal niet leuk om nat te worden, dus maak me alsjeblieft niet nat, George. Ik wil alleen maar nat worden als ik mijn duikpak aanheb en dat is al ingepakt voor de vakantie.'

'Maar vind je het dan niet leuk om in zee samen met de vissen onder water te zwemmen?' vroeg George aan hem. 'Dat heb ik ook gedaan en ik heb ze gezien. Alle vissen die in de mooie blauwe zee zwemmen.'

Lewis was die dag bij ons en die had zijn piratenpak aangetrokken voordat hij op de trampoline klom.

George keek Ben ernstig aan. 'Jij hebt net zo'n piratenpak als Lewis, hè?' vroeg hij. 'Maar dat van jou is echt, want jij was toch een stuntkat bij Johnny Depp?'

Lewis begon op en neer te springen terwijl George rustig doorbabbelde.

'Ben was de dubbel van Superman, hoor,' zei George tegen Lewis. 'En zo gauw hij weer vleugels heeft, zal hij jou redden als je van de trampoline vliegt omdat je zo mager bent. Ben is geen kat. Ben is een stuntkat.'

Lewis schoot net als ik in de lach toen George ons dat verhaal vertelde, en hoewel hij ons niet aankeek, zag ik best dat hij genoot van het feit dat wij alles wat hij zei zo leuk vonden.

'Ik laat Lewis wel zien hoe hij moet vechten als Johnny Depp,' zei hij namens Ben. 'George vindt het prachtig als we zo hoog vliegen dat we de maan kunnen aanraken. Mam weet niet dat we piraten zijn. Maar wij wel, hè? Wij weten wat we zijn, George en ik.'

Tien

Het probleem van een alleenstaande moeder zijn is dat je het altijd in je eentje met je kind moet zien te rooien. Jij bent de enige persoon ter wereld die dag in dag uit met hem te maken hebt, de enige die precies begrijpt wat zijn behoeften zijn. En die zijn behoorlijk talrijk, als je kind ook nog autistisch is. Howard was een goede vader voor George. Ze gingen samen zwemmen of naar de bioscoop, hij was altijd bereid om een paar uurtjes op George te passen als ik dat vroeg en hij was bij ons geweest toen we voor het eerst Kerstmis vierden in ons nieuwe huis. Maar het was niet zo dat we het ouderschap iedere dag eerlijk verdeelden, en dat betekende weer dat ik op een slechte dag niemand had om tegen te praten, niemand die even de touwtjes in handen kon nemen als alles mij te veel werd en niemand bij wie ik lekker kon uithuilen. Tot we Ben kregen.

Voordat hij deel van ons gezin ging uitmaken, waren George en ik elke minuut van de dag dat hij niet op school zat op elkaar aangewezen. Het gebeurde regelmatig dat ik me afvroeg of ik de kracht nog kon opbrengen om meer vragen te beantwoorden, en of ik wel voldoende geduld had om al dat gescandeer aan te horen. Als George iets in zijn hoofd had, kon hij dat niet kwijt, en op dat soort dagen liep hij als een schaduw achter me aan terwijl hij aan een stuk door kletste over wat hem bezighield. Eten was zo'n onderwerp waarover hij honderduit kon praten en hetzelfde gold voor tijd.

'Hoe laat krijg ik mijn avondeten?' vroeg hij bijvoorbeeld zodra hij uit school kwam.

'Ongeveer over een uur,' zei ik dan tegen hem.

'Hoe laat is het dan?'

'Vijf uur.'

'Wat krijg ik dan?'

'Witte bonen met een ei.'

'Hoeveel eieren?'

'Een.'

'Niet te hard?'

'Nee, George. Precies goed.'

'Is het geel dan zacht of hard?'

'Hard langs de kant en zacht in het midden,' antwoordde ik dan, omdat ik wist dat hij dat het lekkerst vond.

'Krijg ik ook patat bij mijn ei en de bonen?'

'Als je dat wilt.'

'Zit er een boel wit aan het ei?'

'Niet te veel.'

Vervolgens zat George een minuutje na te denken. 'Stop!' riep hij daarna. 'Ik wil pasta met saus.'

'Oké.'

'Wordt het dan de gewone saus?'

'Ja, George.'

'Nee, ik wil patat en een ei.'

'Best.'

Als George ooit zijn mond hield, duurde het hooguit een seconde voordat hij opnieuw begon.

'Mam, mam, mam, mam, mam,' scandeerde hij terwijl hij me van het ene vertrek naar het andere volgde. 'Mam, mam, mam, mam, mam.'

'Ja, George?'

'Ik wil een ei met patat.'

'Goed hoor.'

'Hoe laat krijg ik dat dan?'

'Om vijf uur.'

'Hoeveel uur duurt dat nog?'
'Eén uur en negenentwintig minuten.'
'Hoeveel minuten?'
'Negenentachtig.'
'Hoeveel minuten en seconden?'
'Achtentachtig minuten en vijfenveertig seconden.'
'Ik vond mijn lunch vandaag helemaal niet lekker.'
'Waarom niet?'
'De yoghurt was raar.'
'O ja?'
'Het was een andere yoghurt dan ik lekker vind.'
'Volgens mij niet, George.'
'Wel waar.'
Ik had hem een keer frambozenyoghurt meegegeven in plaats van aardbeien en daar bleef hij eindeloos over doorzeuren.
'Mijn appel was niet zo lekker als die van gisteren.'
'O nee?'
'Mijn sap smaakte heel anders.'
'O ja?'
'Warm.'
Soms probeerde ik weg te lopen, maar George hield geen moment zijn mond.
'De boter kwam tussen mijn crackers uit. Die wil ik nooit meer.'
'Dan krijg je ze niet meer.'
'Ik wil ze niet meer.'
'Ik weet het, George.'
'Ik wil geen crackers meer.'
'Goed, hoor.'
'Ik wil geen crackers.'
Het ging maar door, en als ik George duidelijk probeerde te maken dat ik hoofdpijn had of vond dat ik voor één dag voldoende vragen had beantwoord had dat geen enkel nut.
'Mam is een beetje moe,' zei ik dan.
'Ryan heeft op school in mijn gezicht geademd. Hij rook naar kaas en uienchips.'
'O ja?'
'Ja, en James heeft me een duw gegeven.'
'Echt waar?'

'In de gang. In de gang. In de gang. Hij heeft geel in zijn oren. Daar word ik misselijk van. Ik kan er niet naar kijken.'

Hij liep overal achter me aan. Als ik in ons kleine keukentje aan het koken was, stond George een pas achter me en brak ik mijn nek over hem. Als ik in bad ging, zat hij op het toilet. Als ik 's avonds mijn tanden ging poetsen, stond hij in mijn nek te hijgen. De enige manier om hem bij me uit de buurt te krijgen was door hem af te leiden. Af en toe stelde ik voor om verstoppertje te gaan spelen, gewoon omdat ik dan een paar minuten onder het dekbed kon gaan liggen. Terwijl George op zoek naar mij door het hele huis rende, lag ik daar in het donker en wenste dat het me zou verzwelgen.

Maar Ben veranderde niet alleen alles voor George, hij deed hetzelfde voor mij. Toen hij er was, kreeg ik af en toe een paar minuutjes rust als hij met George speelde, wat inhield dat ik even snel in bad kon of de tuin in kon lopen om in alle rust de dode bloemen weg te knippen. En Ben begreep niet alleen precies wat George nodig had, hij wist ook wanneer ik aan het eind van mijn Latijn was, meestal aan het eind van een vermoeiende dag. Als George eindelijk in slaap was gevallen, bleef ik bij hem zitten om er zeker van te zijn dat hij echt onder zeil was en dan sprong Ben op mijn schoot.

'Weer een lange dag achter de rug, Baboe,' zuchtte ik dan terwijl ik hem aaide, waarop hij me aankeek en begon te spinnen.

Het is niet te geloven wat dat geluid voor me betekende. Het was net zoiets als het ruisen van de zee of het geluid van een trein die over de rails rijdt, regelmatig en geruststellend. Iedere moeder vraagt zich af of ze wel genoeg doet, maar het is extra moeilijk als je alleen bent en met niemand over dat soort angst en twijfels kunt praten. Er schoot me van alles door het hoofd als ik daar in Georges slaapkamer zat in het vage lamplicht dat over zijn gezicht viel en toekeek hoe hij lag te slapen. Maar het gespin van Ben terwijl ik hem aaide, zorgde ervoor dat ik me beter ging voelen. Het was even constant als hijzelf: dag in dag uit stelde hij ons gerust door zijn aanwezigheid en deelde onze vreugde en smart.

Als ik er eindelijk zeker van was dat George op zijn minst een paar uur zou blijven slapen, ging ik naar beneden en keek naar alle rotzooi die nog opgeruimd moest worden, terwijl Ben langs mijn benen streek.

Ga nou even zitten, Julia. Rust maar lekker uit. Over een half-uur ligt het er ook nog wel.

Dus dan ging ik zitten, knuffelde Ben en voelde de spanning verder wegebben terwijl ik hem aaide.

Hoe voel je je nu? Gaat het een beetje? Zit er nog een knuffel voor mij in?

Die paar vredige minuutjes met Ben waren voor mij vaak voldoende om weer tot rust te komen. In plaats van me zorgen te maken over mijn gezondheid of die van George, over hoe het verder op school zou gaan, of hij ooit zou leren om me toe te staan hem te omhelzen of een keertje 'ik hou van je' tegen me te zeggen, praatte ik met Ben, en daardoor leek alles een beetje minder angstaanjagend. Misschien vind je me knettergek, maar zo was het wel.

Het belangrijkste dat Ben me gaf, was zijn liefde voor George. Die was zo groot dat ik het aanvankelijk nauwelijks kon bevatten. Ik vroeg me zelfs af of ik me niet verbeeldde dat ze zo aan elkaar gehecht waren omdat ik me daardoor beter voelde. Ik kon gewoon niet begrijpen hoe Ben bepaalde dingen scheen te weten: als George stil was, sprong hij om hem heen om hem op te vrolijken en als George veel te opgewonden was, bleef hij rustig liggen tot hij naast hem kwam zitten.

Langzaam maar zeker leerde ik echter om niet meer te twijfelen aan de band tussen die twee. Die was er wel degelijk en daardoor werd er onderhuids bij George iets wakker geschud, dat hem leerde om van een ander levend wezen te houden en ervoor te zorgen. En Ben hield al evenveel van George. Als we samen op de bank zaten terwijl George boven lag te slapen sprong Ben op mijn schoot, legde zijn pootjes om mijn nek en gaf me precies zo'n knuffel waar ik altijd naar verlangd had, voordat hij naar me opkeek en begon te spinnen.

George is een schat van een jongen, hoor. Ik zie best hoe lief hij is en hoe fijn hij met me speelt. We hebben samen echt veel plezier.

Ben vervulde voor ons allebei een andere, maar heel belangrijke rol. Voor George was hij het speelkameraadje dat hem uit zijn isolement haalde en voor mij was hij de vriend die me zelfs op de moeilijkste dagen geruststelde en zei dat alles best in orde was.

Ik zat samen met George in de auto. Het was een zonnige dag en we waren op weg naar Cranford, een voorstad vlak bij de Londense uitvalsweg naar de M4. Heathrow lag hooguit een paar kilometer verderop, maar ook al was je zo dicht bij de luchthaven, je kon er in Cranford gemakkelijk aan ontsnappen, want er was een groot park waar wij als kinderen heel vaak naartoe gingen. Eenmaal van de snelweg af, reed pa altijd door een smal laantje tot we bij een brug over een beekje kwamen, waar hij de auto parkeerde.

'Goed,' zei hij dan tegen Tor, Nob, Boy en mij. We zaten met ons allen op de achterbank. 'Laten we maar eens gaan kijken wie de meeste kan vangen.'

Dan sprongen we uit de auto, liepen samen naar de beek en waren vervolgens urenlang zoet met het vangen van donderkopjes voordat we in het bos gingen rondrennen of cowboytje speelden, terwijl mam en pa op het gras zaten. Als we er genoeg van hadden, riepen ze ons bij zich om de donderkopjes te tellen voordat we ze weer in het water moesten gooien.

En met George deed ik al jaren hetzelfde: als het mooi weer was, zoals vandaag, stapten we in de auto en reden naar Cranford, op zoek naar dat kleine stukje platteland temidden van al het beton. Maar vandaag moesten we eerst nog wat boodschappen bij mam afgeven en George zat uit het raampje te kijken terwijl we langs Hounslow Heath reden.

'Ben zat vroeger in de bende van Dick Turpin die hier de heide onveilig maakte,' zei hij met zijn kattenstem.

'O ja?' zei ik.

'Het was de gevaarlijkste plek van heel Engeland, maar Ben was niet bang. Dick Turpin wel. Ze reden urenlang op hun paarden door het donker.'

George had nooit genoeg kunnen krijgen van het verhaal over Dick Turpin die de Hounslow Heath te paard overstak en dan bij de Bell-pub stopte, waar hij en zijn paard iets te drinken konden krijgen.

‘Waren Ben en Dick Turpin samen op de hei?’ vroeg ik.

‘Ja. Ze hadden allebei een pistool.’ Hij bleef strak uit het raam kijken. ‘Maar de heide is nu verpest door een parkeerplaats en allerlei rommel. De meeste bomen zijn omgehakt en het verkeer dat er langs rijdt, zorgt ervoor dat de overgebleven bomen geen frisse lucht krijgen, alleen maar benzinedampen.’

Nu hij wat ouder werd, begon George zich steeds meer om het milieu te bekommeren, en we praatten er vaak over – hoe slecht plastic zakken waren voor vogels en vissen die erin stikten en dat we allemaal veel voorzichtiger met afval moesten omspringen om voor de natuur te zorgen – waarbij George al die feiten en cijfers als een spons opzoog. Toen ik voor mams huis stopte, keek hij naar de kazerne ertegenover.

‘Ben wil dat ik soldaat word als ik achttien ben,’ zei hij. ‘Hij denkt dat ik een goeie soldaat zal worden. Dat was hij ook, tot hij naar de oorlog moest. Dat valt niet mee hoor, hard rennen met een geweer en mensen doodschieten. Hij heeft nooit geschoten. Hij houdt niet van schieten. Hij maakte alleen maar knallen en dan renden ze allemaal weg.’

‘Waarnaartoe?’

‘Dat weet hij niet. Maar hij werd in zijn arm geraakt en in zijn voet. Zijn laarzen werden weggeblazen. Hij heeft ook een gat in zijn pet. Hij heeft zijn beste vriend verloren en ze wazzen nog heel jong en nu moet hun familie huilen.’

‘Zijn ze dan verdrietig?’

‘Je moet marcheren en je laarzen poetsen en in een tent slapen en heel snel wegrijden voor bommen. Je moet jezelf verstoppen in een gat in de grond. Je kunt niet in dienst als je ADHD hebt. Dan kun je niet in dienst. Maar ik kan wel in dienst, want ik heb geen ADHD meer, hè mam?’

Ik keek naar George, die zorgvuldig de andere kant op keek.

‘Het gaat al veel beter met je,’ zei ik tegen hem. ‘Je bent een lieve knul.’

Hij zei niets meer en bleef uit het raam kijken, maar ik wilde ons gesprek weer oppakken, om te proberen het gaande te houden, want inmiddels stond de tijd weer stil, net zoals altijd wanneer we helemaal verdiept raakten in een bepaald onderwerp.

‘Waarom zit Ben niet meer in dienst?’ vroeg ik.

'Hij was muzikaal en speelde trompet,' vertelde George me. 'Maar hij raakte gewond en hij wil niet meer terug omdat ze heel bazig bazig zijn.'

George herhaalde vaak woorden, dat was iets wat hij altijd al had gedaan.

'Hij houdt niet van joggen en hij mag in dienst in het weekend nooit uitslapen,' zei hij. 'Hij is niet dom. Hij vindt het fijn om uit te slapen.'

'Wat is hij na de oorlog gaan doen?' vroeg ik.

'Hij werkte aan het hek om de kazerne,' vertelde George met een blik op de gebouwen van het leger. 'Maar iemand noemde hem Snoezepoes en dat vond hij niet leuk. Toen werd zijn geweer ineens heel zwaar en hij liet het vallen. En het ging af. Iemand ging dood, maar het was een ongeluk. Geen misdaad, geen moord. Daarom zit Ben momenteel thuis.' Hij staarde weer naar de barakken.

'Groet de wacht!' riep George ineens. 'Groet de wacht! Marcheer, hup twee, drie, vier, hup twee, drie vier.' Hij begon het continu te scanderen terwijl ik uit de auto sprong en naar mams huis rende.

'Hier zijn je boodschappen,' riep ik.

'Wil je een kopje thee?' vroeg mam terwijl ze naar me toe kwam.

'Nee! Ik moet er weer vandoor. George is aan de praat.'

'Hoe bedoel je, "aan de praat"?'

'Ik bedoel dat hij praat. Hij praat echt. Hij vertelt me van alles over Ben.'

Ik bleef niet wachten om te horen hoe mam daarop reageerde en rende terug naar de auto, waar George nog steeds zat te scanderen. Ik moest opnieuw proberen zijn aandacht te trekken.

'Ik ging vroeger vaak naar discoavondjes in de kazerne toen ik nog jong was,' zei ik met stemverheffing.

George hield op met schreeuwen. 'Dat weet ik,' zei hij. 'Je was verwend. Ze noemden je Bazige Betsy.'

Ik schoot in de lach en startte de auto. 'Moet je die kat daar in de boom zien,' zei ik, wijzend naar een denkbeeldige kat die George en ik allebei echt zouden zien als we erover begonnen. 'Ik hoop dat hij niet valt.'

'Dat gebeurt toch. Ben kent hem wel. Hij moet altijd naar het ziekenhuis. Hij valt er iedere week uit. Hij kan niet eens goed klimmen. Hij vindt het leuk om zijn moeder iedere week de brandweer te laten bellen. Hij denkt dat hij een held is. Hij houdt van aandacht.'

Algauw reden we het smalle laantje in naar het beekje in Cranford en de bekende weg strekte zich voor ons uit.

'Opa zei altijd dat we moesten toeteren als we bij de brug waren om de mensen te vertellen dat we eraan kwamen,' zei ik met mijn kattenstem. 'En als iemand toeterde als wij aan het vissen waren, werden we altijd opgewonden omdat we dachten dat ze ons begroetten.'

George zei niets toen ik afremde om het bruggetje over te rijden, maar toen ik verder reed, ging hij ineens rechtop zitten.

'Toet toet!' riep hij. 'We komen deraan! We kunnen de vissen onder de brug horen. Ben kent de vissen. Hij rijdt altijd op zijn fiets over de brug. Maar hij gooit de vissen altijd terug.'

Ik was het liefst hardop in lachen uitgebarsten toen George het gesprek zelf voortzette. Hij had vandaag echt zin om te praten.

'Echt waar?' vroeg ik.

'Ja. Hij en zijn vrienden komen hier altijd naartoe om te vissen. Maar hij vangt altijd de meeste. Zijn oudoom viste ook altijd. De eenden komen kijken hoe hij vist. Ze willen zijn boterhammen met jam. Zijn vriend heeft ham op het brood, maar de eenden willen Bens boterhammen want het zijn vegetarische eenden.'

We schoten allebei in de lach en zaten nog steeds te giechelen toen ik de auto parkeerde.

'Onder de brug wonen de feeën,' vertelde George me. 'Ze komen alleen maar tevoorschijn als het rustig is. Het getoeter maakt ze aan het schrikken. Ze kunnen vliegen en dan geven ze fel licht. Maar je moet heel goed kijken als je hun gezichten en vleugels wilt zien. Ze lachen en giebelen de hele tijd. En ze zijn dol op de zon. Die maakt ze altijd blij blij.'

Ik had George het liefst willen vastpakken en knuffelen. Het was alsof we samen in een eigen wereld waren, waarin hij me wegwijs maakte. Hij vertelde me een verhaal over alle gedachten en beelden die hij in zijn hoofd had – over de feeën en de soldaten, Bens oud-oom en de vegetarische eenden – alles wat vanbinnen bij hem leefde en zo echt was.

Ik wilde er nog veel meer over horen.

'Heeft Ben ook een roeiboot hier in de beek liggen?' vroeg ik.

'Ja, hoor.'

'En wat doet Ben als hij in die boot zit?'

'De vissen springen altijd uit het water omhoog om hallo te zeggen als hij langskomt. En aan de oever zitten kikkers en ratten die ook allemaal opkijken en hallo zeggen. Ze vinden het heerlijk om hier te wonen waar geen auto's zijn. Alles is ongerept en vredig. Dan stopt Ben om te gaan lunchen en deelt alles uit wat in zijn picknickmand zit.'

'Wat zit er dan in?'

'Hij heeft altijd een boel bij zich. Hij heeft de allermooiste grote bruine mand vol met lekker eten. Jam, broodjes, garnalenchips, aardbeiendrink en ijs. En een grote thermosfles vol thee. Hij heeft ook een groot rood met wit tafelkleed. Net als mam.'

'Echt waar?' vroeg ik. Het kostte me moeite om mijn stem effen te houden bij de emotie die in me opwelde.

'Ja,' zei George. 'De zon schijnt op het water en hij kijkt op naar al die grote treurwilgen die laag boven het water hangen. Af en toe hobbelt de boot een beetje, maar hij zingt zich de longen uit het lijf terwijl hij over het beekje dobbert. Hij kan zo luid zingen dat het door het hele bos weergalmt. Hij zing zingt terwijl hij heerlijk langzaam over de beek vaart.'

'Wat zingt hij dan?'

'"Why" van Anthony Newley.'

'Wat zeg je nou?'

'"Why". Jouw liedje.'

Ik zei niets. Ik was altijd dol geweest op oude crooners zoals Frank Sinatra, en 'Why' van Anthony Newley was een liedje dat ik in de loop der jaren heel vaak voor George had gezongen, waarbij ik de tekst keer op keer had herhaald in de hoop dat de woorden op de een of andere manier ooit tot hem zouden doordringen. Maar hoewel ik het zeker duizend keer had gezongen had hij me nooit laten blijken dat hij ze begreep. Toch hield ik nog steeds van die tekst, omdat die hem eigenlijk alles vertelde wat hij moest weten.

I'll never let you go – why? – because I love you,
I'll always love you so – why? – because you love me.

Ik keek George met ingehouden adem aan. 'Zingt Ben "Why"?' vroeg ik rustig.

George stapte uit de auto en liep naar de beek. Ik stapte ook uit en ging naast hem staan.

'"Why",' zei George. 'Dat liedje dat jij in de auto hebt. Dat liedje van "omdat ik van je hou".'

Het was de eerste keer dat ik hem die woorden hoorde zeggen en de wereld leek heel ver weg toen we daar met ons tweetjes stonden.

'Ja, lieverd, dat klopt,' zei ik tegen George. '"Omdat ik van je hou."'

Elf

George was zo vastbesloten om van zijn elfde verjaardag een dubbele feestdag te maken voor hem en voor Ben, dat ik een hengel met een speelgoedmuis eraan voor hem had moeten kopen. Hij had besloten dat zijn grote dag ook voor Ben gold, nadat ik hem had verteld dat we niet wisten wanneer Ben was geboren. We hadden voor allebei net een feestelijke theevisite in de tuin achter de rug. Mam, Boy en zijn kinderen, Tor, Del en Nob waren allemaal langsgekomen en George had erop gestaan dat ik niet alleen een verjaardagstaart met chocola kocht, maar ook een kruimeltaart met jam omdat Ben die allebei even lekker vond. Nu zaten ze samen op het gras en George had een bus met spuitschuim gepakt. Daar was hij altijd dol op geweest, en ieder jaar op zijn verjaardag mocht hij van mij daarvan net zoveel in huis rondspuiten als hij wilde, ook al had ik daar nog dagen spijt van omdat ik overal in huis restjes bleef vinden. Wat George verder ook heel leuk vond, waren knalbonbons, en daarvan hadden we er zoveel laten springen dat de hele tuin vol lag met stukjes gekleurd papier.

'Ben je er helemaal klaar voor?' vroeg George aan Ben.

Ben bewoog zijn kop heen en weer terwijl George tegen hem praatte en wachtte tot de lol zou beginnen.

'Vooruit met de geit!' schreeuwde George en drukte op de knop van de spuitbus.

De roze spuitschuim spoot uit de bus en Ben nam een grote sprong om het te pakken te krijgen. Maar George was al opgestaan en nam hem onder vuur en het schuim begon door de tuin te vliegen terwijl hij wild om zich heen spoot. Ben rende naar de trampoline en George holde achter hem aan. Binnen een paar seconden was de trampoline verdwenen onder een laag spuitschuim en ik kreeg de slappe lach.

Mijn hart sprong op toen ik dat tweetal zo samen bezig zag. Ben wilde zo graag ook een klein jongetje zijn dat hij zich nog niet zo lang geleden had aangewend om op de pooltafel te gaan zitten die George met de kerst had gekregen. Iedere keer als George aanlegde voor een stoot, ging Ben op een van de pockets liggen en liep vervolgens naar het midden van de tafel om met zijn poot tegen een bal te slaan. Hij had ook besloten om gebruik te gaan maken van de loopband die ik cadeau had gekregen omdat ik George niet alleen kon laten om naar de fitness te gaan. Als George erop liep, wandelde Ben naast hem. Als ik dat zag, kon ik mijn lachen niet inhouden.

Ben wist altijd nieuwe manieren te bedenken om aandacht te krijgen en zijn laatste idee was misschien wel het beste. Toen hij nog maar net bij ons was, moest ik regelmatig terug naar de dierenarts, omdat ze me hadden gewaarschuwd dat de cyste die was weggehaald wel eens tot kanker kon leiden. En als hij dan weer thuis was, verwende George hem ontzettend. Toen alles in orde bleek met Ben, slaakte iedereen een diepe zucht van verlichting en hij was niet meer bij de dierenarts geweest tot ik een knobbel achter zijn oor ontdekte. Dat bleek een abces te zijn dat opengesneden moest worden en toen Ben zich, compleet met een stel hechtingen, bij thuiskomst heel benepen gedroeg, had George een week lang voor Florence Nightingale gespeeld. Inmiddels was ik ervan overtuigd dat Ben af en toe gewoon deed alsof hij niet lekker was, alleen maar om aandacht te krijgen. 'Hij heeft rust nodig,' zei George ernstig tegen me als Ben weer zo stil werd en dan zette hij hem op de bank met een kussen waarop hij zijn kop kon leggen.

George wilde niet dat iemand anders Ben aanraakte als hij

dacht dat hij ziek was en Ben vond het prima om urenlang geknuffeld en in dekens gewikkeld te worden.

'Zullen we een film gaan kijken?' vroeg George hem dan. 'Heb je liever *Big* of *Garfield?* Of wil je iets te drinken?'

Soms betrapte ik Ben erop dat hij gaapte, alsof hij doodmoe werd van al die aandacht, maar meestal duurde het wel even voordat George zich begon af te vragen of Ben hem misschien voor het lapje hield.

'Stel je je een beetje aan, Baboe?' vroeg hij dan. 'Ben je echt nog steeds ziek?'

Iedere keer als hij dat vroeg, produceerde Ben een meelijwekkend gemiauw en dus ging George gewoon door met hem te verwennen. Na een paar dagen kreeg Ben vanzelf genoeg van al die aandacht. Dan werd hij de volgende ochtend eigenaardig genoeg ineens weer kerngezond wakker.

Nu rende ik naar binnen om mijn camera te halen terwijl George en Ben verder speelden. Toen ik weer terug was in de zonovergoten tuin nam ik een foto van het stel samen. Ik wilde hun lachende gezichten voor altijd vastleggen, ook al wist ik best dat er nog heel wat verjaardagen zouden volgen die we samen konden vieren.

Een van de vragen die George om de haverklap van de psychiater te horen kreeg, ging over de nieuwe school.

'Hoe vind je het om straks naar de middelbare school te gaan?' vroeg ze hem dan en George weigerde meestal om daar antwoord op te geven.

Iedere keer als we haar praktijkruimte verlieten, zei George tegen me dat hij zo'n hekel had aan zijn dokter. Maar wat hij in werkelijkheid zo naar vond, waren de vragen die ze hem stelde over de grote school, omdat hij heel goed wist dat het met één ding gepaard zou gaan: verandering. De overstap van de lagere naar de middelbare school in september 2007, een paar maanden na zijn elfde verjaardag, zou de grootste verandering zijn die hij ooit had meegemaakt en daar was George doodsbang voor. Net als ik, trouwens.

Ik was er al twee jaar eerder met de deskundigen over begonnen, omdat de hoeveelheid beoordelingen die nodig zijn voor een kind met speciale behoeften zoveel tijd in beslag nemen. Er komen ontzettend veel formulieren en rapporten aan te pas om ervoor te zorgen dat zo'n kind op de juiste school geplaatst wordt. Hoewel het duidelijk was dat George niet naar een doorsnee middelbare school zou kunnen omdat hij het op de lagere school al zo moeilijk had gehad, lag ik er toch nachtenlang over te piekeren. Hoe moest hij dat klaarspelen? George had al moeite genoeg gehad om zich aan te passen toen juf Proctor met zwangerschapsverlof was, dus hoe zou hij dan reageren op een totaal andere omgeving met nieuwe kinderen?

Ook zat het me dwars dat ik het toch een vervelend idee vond dat ik hem naar een speciale school voor kinderen met leerproblemen moest sturen, hoewel ik heel goed wist dat George niet naar een doorsnee middelbare school kon. Tot nu toe had hij altijd opgetrokken met gewone kinderen en ik kon er niets aan doen, maar ik was bang dat als hij naar een speciale school werd gestuurd hij voor altijd het stempel 'anders' opgedrukt zou krijgen en dat hij daar ook weer rare nieuwe maniertjes zou aanleren. Nu hij zo'n grote stap voorwaarts had gezet, wilde ik niet dat George weer achteruit zou gaan. Ik vroeg me af of alles niet veel moeilijker voor hem zou worden als we hem naar een speciale school stuurden.

George pikte natuurlijk het een en ander op van al die bijeenkomsten en discussies en hij werd steeds ongeruster, waardoor hij weer begon te scanderen of er eindeloos met Ben over zat te praten.

'Ik wil naar een gewone school,' zei hij dan. 'Ik ga niet naar een speciale school. Ik zorg zelf wel dat ik een boek krijg. Dan leer ik het allemaal zelf wel.'

Maar hoewel ik heel goed begreep hoe hij zich voelde, wist ik toch dat het uiteindelijk voor George beter zou zijn om naar een speciale school te gaan. Er was op zijn lagere school zoveel gebeurd – al die knokpartijen en het onbegrip, de ruzies op de speelplaats en de boze ouders die vonden dat hij een slechte invloed had – dat het onmogelijk was dat George zich in een dergelijke omgeving veilig en op zijn gemak zou voelen. Ik wist zeker dat hij daardoor nog steeds niet fatsoenlijk kon lezen en schrijven, en hoewel George zo goed kon rekenen dat ik hem al vanaf zijn vijfde om een boodschap had kunnen sturen in de wetenschap dat hij altijd met het juiste wisselgeld terug zou komen, was dat niet voldoende om het op een doorsnee school te kunnen redden. Daar kwam nog bij dat George behoefte had aan een omgeving waar streng op hem werd gelet en niet aan een school waar kinderen naar believen konden komen en gaan. Hij had nog steeds weinig benul van gevaar en hij was zelfs een keer van school weggelopen. Ik had hem bij puur toeval gevonden toen ik samen met mam in de auto zat en een blond jongetje in een van de hoofdstraten zag lopen.

'Is dat George?' zei ik.

'Dat kan niet, Ju,' antwoordde mam. 'Hij zit op school.'

'Nou, als hij het niet is, dan is het een jongetje dat als twee druppels water op hem lijkt.'

Ik remde af om hem beter te bekijken. Het joch liep over de stoep terwijl de auto's op straat met een noodgang langs hem heen reden, en toen ik stopte, zag ik dat het inderdaad George was. Mijn maag draaide zich om toen ik naar hem keek. Hij liep hier midden in de stad, zomaar tussen de auto's en mensen die hij niet kende en ook niet begreep, terwijl hij veilig op school hoorde te zitten. Ik werd boos bij het idee dat hij zomaar weg had kunnen lopen.

'George?' riep ik uit het raampje.

Hij keek me aan.

'Wat ga je doen?'

'Ik ga naar de winkel.'

'Ik dacht dat je op school hoorde te zitten.'

Hij zei niets.

'Ik ga ook naar de winkels, dus waarom stap je niet in?'

George stapte in de auto en mijn hart bonsde toen ik me afvroeg hoe lang hij al op straat liep.

'Hoe laat ben je van school weggegaan?' vroeg ik.

'Weet ik niet.'

Mijn verwarring groeide naarmate er steeds vaker werd gesproken over welke school eigenlijk het best voor George zou zijn. Het is moeilijk om te bepalen wat je moet doen als er ineens een legertje mensen opduikt dat je vertelt wat zij ervan vinden, terwijl je er altijd alleen voor hebt gestaan. Bovendien had ik weer onenigheid gehad met de deskundigen, waardoor mijn zelfvertrouwen een deuk had opgelopen. Het was gebeurd omdat de slaapproblemen van George zo uit de hand waren gelopen dat hij nu midden in de nacht opstond om, nog steeds slapend, van alles te doen. Het was niet gewoon slaapwandelen, hij haalde bijvoorbeeld zijn lego tevoorschijn en ging dat op kleur sorteren of hij pakte een spel kaarten en legde die op volgorde, nog steeds slapend maar met zijn ogen open. Hij deed het iedere nacht opnieuw en ik werd bijna bang als ik hem zo zag, een soort geest met wie ik niet kon praten.

De artsen waren ervan op de hoogte, en toen George aan zijn laatste jaar op de lagere school begon, stelden ze voor dat we een kijkje gingen nemen bij een speciaal centrum in hartje Londen voor hulp aan kinderen met slaap- en gedragsproblemen. Ik voelde er niet zoveel voor, maar ik besloot er toch maar eens rond te gaan kijken, omdat ik wist dat ik moest proberen voor alles open te staan. Bij ons bezoek leek het centrum eigenlijk best leuk. Het gebouw was groot en licht, de kinderen hadden een tam konijn en er was een prachtig groot tekenlokaal, vol felgekleurde voorbeelden die netjes op planken stonden. Daarna kregen George en ik een kamer te zien waarvan de muren in blauw en rood gecapitonneerd waren en ik kreeg te horen dat dit de kamer was waar de kinderen naartoe werden gebracht als ze in bedwang moesten worden gehouden. 'Als een kind gaat vechten of gaat slaan, brengen we het hier,' vertelde een man me. 'Dat is de beste manier om ervoor te zorgen dat de kinderen veilig opgesloten blijven tot ze gekalmeerd zijn.'

Ik dacht aan iets dat de psychiater van George me had verteld: dat het ouderschap af en toe ook inhield dat je een moeilijke beslissing voor je kind moest nemen omdat dat het beste voor hem was. Maar ik wist eigenlijk niet of ze ook dit soort dingen bedoelde. Moest ik echt toestaan dat George in bedwang gehouden werd en in een gecapitonneerde kamer werd opgesloten? Ik werd al misselijk als ik er alleen maar aan dacht, want ik wist hoeveel schade het zou doen. Een paar maanden daarvoor had George tegen me gezegd dat een van de onderwijzers hem in een kast had opgesloten, en hoewel ze dat ontkende, was er toch iets gebeurd dat hem doodsangst had aangejaagd. George bleef maar praten over die donkere kast waar het naar verf rook en beschreef hoe hij in het donker had gestaan met zijn ogen dicht. Ik wist dat hij onschuldige voorvalletjes als bedreigend kon ervaren, omdat ik dat eerder had meegemaakt. Maar toen ik naar die gecapitonneerde kamer keek, wist ik ook dat als ze hem in bedwang zouden houden en aan zouden raken – ook al was dat nog zo lief bedoeld en ook al gebeurde het nog zo vakkundig – hij daar nooit overheen zou komen.

Nadat we een rondleiding hadden gehad door het centrum gingen George en ik naar een kamer om kennis te maken met de mensen die daar werkten. Opnieuw leken ze even aardig als al dat soort mensen en ze vertelden ons precies hoe ze werkten en wat ze allemaal voor kinderen zoals George konden doen. Maar terwijl hij in een stoel zat heen en weer te wiegen, met zijn vingers knipte en neuriede, kon ik zien dat hij het een enge bedoening vond. Ik was niet van plan om hem daarheen te sturen. De psychiater had gelijk: soms moet je als ouder ontzettend moeilijke beslissingen nemen die indruisen tegen alle professionele adviezen die je hebt gekregen en gewoon afgaan op je gevoel. Alles draait om jou en je kind, om wat volgens jou de waarheid is en wat je instinct je ingeeft. Ik kon het niet over mijn hart verkrijgen om George verdriet te doen, zelfs als dat volgens sommige mensen op de lange duur beter voor hem zou zijn. Toen we weggingen, prentte ik mezelf in dat ik wel een andere manier zou vinden om hem te helpen. Nu we Ben hadden, was ik ervan overtuigd dat die zich vanzelf zou voordoen.

Angst was nog steeds een van Georges grootste problemen, en als het om de buitenwereld ging, was zelfs Ben er niet in geslaagd om hem daar volledig van af te helpen. Thuis was George gelukkig, maar dat veranderde als hij de deur uit ging, en toen zijn lichamelijke tics zoals neuriën en met zijn voet tikken steeds erger werden, zag ik met mijn eigen ogen dat hij zich steeds sterker bedreigd voelde door zijn omgeving. Als George op school door de gang liep, werd hij geslagen door de kinderen die hem in het voorbijgaan aanraakten. Als ze te dichtbij kwamen, probeerden ze hem bang te maken, en als ze hun lippen aflikten, staken ze hun tong uit. Ik had hem altijd al meegenomen op allerlei uitstapjes, maar ik begreep dat ik dat nu zelfs nog vaker moest doen, om te voorkomen dat hij zich ging verstoppen.

Vandaar dat we in de zomer voordat George naar de middelbare school moest nog vaker op stap gingen: naar het strand in Bournemouth, omdat hij dol was op de zee, of naar Madame Tussauds in de stad, of naar het London Aquarium. Het ging niet allemaal van een leien dakje, want George vond lang niet alle mensen aardig en hij hield er ook niet van om te eten als we uit waren. De enige plek waar we altijd naartoe konden, was het café in een tuincentrum bij ons in de buurt. De mevrouw die daar de leiding had was zo vriendelijk om geroosterd brood te maken zoals George dat het liefst had: niet te warm en opgediend met handschoenen aan, zodat hij wist dat niemand het aangeraakt had. Maar nu leerde ik om hem over te halen toch te eten als we uit waren door zelf broodjes in te pakken en goed op te letten dat niemand in de buurt kwam om erop te ademen. En als hij het benauwd kreeg omdat het te druk was, ging ik voor hem staan terwijl hij zich ergens in een hoekje verstopte tot de meeste mensen weg waren. En als hij een woedeaanval kreeg omdat het hem allemaal te veel werd, liet ik hem rustig uitrazen.

'Ik haat je,' bleef hij dan schreeuwen terwijl hij op de grond lag en ik stond te wachten tot hij voldoende gekalmeerd was om op te staan. 'Waarom heb je me hier gebracht?'

Ik wist dat ik ermee door moest gaan om te voorkomen dat George helemaal in zijn schulp zou kruipen. Maar het was één ding om hem het hoofd te bieden, de reacties van andere mensen waren weer heel iets anders. Op het eerste gezicht leek George een volkomen normaal kind waardoor vreemden het gevoel hadden dat ze gewoon konden zeggen wat ze wilden, omdat ze dachten dat hij stout was.

'Waarom laat ze hem toch zomaar zijn gang gaan?' hoorde ik hen dan zeggen terwijl hij schreeuwend en trappelend van woede op de grond lag. 'Het is gewoon walgelijk.'

'Het ligt aan de ouders. Die hebben hun kinderen tegenwoordig niet meer onder de duim.'

'Moet je dat joch zien. Wat is dat voor kind?'

Op een keer waren we in een pretpark en stonden op het punt een rondvaart te maken. George zat op al zijn plek en zag eruit zoals altijd als we op stap waren – heel ernstig, met een strak gezicht en de kaken op elkaar geklemd – toen een man zich naar hem overboog.

'Vrolijke Frans!' zei hij. 'Kijk niet zo chagrijnig. Misschien loopt het wel goed af.'

George trok er zich geen ene moer van aan, maar ik voelde me in zijn plaats gekwetst en was boos dat mensen zo snel met hun oordeel klaarstonden. Waarom dachten ze toch dat het oké was om zich zo akelig te gedragen tegenover een tienjarig jongetje?

Ik was altijd bang dat George er iets van mee zou krijgen en hoopte dan maar dat dat ook zou gelden voor de leuke dingen die we zagen en deden. Als we weer thuis waren na al die blikken en dat stiekeme gegrinnik vertelde ik George keer op keer dat ik van hem hield, alsof ik op die manier de nare herinneringen weg kon poetsen die hij er misschien aan had overgehouden. Hij zei nooit iets terug, maar hij stootte me aan als hij langs me liep. Dat was zijn manier om me te laten merken dat hij me had gehoord.

Het probleem van de school moest echter nog steeds opgelost worden. Toen Michael Schlesinger, de opvoedkundig psycholoog die George begeleidde, me de namen van drie scholen doorgaf die volgens hem goed zouden zijn voor George, besloot ik om ze alledrie een bezoek te brengen en er zelf rond te kijken. De eerste was in zuid-Londen en mam ging met me mee. De school leek op Fort Knox – overal deuren die op slot zaten – en vanaf het moment dat ik er een voet binnen zette, wist ik al dat dit geen plek was voor George. De onderwijzers leken erg goed en ze hadden hun klassen kennelijk goed onder de duim. Maar toen een jongetje mij wilde knuffelen en begon te krijsen toen ze hem tegenhielden, had ik toch het gevoel dat er iets mis was. Ik zou jullie niet precies kunnen uitleggen waarom ik meteen wist dat ik George niet op die school wilde hebben, maar het was wel zo. De tweede school waar ik kwam, was van hetzelfde laken een pak. Ik begon me al af te vragen of ik ooit de juiste school voor George zou vinden, toen ik naar de laatste ging die meneer Schlesinger had voorgesteld: de school van Marjorie Kinnan in Feltham, op ongeveer zeveneneenhalve kilometer van ons huis.

Hoe moet ik het uitleggen? Vanaf het moment dat ik binnenkwam, wist ik gewoon dat George zich hier op zijn gemak zou voelen. Marjorie Kinnan nam kinderen aan met allerlei leerproblemen, van minder ernstige tot extreem zware gevallen. Maar het was absoluut geen trieste bedoening, integendeel zelfs. De lokalen waren licht, er was overal kleur en aan de inrichting kon je zien dat het de bedoeling was dat kinderen met een handicap zich hier op hun gemak zouden voelen. Geen grote, galmende gang die hen bang zou kunnen maken en ook geen vertrekken die zo klein waren dat ze zich opgesloten zouden voelen. In plaats daarvan was de school verdeeld in lokalen en ruimtes die net groot genoeg waren om kinderen een veilig gevoel te geven. Er was een muziekkamer vol met allerlei apparatuur en een vriendelijk ogende speelkamer met zitzakken. De onderwijzers gedroegen zich rustig en kalm en van in bedwang houden was geen sprake. Het was allemaal even leuk en er hing een blije sfeer. En dat was precies wat ik voor George wilde. Maar hoe graag ik hem naar Marjorie Kinnan wilde sturen, hij moest toch eerst nog beoordeeld worden door een van hun stafleden, om er zeker van te zijn dat hij in aanmerking kwam.

'Vandaag was er een mevrouw die mij kwam bekijken,' vertelde hij me nadat een onderwijzeres van Marjorie Kinnan naar zijn lagere school was gekomen om hem te beoordelen.

Ik wist niet zeker of ze wel voldoende over George te weten was gekomen, omdat hij me vertelde dat hij, zodra hij in de gaten kreeg wat er aan de hand was, zijn trui over zijn hoofd had getrokken en weigerde zijn gezicht nog te laten zien. Vandaar dat ik besloot om hem een hart onder de riem te steken. 'Ze was daar helemaal niet om alleen maar naar jou te kijken,' zei ik. 'Ze was daar om naar al die losgeslagen kinderen te kijken, niet naar jou.'

Een paar dagen later kreeg ik het goede nieuws dat de vrouw nog een keer terug was gegaan om George te zien en dat hij geaccepteerd was door Marjorie Kinnan. Mijn leugentje om bestwil was doeltreffend geweest.

Twaalf

George zat in bad en Ben lag in de wastafel om zoals gewoonlijk een oogje op hem te houden. Toen er een wesp voorbijvloog, sloeg Ben er met zijn poot naar, maar hij miste.

'Jij kunt je niet beheersen, hè?' zei George tegen hem. 'En bovendien moet je nog een hoop leren. Je kunt niet met mensen praten. En je houdt niet van een boel mensen bij elkaar. Je geeft eigenlijk niks om mensen. Maar jij hoeft niet naar school, hè? Want jij werkt in China.'

Praten tegen Ben was voor George inmiddels hetzelfde wat een kopje thee bij mam voor mij was: een manier om alles op een rijtje te zetten. De ene dag was Ben een winkelier in het centrum van Hounslow en de volgende dag werkte hij in Buiten-Mongolië. Maar bij alle verhalen die aan Georges verbeelding ontsproten, kwamen ook allerlei kleine dingetjes bovendrijven die hij op zijn nieuwe school had opgepikt. Hij had veel van dit soort gesprekken met Ben gehad sinds hij bij Marjorie Kinnan was begonnen, want de eerste paar maanden had hij het daar niet gemakkelijk gehad en George moest dat allemaal nog verwerken. Alles was nieuw – de gebouwen, de gezichten, de geurtjes, de stemmen, het licht, de toiletten, en zelfs de hoogte van de stoelen achter de bureautjes – en doordat hij met zoveel onbekende dingen werd geconfronteerd, was het niet vreemd dat hij een beetje moeite had met de overgang naar een andere school.

Aanvankelijk had ik van Georges nieuwe onderwijzeres, juf Worgan, te horen gekregen dat hij teruggetrokken was en nergens aan mee wilde doen. George had geweigerd om haar aan te kijken of aan het werk te gaan en hij weigerde ook om stil te zitten of antwoord te geven. En hoewel ik wist dat dit er allemaal bij hoorde, begon ik me toch zorgen te maken toen ik hoorde dat hij het gedrag van bepaalde kinderen om hem heen begon te imiteren. George deed dingen die hij al heel lang niet meer had gedaan, zoals plotseling dierengeluiden maken om zijn klasgenootjes aan het lachen te krijgen. Ik wist dat ik daar snel een eind aan moest maken, want anders zou het alleen maar erger worden.

'Je moet ophouden andere mensen na te doen. Laat maar liever zien wie jij werkelijk bent,' zei ik tegen hem. 'Je moet je onderwijzers duidelijk maken dat je verstandig en lief bent, want dat ben je volgens mij best, en als jij je verstandig gedraagt, zullen de andere kinderen dat voorbeeld volgen. Ik durf te wedden dat juf Worgan jou dolgraag wil leren kennen zoals je werkelijk bent, in plaats van dat ondeugende jongetje, en volgens mij zou Ben dat ook fijn vinden.'

'Denk je dat?'

'Ja, natuurlijk. Ben weet toch dat je een fijne knul bent. Hij wil dat andere mensen dat ook gaan inzien.'

Het was al een hele stap vooruit dat George en ik inmiddels op deze manier met elkaar konden praten. Toen George en ik waren begonnen samen kattentaal te praten, had ik me wel eens afgevraagd of het verstandig van me was om dat aan te moedigen, want ik wilde helemaal niet dat hij zijn eigen stem niet meer zou gebruiken. Maar in de loop der tijd was hij steeds minder kats gaan spreken en gebruikte hij zijn gewone stem tegen mij steeds vaker, en dat deed hij ook toen hij van school kwam en me iets verdrietigs vertelde. Toen hij na een paar maanden weer tot rust was gekomen, was George de beste maatjes geworden met zijn begeleidster, die mevrouw Ward heette. Aanvankelijk kreeg ik alleen te horen dat ze naar koffie rook – nou ja, de meeste volwassenen roken volgens George naar koffie – maar daarna ging hij me steeds meer vertellen. Mevrouw Ward praatte met hem over van alles en nog wat, van wat ze in het weekend had gedaan tot waar ze op vakantie was geweest, en George kon met haar opschieten omdat ze hem als een normaal mens behandelde. Vandaar dat hij overstuur was toen mevrouw Ward hem vertelde dat haar hond was overleden.

'Mevrouw Ward is verdrietig,' zei George toen hij uit school kwam.

'Ja, dat zal vast wel. Ik weet zeker dat mevrouw Ward veel van haar hond hield.'

'Dat is ook zo. Ik wou tegen haar zeggen dat haar hond in de hemel is.'

'Nou ja, dat kan morgen ook nog als je dat wilt.'

'Nee, nee. Dat kun je niet tegen iemand zeggen.'

'Waarom niet?'

'Dat kan gewoon niet.'

George kon het niet opbrengen om die woorden hardop te zeggen, maar alleen het feit dat hij ze wílde zeggen was al bemoedigend. En mevrouw Ward was niet de enige persoon voor wie hij belangstelling toonde. Hoe langer Ben bij ons was, des te meer George bij Marjorie Kinnan de reputatie kreeg dat hij voor zijn klasgenootjes opkwam. Dat waren kinderen met allerlei problemen, van lichamelijke handicaps tot leermoeilijkheden, en ze pestten elkaar regelmatig, zoals alle kinderen doen. George had zich aangewend om in te grijpen als hij het gevoel kreeg dat iemand te ver ging.

'Jij moet maar eerst eens zelf in de spiegel kijken,' had hij tegen een meisje gezegd dat iemand anders zat te sarren.

Haar moeder diende een klacht in over die opmerking, maar ik was stiekem best blij dat hij zijn mond opendeed. In het verleden was George vaak genoeg in moeilijkheden gekomen door precies te zeggen wat hij dacht, maar tegenwoordig ging hij daar beter mee om.

Juf Worgan, mevrouw Ward en al die andere onderwijzers bij Marjorie Kinnan waren het beste wat George had kunnen overkomen. Ze hadden altijd ruimschoots de tijd om met hem te praten, maar de praktische dingen die ze deden, maakten een even groot verschil. George kreeg een stressballetje in de handen om te voorkomen dat hij steeds met zijn vingers zat te tikken, waardoor hij zich beter kon concentreren, hij had zijn eigen tafeltje en stoel met een la om zijn schoolspulletjes in te bewaren, waardoor hij niet langer bang hoefde te zijn dat andere mensen zijn spullen aan zouden raken, en als ze aan sport gingen doen mocht hij zich in zijn eentje omkleden in plaats van gebruik te maken van de gezamenlijke kleedkamer, wat hij altijd vreselijk had gevonden. De onderwijzers leerden zelfs het subtiele verschil kennen tussen George die werkelijk overstuur was, of George die alleen maar probeerde tot hoever hij kon gaan, en dat hield weer in dat ze hem afhankelijk van wat nodig was konden straffen of geruststellen.

Ieder kind op Marjorie Kinnan werd als een individu behandeld en het geduld dat voor iedereen werd getoond begon echt resultaten af te werpen. Wat leren betrof, was er bij George een inwendig knopje omgezet en hij kreeg eindelijk belangstelling voor zijn leerstof. Het ging allemaal heel langzaam en ik moest goed opletten dat ik bleef doorvragen, want eigenlijk wilde hij er niet veel over kwijt. Maar na een dag op Marjorie Kinman liep George als hij thuiskwam naar zijn eigen kamer en ging daar samen met Ben zitten. Dan pakte hij een boek en begon tegen Ben te praten en sloeg de bladzijden om terwijl Ben toekeek. Soms verzon George zelf een verhaal dat bij de plaatjes paste, maar af en toe deed hij zelfs een poging om het boek te lezen.

'Ennnnnn,' zei George dan, terwijl hij naar een bladzij zat te staren. Elk woord werd een eeuwigheid uitgerekt, maar als ik stiekem om de deur gluurde om even naar hem en Ben te kijken, voelde ik toch een sprankje hoop oplaaien.

Met Ben thuis en een school die hem als gegoten zat, veranderde er plotseling van alles. George wilde bijvoorbeeld ineens bepalen wanneer Ben te eten kreeg en wanneer het tijd voor hen was om te gaan spelen en ik hoopte dat hij daardoor ook zelf dingen zou gaan beslissen. Bovendien zorgden die gesprekken met Ben ervoor dat hij niet alles meer opkropte, waardoor hij veel kalmer was geworden.

'Weet je wel dat we op een dag niet genoeg olie meer zullen hebben en dat dan alle lichtjes uitgaan?' zei George bijvoorbeeld tegen Ben. 'Wist je dat zwanen verstikt worden door plastic tassen en dan doodgaan?'

Terwijl George aan het woord was, zat Ben hem ernstig aan te kijken en in zijn felle ogen straalde de belangstelling voor alles wat zijn vriendje te vertellen had.

Nee, dat wist ik niet. Wat afschuwelijk, George. Ik hou niet van zwanen, want ze sissen altijd als ik te dichtbij kom, maar toch wil ik niet dat ze zoiets verschrikkelijks overkomt.

Een ander onderwerp dat regelmatig voorbijkwam, waren de oorlogen in Irak en in Afghanistan.

'Het is oorlog,' zei George dan tegen Ben. 'En daardoor gaan soldaten dood. Pang pang. In het zand. Mensen schieten elkaar dood. Daar moeten ze mee ophouden. Geweren moeten weg, net als auto's. Geweren maken mensen dood, net zoals auto's bomen doodmaken.'

Of we zaten naar het nieuws te kijken en dan zag George beelden van kinderen die door hongersnood of ziekte wees waren geworden.

'Moet je die kinderen zien,' zei hij dan tegen Ben. 'Wat zielig. Waarom gebeurt dat? Mam zegt dat die mensen niet eens schoon water hebben.' Vervolgens keek George mij aan. 'Kunnen wij die kinderen niet in huis nemen, mam?'

'Ik weet niet of die wel allemaal in ons huis zouden passen,' zei ik dan tegen hem.

'Maar we horen ze toch te helpen, hè?'

'Ik hoop dat we dat zullen doen.'

'Ik ook, mam. Help de kinderen kinderen.'

'Zou je dat graag willen, George?'

Hij keek me aan alsof ik niet goed wijs was. 'Ja, natuurlijk, mam. Het is goed om mensen te helpen. Weet je dat dan niet? Ik dacht dat iedereen dat wist.'

George had de slappe lach. Ik moest een uurtje weg, dus mam had op hem gepast en hij had gezegd dat hij hoofdpijn had. Daarom had ze het kleverige drankje gepakt dat ik George daarvoor gaf omdat hij geen pillen kon slikken. Maar hij was in de lach geschoten toen ze hem een lepel wilde geven, want net toen mam het drankje in zijn mond wilde stoppen had George bewogen, waardoor haar hand uitschoot. Zoals gewoonlijk had Ben aan hun voeten gezeten om te zien wat er gebeurde en nu was zijn rug helemaal klef van het zoete drankje en ik zat hem door de keuken achterna om te proberen het met een natte doek af te vegen.

'In ieder geval krijgt hij nou geen hoofdpijn,' gilde George.

Maar ik had wel iets anders te doen. We gaven een feest ter gelegenheid van Halloween, echt een groot feest, en de gasten konden ieder moment arriveren. George was verkleed als een duivel met een rode cape, hoorntjes en een gezicht dat daarbij paste, ik was een dode bruid en Ben? Nou ja, Ben met zijn witte neus en dito borst droeg altijd al een smoking, dus hij hoefde zich niet te verkleden. Terwijl ik hem weer probeerde te pakken ging hij er opnieuw vandoor en ik vroeg me af of hij dacht dat ik gewoon met hem speelde, of dat hij wel degelijk wist dat hij me in de maling nam.

Er was nog ontzettend veel te doen, want dit moest een feest worden dat iedereen nog lang zou heugen. Ik had grote plannen gemaakt voor de manier waarop ik Halloween 2008 zou vieren. Het jaar ervoor had ik een klein feestje gegeven voor de familie, en dat was zo goed gegaan, dat ik dat nu wilde overtreffen. Ik had teruggedacht aan het tuinieren en de spelletjesavonden die we vroeger in de flat organiseerden en ik had besloten er een heleboel mensen die we kenden bij te betrekken.

Ik heb altijd van partijtjes gehouden. Van de verjaardagsfeestjes die ik als kind mocht geven, waarvoor ik dan van mam een mooie nieuwe jurk kreeg en al mijn vriendjes mocht uitnodigen, tot de fuifjes die Michelle en ik samen met onze buren hadden, waarbij we op muziek van Dolly Parton dansten omdat zij dat leuk vond, en op Elvis omdat ik dat wilde, en waarbij alle kinderen smeekten of het niet iets moderner kon. Ik vind alles leuk wat feestjes meebrengen, van het kopen van lekkere dingen en het versieren tot het optutten en het tevoorschijn halen van al je ouwe cd's. Want als ik een huis vol mensen heb en ik hoor ze lachen, weet ik zeker dat er niets ter wereld fijner is dan mensen die zich amuseren. Er is al zoveel ellende in het leven dat we er immers gewoon behoefte aan hebben om af en toe alle zorgen van ons af te zetten en lekker plezier te maken.

Maar George wist niet wat hij ervan moest denken toen ik hem vertelde wat ik van plan was.

'Waarom nodig jij niet een paar van je schoolvriendjes uit?' vroeg ik. 'Dat zou hartstikke leuk zijn.'

'Daar heb ik geen zin in.'

'Hè, toe nou, George.'

'Nee.'

'Dan zal ik ervoor zorgen dat Lewis voor jullie danst.'

Als iets hem over de streep kon trekken, was het dat wel. In de loop der jaren was George vanzelf gewend geraakt aan feestjes, omdat onze familie om de minste en geringste reden al bij elkaar komt. Maar George had daar gemengde gevoelens over. Hoewel hij van de aanloop genoot, van het versieren en de voorbereidingen, ging hij als het feest begon meestal naar zijn slaapkamer of hij speelde voor muurbloempje, omdat hij niet wist wat hij moest beginnen met al die mensen en de herrie. Maar George had altijd met intens veel plezier toegekeken als Lewis ging dansen en hij wilde dat iedereen dat net zo mooi zou vinden als hij.

'Zet de muziek eens zachter,' riep George als hij had besloten dat het tijd was voor Lewis om zijn kunsten te vertonen. 'Iedereen opzij. Lewis is de beste danser die er bestaat. Hij kan net zo goed dansen als Michael Jackson. Hij is dol op Michael Jackson en ik ook.'

Als hij ervoor had gezorgd dat iedereen netjes in een kring stond, drukte George op de knop van de stereo en dan begon Lewis te dansen. Zijn 'moonwalk' op *Thriller* was even goed als die van de King of Pop zelf en George stond met zijn voet op de maat mee te tikken terwijl hij controleerde of iedereen wel naar Lewis keek.

'Heb je gezien dat Tor in haar handen stond te klappen toen Lewis danste?' vroeg hij me dan na afloop. 'En Boy zei "wow" toen hij klaar was, en dat betekent dat hij het ook goed vond, want dat zeggen mensen altijd als ze iets goed vinden.'

Lewis danste op elk feestje, en ook al ging George daarna weer in een hoekje staan en wuifde hij mensen weg als ze te dicht in de buurt kwamen, ik was toch blij dat hij op een bepaalde manier even in het middelpunt van de belangstelling had gestaan. Veel ouders met kinderen zoals George geven nooit een feestje, omdat ze denken dat het te veel wordt voor de kinderen. Maar precies zoals het heel belangrijk was dat George 'alsjeblieft' leerde zeggen, zo moest hij ook leren dat plezier maken bij het leven hoorde. Ik ben er altijd van overtuigd geweest dat George ook iets kon opsteken van wat hij te zien kreeg, en een van de dingen die ik hem wilde leren, was dat hij zich ook op zijn gemak kon voelen met een boel mensen om zich heen.

Nu zullen jullie inmiddels wel weten dat ik de zaken nooit half aanpak en dat gold ook voor dit Halloween-feestje. Buren en vrienden waren uitgenodigd en mam die in de keuken stond terwijl ik achter Ben aan zat, had zich verkleed als een oud lijk. Nob, Tor en haar man Del, Boy, Sandra en de kinderen zouden allemaal komen. Arthur, die we niet zo vaak meer zagen omdat hij een paar maanden geleden samen met zijn moeder verhuisd was, had ook een uitnodiging gekregen en de eregasten zouden vijf van Georges klasgenootjes zijn. Ik wist dat zij net zomin als hij de buurt rond konden gaan om snoep op te halen en dat ze ook nooit werden gevraagd voor het soort feestjes waar de meeste kinderen naartoe gaan, dus ik wilde ze een Halloween bezorgen dat ze nooit zouden vergeten.

Zodra ik me dat had voorgenomen, gebeurde wat me telkens weer overkomt: ik wist niet meer van ophouden.

Ik had de benedenverdieping van het huis flink onderhanden genomen, maar in plaats van alles mooier te maken, had ik er een griezelig spookhuis van gemaakt. Ik wilde dat de mensen het gevoel zouden krijgen dat ze in een andere wereld waren vanaf het moment dat ze onze oprit op liepen. Toen ik op internet zat te surfen, op zoek naar goeie ideeën, had ik de website gevonden van een man in Amerika, die alles verkocht wat je maar voor Halloween kon bedenken. Ik wist dat ze zich daarginds echt kunnen uitsloven, maar was dit werkelijk ongelooflijk. De man had imitatielijken aan de voorkant van zijn huis hangen en had ook zelf doodskisten gebouwd. Je keek echt je ogen uit. Maar hoewel ik het iets rustiger aan moest doen, omdat ik natuurlijk maar een beperkt budget had, had hij toch één ding wat ik per se wilde hebben.

De man maakte en verkocht 'butlers': een meter tachtig lange, levensechte figuren die een beetje leken op Herman van *The Addams Family*. Ze hadden pakken aan, stijve handen waar je een blad op kon zetten en een ingeblikte stem zoals je wel eens bij poppen aantreft. Alleen klonk de stem van de butler niet lief maar doodeng. Die butlers waren zo geweldig dat ik ze absoluut ook wilde hebben. Maar dan moest ik er natuurlijk ook voor zorgen dat alles eromheen tot in de puntjes klopte. De butlers uit Amerika laten komen zou veel te duur worden, maar ik slaagde erin om er twee te vinden op een website die wat dichter bij huis was, bestelde ze en maakte me op om zelf voor het decor te zorgen.

Ik begon met grafstenen van piepschuim dat ik grijs had geverfd en maakte toen met behulp van kippengaas mensenfiguren die ik in kapotte kleren hulde om ze er als lijken uit te laten zien. De hoofden werden gemaakt van heksenmaskers opgevuld met natte kranten en ik had een paar balen hooi gekocht die nu op de oprit lagen, met pompoenen erop. De lijken hingen aan de voorkant van het huis, samen met twee grijze skeletten, heksenbezems en spinnen, en ik had zelfs een rookmachine, zodat iedereen na aankomst over een mistig kerkhof moest lopen, langs een namaakguillotine, waar ik foto's van de feestgangers wilde maken. De kosten waren uiteraard volkomen uit de hand gelopen, maar mijn familie was voor de zoveelste keer bijgesprongen, want zo lief zijn ze wel en als ik iets bedenk doen ze altijd mee.

Eerder op de dag was mam al naar ons toe gekomen om de woonkamer te versieren en we hadden alle muren bedekt met spinnenwebben, spinnen en vleermuizen. Daarna hadden we grote kappen die pompoenen voor moesten stellen op alle lampen gezet om de kamer in een oranje gloed te hullen en ik had ook een stroboscooplamp opgehangen om ervoor te zorgen dat alles nog enger leek.

George stond met zijn gezicht op onweer om zich heen te kijken toen hij uit school kwam en zag wat we gedaan hadden.

'Ze is niet goed bij haar hoofd, hè?' zei hij tegen mam, terwijl hij naar mij wees. 'Wie doet dat nou allemaal? Het is veel te veel.'

'Dat weet ik, lieverd,' antwoordde ze. 'Maar zo is je moeder nu eenmaal en zo is ze al vanaf dat ze een klein meisje was. Een droomstertje.'

In zekere zin had George gelijk. Ik had zo doorgedraafd dat ik zelfs de achtertuin niet met rust had gelaten. Op het grasveld was nog een namaakkerkhof en de schuur was een spookhuis, met grabbeltonnen vol zaagsel, witte bonen in tomatensaus en modder. Maar ik was vastbesloten om ervoor te zorgen dat George en zijn vrienden de avond van hun leven zouden hebben en ik hoopte dat George, ook al vond hij het nu nog niets, wat meer interesse zou gaan tonen als het feest begon.

Toch was ik behoorlijk zenuwachtig toen het huis langzaam maar zeker volliep en al Georges klasgenootjes kwamen opdagen, net als mijn familie, vrienden en buren. Iedereen zag er fantastisch uit. Lewis was een piraat uit het Caribische gebied, Wendy, Kayleigh en Sandra hadden zich als heks verkleed, Tor was een spook, Boy was behangen met kettingen en Nob had gewoon zijn spijkerbroek aan, omdat hij als Michael Myers uit de film *Halloween* had willen komen. Maar daar hadden we met ons allen een stokje voor gestoken, want dat werd veel te eng voor de kinderen.

George hield zich aanvankelijk rustig, maar Ben rende vanaf het moment dat de eerste gasten arriveerden, rond alsof het zijn eigen feestje was. Hij streek mensen langs de benen, huppelde over het kerkhof en dook in alle grabbeltonnen. En toen George zag hoeveel pret Ben had, begon hij zelf ook langzaam mee te doen. Algauw stond hij zich net als zijn vriendjes vol te stoppen met hotdogs en andere lekkere dingen, een beetje swingend op de muziek, en hij ging zelfs naar de grafjes kijken. Een van zijn klasgenootjes raakte zo over zijn toeren van het hele gebeuren dat hij mij met zijn speelgoedzwaard begon te bewerken, waarbij George echt stond te gieren van het lachen.

Het feest werd steeds groter: de kinderen die langs de deuren gingen om snoep op te halen kwamen ook binnen en uiteindelijk stond het huis zo te trillen op de grondvesten dat zelfs de politie op kwam dagen. Maar niet met de bedoeling iemand te arresteren, ze hadden gewoon van een van de buren, die had gezien wat ik allemaal uitspookte, gehoord wat er aan de hand was en ze brachten niet alleen een emmer vol snoepgoed mee, maar ook een fotograaf van het plaatselijke huis-aan-huisblad om een foto van de kinderen te maken. We hadden de grootste pret toen de bobbies zich tegoed deden aan hotdogs. Zelfs de bejaarden uit de bungalows doken samen met hun kleinkinderen op. Iedereen was welkom en natuurlijk eindigde het feest met Lewis die zijn *Thriller*-dans deed.

Ik was ontzettend blij dat George toch had meegedaan, en hoewel hij er aanvankelijk niet over praatte, vertelde hij me een week later wel dat zijn schoolvriendjes niet uitgepraat raakten over het feest.

'Juf Worgan zei dat het echt fantastisch klonk,' zei George. 'Volgende week gaan we er bij de schoolbijeenkomst over praten.'

'O ja?'

'Ja.'

'Dan kun je ze vertellen hoe ik een namaakkerkhof heb gemaakt en dat jij een rode cape droeg.'

George keek me nadenkend aan. 'Doen we dit volgend jaar weer?'

'Ja. En nog groter.'

Ben, die bij George op schoot zat, miauwde en ik keek hem aan. Hij had van het feest genoten, en hoewel George er niets meer over zei, begon ik toch het idee te krijgen dat hij het ook best leuk had gevonden.

Na die dag in Cranford begon George op een zijdelingse manier vaker over genegenheid te praten. Soms begon hij te lachen als ik hem verbood om iets ondeugends te doen. 'Je weet best dat Ben van je houdt, hè mam?' grinnikte George dan. 'Is dat nou zo of niet? Doet-ie dat wel of doet-ie dat niet? Welles of nietes? Ik ga het hem wel vragen.'

Of ik zat te bellen met mam en dan schreeuwde hij plotseling naar beneden: 'Ik hou van je, oma!'

'Heb je dat gehoord?' zei ik dan opgewonden tegen mam.

Hij zei nooit rechtstreeks 'ik hou van je' tegen een van ons, maar dat gaf niet. Alleen al het feit dat George het over 'houden van' had, was meer dan ik ooit voor mogelijk had gehouden. Hij toonde dat er onderhuids bij hem nog veel meer borrelde als hij

Ben weer zat te knuffelen en te kussen en hem streelde en aanhaalde. Maar hoewel hij zijn genegenheid voor Ben wel durfde te tonen, voor mij kon George dat nog steeds niet opbrengen. Dus moest ik het doen met de keren dat we samen wilde spelletjes deden, zoals we al deden vanaf de tijd dat hij klein was. Als hij me tegen de grond werkte, zijn gezicht vlak voor het mijne bracht of me in een houdgreep hield terwijl we zogenaamd aan het vechten waren, was ik blij dat hij zich bij mij voldoende op zijn gemak voelde om dat te doen. Alle jongetjes vinden het leuk om te stoeien en ik had mijn broertjes dat vaak genoeg zien doen toen ze nog klein waren, dus deed ik het ook met George, omdat hij geen vader had die bij ons woonde en ook geen broertjes. Ik wilde gewoon dat hij de kans kreeg om zich even helemaal vrij te voelen, zonder zich te bekommeren om wat wel en wat niet mocht, want daar kreeg hij al vaak genoeg mee te maken.

Stoeien was Georges manier om dicht bij me te komen, dus lachte ik maar mee als hij tegen me op knalde – ook al ging dat af en toe wel een beetje te hard – en genoot van het hele gebeuren tot op het moment dat hij het gevoel kreeg dat hij veel te dichtbij was en achteruit week. Dan kreeg ik te horen dat ik stonk of dat ik raar haar had. Dat was vaste prik: als Georges zintuigen te veel te verwerken kregen, maakte hij er een eind aan. Maar door met me te stoeien toonde hij toch dat hij wel degelijk iets voor me voelde en dat vond ik heerlijk.

Wat hij ook erg leuk vond, was om net te doen alsof hij een kat was, net als Ben, en dat deed hij zo vaak dat het me bijna niet meer opviel. Daarbij kroop George samen met Ben over de vloer of probeerde net zo te spinnen als hij. Maar toen hij langs mijn benen begon te strijken of op de bank dichter bij me kwam zitten als hij net deed alsof hij een kat was, besefte ik dat er iets begon te veranderen. George wilde nog steeds niet dat ik zelfs maar zijn hand vasthield, maar het was net alsof hij langzaam maar zeker pogingen ondernam om wat meer lichaamscontact te krijgen.

Ik lette goed op dat ik daar niet op reageerde, ook al was mijn verlangen om hem te omhelzen en te knuffelen nog even groot als altijd. Hoewel ik in de loop der tijd wel had geleerd om dat te verdringen, voelde ik af en toe toch een steek in mijn hart als ik zag hoe andere moeders hun kind op schoot trokken om het een kus te geven of te knuffelen, want ik wist dat ik dat soort liefde nooit van George zou krijgen. Misschien dat ik er daarom niet veel aandacht aan schonk toen hij me voor het eerst begon aan te raken. Het leek wel alsof ik bang was om te registreren wat er gebeurde, want misschien was het maar iets eenmaligs.

Het was een doodgewone avond. Ik zat op de bank en George zat aan de andere kant met Ben languit over zijn borst en schouder terwijl hij zijn vingers door zijn vacht liet glijden. Nadat hij zich uitgebreid had laten knuffelen sprong Ben van Georges schoot en liep naar de tuindeur om ons te vertellen dat hij naar buiten wilde. Ik stond op om de deur open te doen en ging daarna op de bank liggen, omdat George op de grond zat te spelen. Maar toen ik mezelf weer geïnstalleerd had, begon George naar de bank te kruipen. Het viel me eigenlijk nauwelijks op, tot ineens tot me doordrong dat hij op het punt stond erop te klimmen. Zonder iets te zeggen kwam George naast me zitten en ging toen boven op me liggen, languit tegen me aan, precies zoals Ben nog geen minuut geleden bij hem had gelegen. Ik kon nauwelijks geloven dat het echt gebeurde.

George wreef voorzichtig zijn gezicht tegen het mijne en ik verroerde geen vin omdat ik bang was een verkeerde beweging te maken die hem angst zou aanjagen. Hij was nog nooit zo dichtbij geweest. Ik voelde zijn gewicht op me drukken en ik wilde dit verrukkelijke moment niet bederven.

'Ben was een Japanse sumoworstelaar,' zei George.

'Echt waar?'

'Ja. Hij doet ook aan karate en kickboksen. En ik weet dat hij de zwarte band heeft. Hij werd verkozen tot de beste karatekat ter wereld, maar hij wilde de prijs niet aannemen omdat hij geen kat is.'

Ik wist eigenlijk niet wat ik moest doen. Ik tilde mijn hand op en liet voorzichtig mijn vingers door Georges haar glijden terwijl hij daar tegen me aan lag. Als ik hem net zo liefkoosde als hij Ben had geliefkoosd vond hij dat misschien wel prettig.

'Je hebt haar op je gezicht,' zei George en ik hield mijn hand even stil, omdat ik dacht dat hij op het punt stond zich terug te trekken.

Maar dat deed hij niet. In plaats daarvan bleef George op me liggen. Ik verroerde me niet en dwong mezelf hem niet weg te jagen. Hij was zo dichtbij dat ik zijn adem over mijn wang voelde strijken.

'Je moet niet je haren op me leggen,' zei George. 'Ik vind je haar niet fijn.'

'Dan doe ik dat toch niet.'

'En je moet me niet strak aankijken. Dat vind ik ook niet fijn.'

'Goed.'

Ik sloeg mijn ogen neer terwijl ik mijn vingers opnieuw door Georges haar liet glijden en streek het weg van zijn voorhoofd. Ik had er al zo vaak van gedroomd om hem zo dicht bij me te hebben. Durfde ik, nu het eindelijk zover was, wel te geloven dat het echt gebeurde?

'Volgens Ben heeft Buster geen manieren,' zei hij en ik moest even lachen bij de gedachte aan de kleine cyperse ondeugd met wie Ben nog steeds niet kon opschieten. 'Maar Buster heeft geen manieren omdat hij een straatkat is en Ben vergeet dat hij vroeger ook dakloos was en chips uit de vuilnisbak moest eten.'

Ik schoot in de lach en tilde mijn hoofd op om George aan te kijken. Ik kon mezelf niet inhouden. Maar dit keer keek hij mij ook aan, met heldere blauwe ogen.

'Ben heeft de hele wereld rondgereisd, dus kan hij andere katten helpen,' zei hij.

'Waar is hij geweest?'

'Hij is op vakantie naar Cyprus geweest.'

Ik kromde mijn vingers en krabde zacht over Georges hoofdhuid. Zijn haar was zacht en zijn lichaam was volkomen ontspannen toen hij tegen me aan kroop. 'Was het warm op Cyprus toen Ben daar was?' vroeg ik.

'Ja. De katten liggen de hele dag bij het zwembad omdat het zo warm is. Ben gebruikt factor 50.'

Ik krulde mijn vingers om Georges oor voordat ik hem zacht over zijn neus wreef, heel voorzichtig om hem niet meteen al te gretig aan te raken, maar toen ging hij ineens rechtop zitten.

'Ik ga even kijken of ik Ben kan vinden,' zei hij. Hij gleed van me af en liep naar de deur.

'Oké, George,' zei ik, toen hij de tuin in liep.

Ik bleef doodstil liggen en mijn adem stokte in mijn keel. Dat ik mijn kind zou mogen omhelzen en zijn lichaam tegen me aan kon voelen nadat mijn armen elf jaar leeg waren gebleven, was een geschenk waarvan ik zelfs nooit had durven dromen.

Dertien

Halloween was zo'n succes dat het zelfs de plaatselijke woningbouwvereniging ter ore kwam en die nam contact met me op om te vragen of ik geen vrijwilligerswerk voor hen wilde doen. Ze zeiden dat ik dan een opleiding zou krijgen die me in staat stelde om in de wijk allerlei evenementen te organiseren, waarvoor ik uiteindelijk ook betaald zou worden.

Ik was zo in mijn nopjes dat ik meteen alle formulieren invulde die ze me gaven om de redenen op te sommen waarom Julia Romp de kans verdiende dat werk te gaan doen. Daarna moest ik naar een vergadering met een kamer vol driedelige pakken en ik raakte meteen in paniek. Wie probeerde ik eigenlijk voor de gek te houden? Het organiseren van dingen die mensen zouden helpen om de weg te vinden binnen hun gemeenschap mocht dan het leukste baantje zijn dat ik me kon voorstellen, maar het was niets voor mij. Ik had vanaf de dag dat George werd geboren al een volledige baan – wat heet, ik draaide zowel dag-, avond- als nachtdiensten – en ik kon daarbij niet ook nog eens buitenshuis gaan werken.

Maar de volgende Halloween zou pas over een jaar zijn en zo lang wilde ik eigenlijk niet op het volgende feest wachten. Ik trappelde van verlangen om weer iets te organiseren, en zoals zo vaak gebeurt, speelde het toeval me in de kaart. Ik kreeg een brief van Marjorie Kinnan, waarin de school vroeg of ouders iets ter gelegenheid van Kerstmis konden organiseren om geld in te zamelen voor een nieuw minibusje. Dat was het excuus waar ik op zat te wachten. Mijn brein sloeg onmiddellijk op hol toen ik ging piekeren over wat ik kon doen. Een concert met kerstliedjes? Nee. Mam had niet voor niets altijd gezegd dat ik zo muzikaal was als het achtereind van een varken. Een ijsbaan? Nee, dat ging echt een tikje te ver, zelfs voor mij. En toen kreeg ik het volmaakte idee: een winterwonderland, een kersttafereel rond ons huis in west-Londen, dat de mensen het gevoel zou geven dat ze naar Lapland waren gevlogen om bij de Kerstman zelf op audiëntie te gaan. Er moesten lichtjes en muziek komen, net als rendieren en sneeuw. Een heleboel mensen in de wijk hadden niet genoeg geld om met hun kinderen naar een winkelcentrum te gaan en daar een bezoek te brengen aan de Kerstman, want dat kostte een kapitaal. Maar misschien kon ik wat geld ophalen voor Marjorie Kinnan door hier in hun eigen achtertuin iets te organiseren en te vragen of ze naar vermogen wilden bijdragen. Alles wat we ophaalden, zou meegenomen zijn, want ondertussen konden de mensen uit de buurt in ieder geval toch hun kinderen een feestelijk avondje bezorgen. En ik wilde iets voor de school doen, ook al was het nog maar zo bescheiden, om ze te bedanken voor alles wat ze voor George hadden gedaan. Het winterwonderland zou de hele maand december openblijven, om de mensen te kans te geven net zo vaak terug te komen als ze wilden.

Ik ben altijd dol op Kerstmis geweest. Toen we nog klein waren, stond pa altijd onder aan de trap en dan wachtte ik met bonzend hart tot hij ons naar beneden zou roepen. Zodra dat gebeurde, tuimelden Nob, Tor, Boy en ik de trap af en vielen over elkaar heen om bij de stapel cadeautjes te komen. En toen ik opgroeide, ging ik steeds meer van Kerstmis houden. Ik zorgde er altijd voor dat ik weken bezig was met het versieren, het kopen en inpakken van cadeautjes en het versturen van kerstkaarten.

Maar voor George was de kerstperiode tegelijkertijd een fijne en een vervelende tijd. Fijn omdat hij de voorbereidselen leuk vond en net zo dol was op het versieren van het huis als ik. We hadden het grootste plezier terwijl we alles volhingen en George had in de loop der jaren een hele verzameling zingende kerstspeeltjes verzameld, die altijd een ereplaats kregen. Hij had van alles, van een rendier en een sneeuwpop die liedjes zongen voor drie snoezige muisjes in kerstpakjes tot een als kerstman verklede pinguïn die ook een deuntje ten beste gaf. Het was een puinhoop als hij het hele zootje aanzette, maar George was dol op die speeltjes en ik genoot altijd van zijn gezicht als ze zo'n herrie stonden te maken. Het probleem was altijd de kerst zelf, omdat George nooit reageerde op de sfeer van verwachting die in de lucht hing. Daardoor voelde hij zich niet op zijn gemak, want het was gewoon te veel druk op één dag terwijl hij juist wilde dat alle dagen op elkaar leken. Vandaar dat ik me in de loop der jaren had aangewend om niet te veel drukte te maken van eerste kerstdag en net te doen alsof het een doorsnee dag was. George kreeg wel cadeautjes en soms maakte hij ze open, maar meestal niet. Ik had een kast vol ingepakte presentjes die ik in de loop der jaren had verzameld.

Dus terwijl ik over mijn winterwonderland zat na te denken vroeg ik me tegelijkertijd af hoe George daarop zou reageren. Ik wist dat hij van Halloween had genoten. Op dat feest waren echter voornamelijk mensen aanwezig geweest die hij kende en het winterwonderland zou betekenen dat er veel vreemden naar ons huis zouden komen. Dat zou moeilijk worden voor George, maar nadat ik er een hele tijd over had lopen piekeren, besloot ik om er toch mee door te gaan. Ik wilde het ontzettend graag en George kon zelf beslissen wanneer hij eraan mee wilde doen. Als het te veel voor hem werd, dan zou ik ervoor zorgen dat niemand naar binnen ging, zodat hij samen met Ben het huis voor zich alleen had.

Hoe langer ik over het winterwonderland nadacht, des te duidelijker zag ik het voor me. Precies zoals ik met Halloween had gedaan, wilde ik een wereldje apart scheppen waarin mensen zich konden verliezen. Avond aan avond zat ik tot diep in de nacht plannen te maken waarbij allerlei droombeelden door mijn hoofd tolden. Toen alles me uiteindelijk helder voor de geest stond, ging ik aan de slag. Het eerste wat ik voor elkaar moest zien te krijgen was de verlichting, want lichtjes zijn de Mick Jagger van Kerstmis – iets dat alles glitter, glans en glamour geeft. Massa's mensen versieren hun huis rond de kerst met lichtjes, knipperende snoertjes, flitsende kerstmannen, gloeiende rendieren en sterren die in het donker twinkelen en ik vond het altijd heerlijk om naar dat soort huizen te kijken. Het is net alsof je iedere voorbijganger een kerstkaart geeft.

Ik had sinds de verhuizing ieder jaar buitenlichtjes opgehangen, maar die waren lang niet genoeg voor het winterwonderland. Onze kleine oprit moest veranderen in een feestelijk tafereeltje dat mensen naar binnen zou lokken en met een paar snoertjes kreeg ik dat niet voor elkaar. Vandaar dat ik begon met het verzamelen van kerstlichtjes: sterren en klokken, een kerstboom met een trein, lampjes voor in de bomen en lampjes voor aan het huis. Ik had maar een klein budget, maar je staat ervan te kijken wat je allemaal op eBay kunt vinden. Ik had ook besloten om aan weerskanten van de oprit verlichte kerstbomen te zetten om een echte entree te maken. Aan de elektriciteitsrekening wilde ik niet eens denken, ik was veel te opgewonden om me daar druk over te maken.

Het wonderland moest ook een middelpunt hebben en ik wilde graag dat dat een slee zou worden. Vandaar dat ik meteen toehapte toen mijn vriendin Sarah zei dat haar vader Simon, een lieve schat die schrijnwerker was, me wel wilde helpen. Ik tekende hem voor hoe mijn droomslee eruit moest zien, groot genoeg voor twaalf personen, maar ik krabbelde haastig terug toen bleek dat ik alleen aan het hout voor die slee al £500 kwijt zou zijn. Dit was per slot van rekening Hounslow, niet Harrods. Uiteindelijk maakte Simon een slee voor me die groot genoeg was voor een paar kinderen, die dan gefotografeerd konden worden, en hij was zo lief om me geen cent voor zijn tijd in rekening te brengen. Hij leverde zulk geweldig werk af, dat ik er gewoon zelf even in moest gaan zitten, voordat ik er haastig mee naar huis reed, waar ik hem samen met mam rood met goud schilderde.

Natuurlijk moest de slee voortgetrokken worden door rendieren en opnieuw deed ik een beroep op mijn vindingrijkheid. Nadat ik rendieren had gekocht, of liever gezegd, rendiervormen van kippengaas versierd met lichtjes, naaide ik voor elk daarvan een jasje, een muts en een sjaal, om ze er wat realistischer uit te laten zien. Daarna strooide ik hooi rond de poten van de rendieren en zette er twee emmers bij: eentje gevuld met hooi, waaruit de kinderen hen konden voeren, en eentje met zand, het zogenaamde wonderpoeder waarmee de Kerstman de rendieren wakker maakt als hij cadeautjes rond moet brengen.

Tot slot wilde ik ook nog een brievenbus hebben, omdat kinderen al opgewonden worden van het idee dat ze een brief op de post kunnen doen met hun verlanglijstje voor de Kerstman. Het mocht niet zo'n speelgoedbrievenbusje van plastic zijn, want kinderen weten natuurlijk best dat de Kerstman zich een veel betere kan veroorloven. Vandaar dat ik maar weer ging zitten googelen en ik vond een man in Dorset die echte ronde, Engelse brievenbussen uit lege gasflessen maakte, die hij rood schilderde om ze er echt uit te laten zien. Ik zweer dat onze brievenbus er bij aankomst uitzag alsof hij van de koninklijke posterijen zelf was. Daarna moest ik alleen nog de kostuumpjes kopen. Ik wilde foto's nemen van alle kinderen die langs kwamen, zodat ze een herinnering aan het bezoek zouden hebben, en daarvoor wilde ik ze verkleden als sneeuwpop, als elf of als sneeuwprinses. Er moest ook een kerstmannenpak komen dat de vaders aan konden trekken als ze dat wilden en een kerstcape voor de huisdieren die misschien ook wel mee wilden doen.

In de dagen voor de grootse opening was het echt alle hens aan dek. Mam, Nob, Tor en Boy hielpen allemaal mee om de lichtjes op te hangen en Wendy en Keith droegen ook een steentje bij. Ben liep ons voor de voeten, zette zijn nagels in de kerstbomen en raakte verstrikt in de snoeren. Op het moment dat ik de slee onthulde, zat hij er met een grote sprong middenin en we moesten hem er weer uit tillen om te voorkomen dat hij de verf bekraste. Hij miauwde boos toen hij op de koude grond werd gezet en zijn plezier was duidelijk bedorven.

Mag ik niet eens in de slee? Het is Kerstmis! Ik wil ook pret maken!

George was een beetje ondersteboven van al het gedoe.

'Al die kinderen zullen de slee kapotmaken,' zei hij telkens opnieuw. 'Ik wil niet dat ze hier komen.'

'We doen het allemaal voor jouw school,' zei ik om hem gerust te stellen. 'Denk eens aan het plezier dat jullie zullen hebben op schoolreisjes als de school de minibus kan kopen! En wij helpen alleen maar om het geld daarvoor bij elkaar te krijgen. Als jij al die mensen niet wilt zien, hoeft dat heus niet. Dan blijf je gewoon lekker warm binnen zitten. Ben zal wel op je passen.'

Maar ik hoopte eigenlijk dat George zich een beetje beter op zijn gemak zou voelen in ons winterwonderland als alles klaar was. De kerstlichtjes waren waarschijnlijk al genoeg, maar als dat niet zo was, zou ik als laatste strohalm aan Lewis vragen om iedere avond op de oprit zijn *Thriller*-nummertje op te voeren.

Een paar dagen later, toen alles eindelijk klaar was, liep ik samen met mam de oprit op. George volgde ons op de voet en Ben zat in een boom te kijken naar mijn hand die op een schakelaar lag. Met één klik zouden alle kerstlichtjes aangaan en het winterwonderland geopend worden.

'Drie, twee, één,' zei mam glimlachend en ik draaide de schakelaar om.

Het huis straalde als een kerstboom. Rode, groene, witte en blauwe lichtjes... zoveel dat ik me heel even bezorgd afvroeg of de vliegtuigen die boven ons hoofd op weg waren naar Heathrow mijn oprit niet voor een landingsbaan aan zouden zien.

'Wat een boel licht!' zei George happend naar adem terwijl hij omhoog staarde.

Ben zette even grote ogen op toen hij tussen de takken van de boom door gluurde.

Niet te geloven! Prachtig! Wanneer komt de Kerstman nou? Ik wil hem echt dolgraag zien!

Ben kwam met een vaartje de boom uit, rende naar ons toe en begon als een aal om onze benen te kronkelen. Hij bleef maar miauwen terwijl wij om ons heen stonden te kijken en ik kon best begrijpen dat hij er opgewonden van werd. Dit was het dan, het begin van onze kerst, en alles was volmaakt. Ik had zelfs een sneeuwmachine gekocht om de puntjes op de i te zetten, want het had nooit een echt winterwonderland kunnen zijn als er niet een paar sneeuwvlokjes ronddwarrelden.

Ik keek om me heen naar alles wat we voor elkaar hadden gebokst en besloot dat ik, als we hiermee niet een behoorlijk bedrag voor Marjorie Kinnan inzamelden, niet alleen de muts van de Kerstman zou opeten, maar ook die van Rudolf het rendier.

'Ik ga naar binnen,' zei George.

Ben holde achter hem aan het huis in en ik wenste dat ze allebei nog een beetje langer bij mam en mij buiten waren gebleven. Ik wilde zo graag dat George hiervan zou genieten.

'Hij draait wel bij, Ju,' zei mam, terwijl ik het hooi in de emmer van de rendieren ging opschudden.

Ik keek om me heen. Het was halfvijf in de middag en de lucht was donker. Sterretjes twinkelden boven ons hoofd en ik zag mijn adem als een wit wolkje voor mijn gezicht. Ik had overal in de buurt posters opgehangen om de mensen te vertellen dat we vandaag opengingen, maar ik wist niet zeker hoeveel er zouden komen opdagen.

'Zal ik een kopje thee zetten?' vroeg ik aan mam toen we weer naar binnen liepen.

De volgende twee uur kropen voorbij terwijl ik de theepot maar bleef bijvullen en wachtte tot er iemand zou aankloppen. Was ik dit keer te ver gegaan? Zouden de mensen nu echt denken dat ik de kolder in de kop had gekregen? De spelletjesavonden die ik eerder had georganiseerd waren altijd een succes geweest, maar zouden de mensen echt ook voor zoiets als dit komen opdraven?

Wendy's dochter Kayleigh was bij ons terwijl we zenuwachtig zaten te wachten tot er iemand zou verschijnen. Ze was zo opgewonden geraakt van alles wat we hadden gedaan, dat ze had gevraagd of ze ook kon helpen. Dus had ik haar verkleed als elf en ze trappelde van verlangen om aan de slag te gaan. Kayleigh zou de kinderen in en uit de slee helpen, zodat ik me kon concentreren op het maken van de foto's. En ik had gevraagd of George de kostuums wilde uitdelen.

Terwijl mam over van alles en nog wat zat te praten – maar niet over het winterwonderland – hoorde ik George ineens lachen. Ik liep de zitkamer in en zag Ben over het vloerkleed rollen. We hadden ook een elfenjasje in zijn maat gekocht en dat probeerde hij nu vol walging en kronkelend als een worm uit te trekken.

'Hij wil zich niet verkleden,' zei George. Terwijl hij Ben optilde om hem te helpen het jasje uit te trekken, hoorde ik dat er werd aangebeld.

'Ik vind dit maar niks,' mopperde George. 'Ik moet die mensen niet.'

Mijn stemming was dan ook een tikje somberder dan eigenlijk gewenst was toen ik de voordeur opendeed en een vrouw met twee kleine meisjes op de stoep zag staan.

'Ik heb een aankondiging gehad,' zei ze. 'Mogen we al binnenkomen?'

'Ja natuurlijk! Wacht even, dan pak ik de snoeptrommel.'

Ik greep de trommel haastig op en liep samen met mam en Kayleigh naar buiten.

De twee meisjes stonden met ogen als schoteltjes om zich heen te staren.

'Zal ik een foto van jullie maken in de slee van de Kerstman?' vroeg ik.

'Ja, graag!'

'Maar dan moeten jullie je eerst verkleden,' zei ik en dat was het begin. Het winterwonderland was geopend.

Op sommige avonden werd er maar een paar keer aangebeld, maar op andere stond er een rij voor de deur alsof het de eerste dag van de uitverkoop was. Het begon meestal zo om een uur of halfvijf, als de scholen uit waren, en dan ging het door tot ongeveer halftien 's avonds. Kayleigh kwam iedere avond in haar elfenpakje naar me toe, bereid om urenlang in de kou te staan. Ze was net als ik een droomster die naar het wonderland keek en dan echte rendieren zag die stampten met hun voeten terwijl de Kerstman in eigen persoon naast de slee stond. Ons winterwonderland bestond niet uitsluitend uit lichtjes en plastic: voor Kayleigh was alles echt en ik hoopte dat andere kinderen die magie ook zouden voelen, net als wij.

'Waar zijn die voor?' vroegen ze bijvoorbeeld opgewonden als ze de oprit op kwamen en dan de emmers bij de rendieren zagen staan.

'In de ene zit hooi, want rendieren hebben altijd honger, en die ander zit vol met wonderpoeder, zodat de Kerstman ze altijd wakker kan maken als hij wil,' vertelde Kayleigh dan trots.

Mam kwam 's avonds vaak helpen, maar George bleef binnen zitten en zelfs als Ben voortdurend heen en weer holde om vooral niets te missen weigerde hij hardnekkig naar buiten te komen. Ik drong niet aan en bleef gewoon de ene na de andere foto maken om ervoor te zorgen dat iedereen een leuke herinnering had. Ik liet George met rust omdat ik wist dat hij alleen mee zou gaan doen als hij dat zelf wilde, net als op de avond van het Halloweenfeest. Vandaar dat ik iedere avond samen met Kayleigh druk bezig was in het winterwonderland en als iedereen naar huis was en de lichtjes uitgingen, liep ik naar binnen om de foto's uit te printen die ik van onze bezoekers had gemaakt en die dan stuk voor stuk in een kerstkaart te stoppen, zodat ze klaar waren om de volgende dag opgehaald te worden. Als dat was gebeurd, moest de brievenbus nog geleegd worden. Ik beantwoordde alle brieven die kinderen aan de Kerstman hadden geschreven en vertelde elk kind dat de Kerstman zijn uiterste best zou doen om hun iets van hun verlanglijstje te brengen zonder ze echt gouden bergen te beloven.

George bleef dagenlang weigeren om naar buiten te komen en ik begon me al af te vragen of het er ooit van zou komen. Hij bekeek alles wat er gebeurde vanuit de keuken, omdat hij echt dol was op de kerstverlichting. Maar terwijl hij wel naar de deur begon te komen als er aangebeld werd en bereid was de snoeptrommel naar buiten te brengen, wilde hij niet buiten blijven. Misschien was het allemaal gewoon te veel. Misschien hoopte ik wel op iets wat George nog niet kon opbrengen, ook al ging het inmiddels een stuk beter met hem. Maar ik had er gewoon op kunnen vertrouwen dat Ben wel een manier zou vinden om George naar buiten te lokken en ik kon er niet eens kwaad om worden dat hij daarvoor zijn favoriete vijand gebruikte, een hond.

Toen er een man verscheen met twee blonde labradors werd Ben helemaal gek. Eerst begon hij tussen de benen van de man heen en weer te lopen terwijl de aangelijnde honden met grote ogen naar hem stonden te kijken en vervolgens sprong hij in de slee voordat zij de kans kregen om erin te stappen, om hun te laten zien wie hier eigenlijk de baas was. Toen Ben om hen heen begon te rennen om ze zover te krijgen dat ze gingen blaffen, leken de honden even verbijsterd als Jedi ooit was geweest. Plotseling hielden ze het niet meer uit en begonnen woest tegen Ben tekeer te gaan, die met vals glanzende ogen om hen heen bleef dansen. Ik zag dat George bij het keukenraam zo hard stond te lachen dat de tranen hem over de wangen stroomden. 'Jij gaat naar binnen voordat je echt moeilijkheden veroorzaakt,' zei ik streng tegen Ben en zette hem in huis.

Maar daar schoten we niet veel mee op, want Ben ging gewoon in de vensterbank zitten, vlak voor George, en krijste zo luid dat ik bang was dat hij de kerstmuziek zou overstemmen. Zodra de labradors weg waren, liet ik hem weer naar buiten en George kon de verleiding niet weerstaan om mee te lopen en te kijken wat Ben verder nog uit zou halen.

'Het zou wel erg fijn zijn als jij de kleintjes kon laten zien wat ze moeten doen,' zei ik tegen George terwijl hij op de drempel naar buiten stond te kijken. 'Ze weten niet goed wat ze met die kostuums aan moeten, dus misschien zouden jij en Ben hen kunnen helpen.'

Ben zat vlak voor de deur en keek George aan.

Kom alsjeblieft met me spelen, George. Wil je niet naar buiten komen? Dan kunnen we echt pret maken.

George aarzelde nog heel even en stapte toen naar buiten. Ben liep naar hem toe en spon van opwinding. Hij wist van gekkigheid bijna niet meer wat hij moest doen, want hij begreep heel goed dat hem nu niets meer kon gebeuren, en hij keek me triomfantelijk aan.

Ik ben de kat van George. En hij moppert nooit op me. Hij moet lachen als hij ziet dat ik honden zit te pesten.

'Wat zou je ervan zeggen als jij eens ging kijken of alles in orde is met de kostuums?' zei ik tegen George, die om zich heen stond te kijken. Hij liep naar de kist en begon er van alles uit te trekken terwijl Ben op de slee sprong.

'Hij wil ook op de foto,' zei ik grinnikend.

'Soms wel en soms niet,' antwoordde George terwijl hij in de kist bleef rommelen. 'Hij is vroeger acteur geweest in Hollywood, dus hij kan goed poseren en misschien vertrekt de slee wel als hij erin gaat zitten. Hij wil op bezoek bij de Kerstman.'

Daarna kwam George iedere avond naar buiten, en de fijnste tijd was als we het winterwonderland klaarmaakten voor de avond en het helemaal voor onszelf hadden. Als we dan in de slee zaten en elkaar verhaaltjes vertelden, of naast elkaar omhoogkeken naar de lichtjes waren George, Ben en ik in onze eigen toverwereld. Ik wist dat George zich op zijn gemak voelde in dit wonderland vol kleur, omdat we het zelf hadden gemaakt. Daardoor had hij er minder moeite mee dat vreemden op bezoek kwamen. Uiteraard sprong George op zijn eigen manier met hen om: als een kind de hooiemmer omgooide, zuchtte hij diep en zei dat ik me geen zorgen hoefde te maken. Als hij de hooiemmer weer recht had gezet liep hij terug naar zijn plekje bij de kist met kostuums zonder de kinderen die stonden te wachten om zich te verkleden aan te kijken.

'Neem jij deze maar,' zei hij dan tegen een van hen en haalde een rendierpak tevoorschijn.

'En jij mag dit hebben,' tegen de volgende.

Als hun moeders af en toe een vreemde blik op George wierpen, trok ik me daar niets van aan. De mensen die een bezoek brachten aan ons winterwonderland moesten George maar nemen zoals hij was, precies zoals wij iedereen accepteerden.

'Kom morgen maar terug met jullie oma,' riep hij de kinderen na als ze weggingen, voordat hij tegen mij zei: 'Ze komen volgens mij vast wel terug, want ze kunnen niet naar de grote winkels, mam.'

'Ja, George,' zei ik dan met een warm gevoel vanbinnen, ook al was het een ijskoude decemberavond.

Er was niets dat George uit zijn evenwicht bracht en ik was ontzettend trots op hem. Wie er ook langskwam, hij knipperde niet met zijn ogen, en dat was maar goed ook, want we hadden allerlei soorten bezoekers. Zoals een vrouw die met vijf kinderen kwam opdagen en in hun bijzijn de smerigste taal uitsloeg die ik ooit had gehoord, maar die me hartelijk bedankte toen ze wegging. En de dronken vader die samen met zijn kinderen verscheen en me een beetje bang maakte omdat hij een slechte naam had in de buurt, maar hij was wel zo aardig om mij vijf pond voor de collecte te geven. In deze wijk konden de mensen je net zo verrassen als ze in mijn oude wijk hadden gedaan en ik was allang blij als ik George daar samen met Ben bij de kist met kostuumpjes zag staan of bij de snoeptrommel om daar een oogje op te houden.

'Je mag maar één pakje,' zei George soms tegen kinderen die er stiekem een handvol uit probeerden te halen en dan wierp hij Ben een geërgerde blik toe.

Daar kunnen we toch niets aan doen, George. Sommige kinderen zijn gewoon zo. Maar het is Kerstmis en iedereen heeft pret, dus laten we maar net doen alsof er niets aan de hand is.

Ben gaf het goede voorbeeld toen Kerstmis steeds dichterbij kwam. Hij besnuffelde de mensen die in de slee stapten, vloog door alle kerstbomen die langs de oprit stonden en sprong in de kist met kostuums. Eerlijk gezegd begon het erop te lijken dat hij dacht dat hij de touwtjes in zijn klauwen had. George was wat minder zelfverzekerd, maar hij was niet de enige die moeite had met al die mensen en het lawaai dat ze maakten. Op een drukke avond kwam een van de buren opdagen met zijn kleinkinderen uit Ierland die bij hem op bezoek waren en ze probeerden allemaal een plekje te veroveren in de slee om op de foto te gaan. Behalve een van zijn kleindochters, een meisje van een jaar of zeven, dat niet mee wilde doen. Ik begreep dat iedereen veel te veel drukte maakte om haar zover te krijgen dat ze een van de kostuums aantrok.

'Als je daar zo van houdt, waarom verkleed je jezelf dan niet?' zei ik tegen haar opa.

'Kom maar op met dat pak, meid,' zei hij bulderend van het lachen.

Toen hij zich verkleed had als de Kerstman stapte de grootvader in de slee en leunde samen met zijn vrouw achterover, terwijl de kleinkinderen om hen heen aan de slee hingen. Maar het kleine meisje bleef stilletjes aan de kant staan. Ik bukte me en zei: 'Laat die slee maar zitten, hoor. Waarom ga je in plaats daarvan de rendieren niet voeren?'

Terwijl zij hooi in hun bakken ging doen, nam ik foto's van de rest van de familie, en ik moest er wel een stuk of dertig maken voordat het eindelijk lukte. Daarna ging het hele stel naar huis.

Maar de volgende dag kwam de opa terug en dit keer had hij alleen het kleine meisje bij zich.

'Zij wil ook graag op de foto,' zei hij tegen me en ze klom in de slee.

En daar zat ze dan, met haar snoezige snoetje en haar krullende haar, verkleed als sneeuwprinses, en ik legde het moment vast. Nu voelde ze zich voldoende op haar gemak om zelfs te glimlachen.

Maar helaas waren er ook mensen die het niet leuk vonden wat we deden. Een paar dagen na de opening van het winterwonderland stond er ineens een mevrouw bij me op de stoep. 'Ik ben van de woningbouwvereniging,' zei ze. 'En we hebben een klacht gehad dat uw verlichting te fel is.'

Ik dacht echt dat ze een grapje maakte. Wat voor imitatie-Scrooge wilde nu de kerstpret van andere mensen bederven? Maar de vrouw legde uit dat ze de klacht na moest trekken omdat iemand had gebeld. Ik begreep niet waarom één zuurpruim het plezier van alle andere mensen mocht verpesten, maar ook al wist ik niet wie er aan de bel had getrokken, ik wist zeker dat ze alleen maar roet in het eten wilden gooien.

Desondanks legde ik aan de mevrouw van de woningbouwvereniging uit wat George, Ben en ik precies probeerden te doen en ze luisterde naar mijn verhaal. Uiteindelijk bleek dat er maar één ding officieel uitgezocht moest worden. Toen ik de vrouw vertelde dat ik foto's van de kinderen maakte, zei ze dat ze aan haar directeur moest vragen of dat wel mocht bij een pand van de woningbouw. En vervolgens kreeg ik te horen dat ik net zoveel foto's mocht maken als ik wilde, als de kinderen maar begeleid werden door een volwassene. Ik was blij dat het gezond verstand had gezegevierd.

'Het is prima voor de buurt,' zei de vrouw toen ze me belde en de woningbouwvereniging stuurde me zelfs een cheque van £100 voor de collecte.

Het geld was fantastisch, maar wat dit voor mij de mooiste kerst van allemaal maakte, was om te zien hoe George buiten samen met Ben tegen vreemden praatte en aan alles meewerkte. Na al die jaren dat ik met hem uitstapjes had gemaakt waarbij George het zo moeilijk had gevonden om tussen de mensen te zijn, speelde hij het eindelijk klaar. Hij en Ben waren net Butch Cassidy en de Sundance Kid: een volmaakt paar.

Ik moest mezelf beheersen. Ik ging al jaren naar de kerstconcerten en ik kon gewoon niet geloven dat ik nog steeds snakte naar iets waarvan ik best wist dat het nooit zou gebeuren. Al die tijd dat hij op de lagere school had gezeten had ik geen concert van George gemist en iedere keer opnieuw zag ik hoe zijn klasgenootjes het podium opkwamen en de zaal in tuurden op zoek naar hun vader of moeder om ze vervolgens geruststellend toe te lachen. Toen George nog klein was, had ik altijd gehoopt dat hij hetzelfde zou doen. Maar hoewel ik, toen hij ouder werd, begreep dat hij dat nooit zou doen, voelde ik toch ieder jaar opnieuw een steek in mijn hart. Ondertussen zat ik me gewoon aan mezelf te ergeren: waarom kon ik toch niet accepteren dat George zoiets nooit zou doen? Ik kon hem niet anders maken dan hij was en George wist best dat ik in de zaal zat. Dat was het enige dat telde. Als hij zo meteen het podium op kwam, wist hij dat ik naar hem zat te kijken. Daarna zouden we lekker naar huis gaan, samen met Ben een broodje eten en naar buiten stappen om de lichtjes van het wonderland aan te doen.

George was al weken aan het repeteren. In het begin had hij tegen me gezegd dat hij niet mee zou doen aan het concert, omdat hij niet wilde dat er mensen naar hem zaten te kijken. Daarna vertelde hij me dat het hem de keel uithing dat hij steeds zijn lunchpauze moest opofferen voor die repetities, want Marjorie Kinnan pakte het ieder jaar met Kerstmis groot aan en alle kinderen moesten meedoen. Nu was de grote dag aangebroken en ik had vlindertjes in mijn buik en hoofdpijn van de zenuwen. Zou George meezingen? Of zou hij dat weigeren en gewoon zonder zijn mond open te doen tussen zijn klasgenoten staan? Een paar kinderen die een instrument bespeelden, verzorgden het voorprogramma terwijl de ouders wachtten tot het concert zou beginnen. Toen de andere leerlingen het podium op kwamen, rekte ik me uit om George te zien. Ik wist niet wanneer hij op zou komen dus mijn ogen vlogen van links naar rechts tot ik hem zag.

George liep met gebogen hoofd. Hij had een kaarsje in zijn hand en droeg een rood T-shirt. Ik wilde ontzettend graag dat hij mee zou zingen, en nadat hij zijn plaats op het podium had ingenomen en de muziek begon, keek ik naar hem alsof ik hem kon dwingen om mee te doen toen zijn klasgenoten begonnen te zingen. Ineens deed hij zijn mond open, en terwijl de opwinding door me heen gierde, maakte ik de grootste fout die een moeder kan maken: ik stak mijn hand op en zwaaide. Ik kon me gewoon niet inhouden omdat ik ineens weer moest denken aan al die schoolevenementen waaraan hij niet had deelgenomen en aan al die concerten en toneelstukjes waarbij hij stokstijf en zwijgend was blijven staan. Nu deed George eindelijk mee.

Het moment dat hij mijn hand omhoog zag gaan, vlogen zijn wenkbrauwen ook omhoog en ik hield meteen op met zwaaien om hem niet van zijn stuk te brengen. Maar ik kon mezelf maar met moeite inhouden toen ik hem zag zingen, en op het moment dat de muziek ophield, sprong ik op en begon zo hard te klappen dat ik even bang was dat mijn handen eraf zouden vallen. George keek om zich heen naar de zaal vol mensen. Ik wist dat hij het geluid van het applaus niet prettig zou vinden, maar terwijl ik opgewonden heen en weer schoof en het gevoel had dat ik van verrukking zou ontploffen keek hij naar me. En toen zijn ogen de mijne ontmoetten, verscheen er ineens een glimlach om zijn mond.

Deze Kerstmis kon niet meer stuk.

Toen het concert voorbij was en ik mezelf in bedwang moest houden omdat George vast en zeker nooit meer mee zou doen als ik er zo'n drukte over maakte, gingen we naar huis. Het was vreemd stil in huis toen we door de voordeur naar binnen kwamen. Meestal kwam Ben naar de deur hollen om ons te begroeten, maar die avond was hij nergens te zien.

'Baboe?' riep George voor we hem gingen zoeken.

Ben was niet in de woonkamer en niet in de keuken, de stoel op mijn slaapkamer boven was leeg, hij lag niet op zijn kussen en hij was ook niet in Georges kamer. Terwijl ik verder bleef zoeken, ging George naar beneden om daar nog eens rond te kijken.

'Hij hangt in de boom!' hoorde ik hem roepen voordat hij in lachen uitbarstte.

Ik holde de trap af naar de woonkamer, maar ik zag Ben nergens.

'Daar!' zei George, wijzend naar de bijna twee meter hoge boom die in een hoek van de kamer een ereplaatsje had gekregen.

Mijn ogen gleden omhoog – en nog verder omhoog – tot ik

Bens groene ogen helemaal boven in de boom naar me zag staren. Hij zat omgeven door lichtjes en ballen naar beneden te kijken. Temidden van al dat engelenhaar en de kerstboomdecoraties was Ben een echte kerstkat die vanaf zijn plekje hoog in de kerstboom op ons neerkeek en miauwde. George en ik barstten allebei in lachen uit.

'Volgens mij vindt hij die boom leuk, mam,' zei George.

'Een beetje al te leuk,' beaamde ik. 'Zullen we hem er nu dan maar uithalen?'

DEEL DRIE

Ben verdwijnt

Veertien

Misschien waren de maanden na het winterwonderland echt de mooiste die George en Ben samen hadden, of misschien denk ik dat alleen maar. Want toen we in september 2009 op vakantie zouden gaan, was ik een beetje bang dat George niet bij Ben weg zou willen, omdat ze inmiddels nog onafscheidelijker waren dan daarvoor. Maar een vriend die ik tijdens een langdurige ziekte had verzorgd wilde ons meenemen naar Egypte en ik wist dat voor George een droom zou uitkomen als hij eindelijk met eigen ogen de blauwe zee en de vissen zou zien die hem al zo lang boeiden. Op de een of andere manier moest ik hem overhalen om mee te gaan. Aanvankelijk lukte dat totaal niet, George wilde er niets van weten. Hij piekerde er niet over om Ben achter te laten. Pas toen Howard aanbood om terwijl wij weg waren in ons huis te trekken en voor Ben te zorgen, gaf hij eindelijk toe. In de wetenschap dat Ben lekker in zijn eigen huis kon blijven, wilde George wel mee. Nu stonden onze koffers bij de voordeur te wachten terwijl wij nog even naar boven liepen om afscheid te nemen.

Ben lag op zijn roze dekentje te slapen toen we mijn slaapkamer binnen liepen. Hij lag op het bed en zag er zo vredig uit dat ik hem niet wakker wilde maken en mijn hart kromp samen toen ik naar hem keek. Twee weken leek ineens ontzettend lang terwijl ik daar met George aan het voeteneind van het bed stond.

'Hierna ga ik nooit meer van huis,' zei George. 'Hij weet dat we weggaan. Ben heeft verdriet. Daarom blijft hij slapen, snap je wel, omdat hij weet dat we hem in de steek laten.'

'Er wordt goed voor hem gezorgd,' antwoordde ik. 'Hij blijft gewoon hier, samen met je vader, en hij zal nauwelijks merken dat we weg zijn. We kunnen hem iedere dag opbellen, dan kan papa de luidspreker van de telefoon inschakelen, zodat Ben toch onze stemmen kan horen. Hij zal het prima hebben.'

Toen George heel voorzichtig op de rand van het bed ging zitten, deed Ben zijn ogen open. Hij keek ons aan en liet een lange miauw horen. Het was de miauw die hij gebruikte om ons te begroeten, een lange met twee toonhoogtes die hij altijd liet horen als we na een van onze uitstapjes weer thuiskwamen. Verder had Ben nog een lange, toonloze miauw die hij gebruikte als hij niet blij was en een kortere om 'hallo' en 'ja' te zeggen.

'Ik breng een heleboel cadeautjes voor je mee als we weer thuiskomen,' zei George terwijl hij Ben oppakte. 'En ik breng ook wat zand van bij de zee mee.'

De tranen sprongen hem in de ogen en ik vroeg me ineens af of we eigenlijk wel weg moesten gaan. Was het verkeerd van me om te denken dat deze reis iets was wat we samen moesten beleven? Of had ik gewoon thuis moeten blijven, waar ik wist dat George en Ben gelukkig zouden zijn? Ik prentte mezelf in dat ik moest ophouden met dat gepieker. Ik wist best dat we elkaar zouden missen, maar we konden een reis die George zich altijd zou herinneren toch niet door onze vingers laten glippen? Als hij in Egypte aankwam, zou hij het daar vast prachtig vinden en met volle teugen genieten.

Ik zou zelf ook blij zijn dat we even weg konden, want om een of andere reden die mij boven de pet ging, scheen een man uit de buurt echt een hekel te hebben gekregen aan George en mij. Ik wist niet waarom, maar het leek net alsof hij ons met opzet steeds dwarszat. De zaak was inmiddels al zo uit de hand gelopen, dat ik het bijna eng vond om het huis uit te gaan. Het leek net alsof hij me altijd in het oog hield en daardoor voelde ik me helemaal niet meer op mijn gemak.

In het begin probeerde ik hem te negeren, in de hoop dat de man het op zou geven als hij geen reactie kreeg. Maar toen stopte de schoolbus van George 's middags een keer voor ons huis en gebeurde er iets waardoor ik besefte dat ik niet langer de andere kant op kon kijken.

Ik stond boven de was te vouwen toen ik de bus hoorde aankomen en Ben draaide om mijn voeten toen ik naar het raam liep om mijn hand op te steken. Maar net toen ik iets naar George wilde roepen, zag ik dat de man op het trottoir voor ons huis bleef staan. En hij begon te lachen toen George langs hem heen liep.

'Hé, mongool!' riep hij plotseling. 'Heb je vandaag op school nog iets geleerd? En heb je lol gehad in die gekkenbus met die andere mongolen?'

Ik bleef roerloos staan.

'Het is een bijzondere bus,' hoorde ik George tegen de man zeggen terwijl hij naar de voordeur liep. 'De bijzondere bus van mijn school voor bijzonder onderwijs.'

'O ja. Heel bijzonder. Speciaal voor mongolen.'

Ik voelde de woede in me opwellen toen ik zag dat de man weer begon te lachen. Waar haalde hij het lef vandaan om zoiets tegen George te zeggen? Waar haalde hij het lef vandaan om een kind op die manier aan te spreken? George zei niets toen ik de voordeur opendeed en hem binnenliet.

'Waarom ga je niet lekker tv kijken, dan haal ik iets te drinken voor je,' zei ik. Ik trok de deur van de woonkamer achter hem dicht en liep meteen weer naar buiten, waar die man nog steeds stond. George zou in de toekomst moeten leren voor zichzelf op te komen, maar die middag hoefde dat nog niet. Ik had er genoeg van.

'Ik heb gehoord wat je zei en je maakt me kotsmisselijk,' riep ik de man na toen hij verder liep. Hij draaide zich om en lachte. Ik voelde dat ik nog kwader werd. Ik wist precies wat voor vlees ik in de kuip had: zo'n vent die altijd met iedereen overhoopligt, die de draak steekt met mensen die zwakker zijn dan hij en die dit soort huurwijken een slechte naam geven.

'Je zou je moeten schamen,' riep ik, terwijl ik nog driftiger werd. 'Je bent een hork. Hoe durf je dat soort dingen tegen mijn zoon te zeggen?'

De man keek me aan. Hij leek een stuk minder dapper toen hij zag hoe woest ik was.

'Laat mijn zoon met rust,' zei ik tegen hem. 'Het is gewoon walgelijk dat je dat soort dingen tegen hem zegt, en als je dat nog eens doet, krijg je met mij te maken. Ik weet niet wat we jou ooit hebben misdaan, maar wat het ook is, je hangt me de keel uit. Laat ons met rust.'

Meteen daarna draaide ik me met een ruk om en liep weer naar binnen. Waarschijnlijk had ik me net een boel moeilijkheden op de hals gehaald, maar ik was niet van plan om mijn mond te houden. Die man moest weten wat wel en wat niet kon.

George stond op me te wachten toen ik weer binnenkwam. Hij had bij het keukenraam gestaan en alles gehoord.

'Trek je er maar niks van aan, mam,' zei hij tegen me. 'Het kan me niks schelen. Het is gewoon zielig om de mensen bij mij in de bus mongolen te noemen.'

Ik haalde diep adem terwijl ik probeerde mezelf in bedwang te houden.

'Sommige kinderen bij mij in de bus zijn echt niet goed,' zei George. 'Maar dat geldt niet voor mij.'

Hij liep terug naar de zitkamer en zei onderweg tegen Ben: 'Dat heet een lafaard. Als je probeert iemand die niets terug kan doen te pakken te nemen. Lafaard, lafaard.'

We praatten er verder niet over en ik hoopte dat George het zou vergeten, want als hij zich zorgen ging maken kon het dagen duren voordat hij weer kalm werd en dan sliep en at hij nauwelijks. Maar hoewel George geen woord meer over het voorval zei, had het hem duidelijk wel aangegrepen.

'Begrijpt hij het wel? Begrijpt hij het?' zei hij in de dagen erna tegen Ben. 'Weet hij wel wat die kinderen meemaken? Weet hij dat wel?'

De man had George zelf niet overstuur gemaakt. Maar hij kon gewoon niet begrijpen dat hij zo akelig kon doen over kinderen zoals zijn klasgenoten. Toen de man hem treiterde, wist George best dat hij wreed was. Vandaar dat ik een paar dagen later toch probeerde met hem over het voorval te praten.

'Je zult wel vaker mensen als die man tegenkomen, George, en die moet je gewoon negeren,' zei ik zacht.

George keek naar Ben die de kamer binnen kwam lopen en ons aankeek.

'Dat kan me niks schelen,' zei hij. 'Ze zijn toch hartstikke aardig?'

'Wie?'

'De kinderen bij mij in de bus. Zij kunnen toch niet helpen dat ze zo geboren zijn? Nee. Het zijn brave zielen.'

'Weet je wat een ziel is, George?'

'Ja. Een wezen dat bij je vanbinnen zit.'

Ben sprong naast hem op de bank en begon te spinnen terwijl hij zich opkrulde. Omdat ik wist dat ik George niet moest vragen hoe hij zich voelde besloot ik om hem te vertellen hoe ik het had ondergaan.

'Ik kon wel huilen toen ik hoorde wat die man over jouw vrienden zei. Dat was helemaal niet aardig.'

George keek me aan. 'Maak je nou maar geen zorgen, mam. De mensen denken dat ze mongolen zijn, omdat Joshua tegen het raam kwijlt. Maar hij is heel aardig. Ik mag hem graag en Ben ook.'

Ben masseerde Georges been met zijn voorpootjes terwijl hij aan het woord was, alsof hij hem wilde verzekeren dat alles best in orde zou komen.

'Tja, als jij en Ben jouw vriendjes in de bus aardig vinden, dan maakt de rest niet meer uit,' zei ik.

'Het zijn brave zielen, echt waar.'

'Ik weet het, George.'

'Brave zielen.'

Maar terwijl George het voorval scheen te vergeten gold dat niet voor de man en het begon steeds meer uit de hand te lopen toen hij probeerde zelfs Ben in de ruzie te betrekken.

'Wat zou die knul van jou zonder die kat moeten beginnen?' zei hij bijvoorbeeld honend als ik voorbijkwam. 'Zonder dat beest zou hij helemaal verloren zijn, hè? Hij doet alles samen met die kat.'

Of ik hoorde hem lachen als hij langs ons huis liep.

'Poes, poes, poes,' hoorde ik hem dan roepen. 'Kom je niet buiten spelen?'

Ben bleef altijd bij de man uit de buurt omdat hij precies wist hoe hij was, en ik hield verder mijn mond tegen hem. Zolang hij zijn mond hield tegen George konden we hem beter negeren, want dan zou het spelletje dat hij probeerde te spelen hem vanzelf de keel uit gaan hangen. Dat hoopte ik tenminste. Desalniettemin slaakte ik een zucht van opluchting toen George en ik naar Egypte vertrokken. Ik had gehoord dat de man tijdens onze afwezigheid zou gaan verhuizen en dat zou dan meteen het einde zijn van al die vijandigheid. Terwijl ik toekeek hoe George Ben bij wijze van afscheid nog eens flink knuffelde, trappelde ik echt van verlangen om weg te gaan.

'Ik hou van jou en jij houdt van mij,' zei George terwijl hij hem stevig vasthield. 'Wil je nog een kusje? Ik ga op vakantie om vissen zoals Nemo te zien. Jij blijft hier en je zult het maar wat druk hebben met papa en de Xbox.'

Ik liep naar het bed en bukte me om Ben zo'n stevige pakkerd te geven dat hij me een tik met zijn poot gaf. Ik zou hem ontzettend missen.

'We moeten ervandoor, George,' zei ik. 'We willen het vliegtuig niet missen.'

'Ik mis je nu al,' zei hij tegen Ben terwijl we naar de deur van de slaapkamer liepen.

We bleven even staan om nog een laatste keer naar hem te lachen.

'We komen gauw weer terug, Baboe,' zei ik tegen hem.

Ben wierp ons nog een lange laatste blik toe met zijn rustige ogen terwijl hij daar op het bed lag.

Veel plezier. Ik red me best hier. Ik zal jullie vast missen, maar ik hoop dat jullie een hartstikke fijne vakantie hebben.

'Ik mis je nu al,' zei George nog eens tegen Ben toen ik de deur zacht achter ons dichttrok.

Het was de avond van onze tweede dag in Egypte en George had van elke minuut aan het strand genoten. We waren een paar uur geleden teruggekomen in ons appartement en hij had me net geholpen de zwerfkatten met wie hij al bevriend was geraakt te voeren.

'Ben zou ook willen dat we voor hen zorgden,' had George tegen me gezegd toen ik wat ham op een bord legde voor de zwervertjes.

Ik begreep hoe hij zich voelde, want ik miste Ben bijna even erg als hij. Het eerste wat ik had gedaan toen we de avond ervoor waren aangekomen, was mam bellen om te controleren of alles in orde was. Zij paste samen met Howard op hem.

'Heeft hij zijn bakje vroeg in de avond wel leeggegeten en ook vlak voordat hij naar bed ging?' vroeg ik. 'Maakt hij een verdrietige indruk of gedraagt hij zich normaal?'

'Met Ben is alles in orde, Ju,' had mam tegen me gezegd. 'Maak je nou maar niet druk.'

Eerder die dag had ik zelfs een sms'je van Wendy gekregen waarin ze me verzekerde dat Ben zich prima voelde en ik prentte mezelf in dat ik moest ontspannen terwijl ik languit op een stretcher ging liggen. Maar het was wel raar zonder hem. Ik verwachtte bijna dat hij ineens ergens op de top van een van de duinen zou opduiken.

Nu ging mijn mobiele telefoon en ik nam afwezig op terwijl ik me Ben voorstelde in een of ander Arabisch gewaad op de rug van een kameel.

'Ju?' zei een stem. 'Met Howard.'

'Hoi!' zei ik terwijl George net uit de keuken kwam. 'Hoe is het met Baboe?'

'Daar wilde ik het net met je over hebben,' zei Howard.

Mijn maag kromp samen. 'Wat is er gebeurd?'

'Ik zou het niet weten, Ju. Maar ik heb hem sinds gisteravond niet meer gezien en ik dacht dat je dat wel zou willen weten.'

'Hoe bedoel je?'

'Ik heb hem zoals gewoonlijk 's avonds laat nog even in de voortuin gelaten, maar toen ik een paar minuten later terugkwam, was hij verdwenen.'

'Hoe bedoel je verdwenen?' vroeg ik. Ik snapte niet waar Howard het over had. Ben ging nooit ergens heen. Iedere avond liep hij onze oprit af, stak de straat over naar Wendy's huis en kwam onder mijn auto door weer terug om op de stoep te gaan zitten. Het was iedere avond hetzelfde ritueel.

'Ik weet het niet,' zei Howard. 'Ik heb gisteravond urenlang naar hem gezocht en vandaag opnieuw. Jouw familie is ook al geweest om te helpen zoeken, net als Wendy en Keith. We kunnen hem gewoon nergens vinden. Het ene moment was hij er nog en een moment later was hij verdwenen. Het is net alsof hij in lucht is opgegaan.'

Dat betekende dat er iets helemaal mis was. Ben liep nooit weg. Hij was al te oud om op avontuur te gaan en hij was niet zo'n kat die dagenlang op jacht ging of bij iemand anders een hapje ging eten omdat hij wel eens iets anders wilde. Hij hield van zijn huis en meestal kwam hij niet verder dan onze eigen tuin of de oprit. Het klamme zweet brak me uit.

'Ik snap er niets van,' fluisterde ik tegen Howard. 'Ben kan niet weg zijn.'

'Ik weet het, Ju. Maar hij is echt verdwenen.'

Ik hoorde nauwelijks wat Howard verder te zeggen had en ik was verdoofd toen ik de verbinding verbrak nadat hij me had verzekerd dat hij me later terug zou bellen als er nieuws was. Ik was er duizelig van.

Ben kon niet verdwenen zijn. Dat hij was weggelopen bestond gewoon niet. We konden niet zonder hem. Dat was gewoon onmogelijk. Hij moest weer thuiskomen.

Ik begon onwillekeurig te snikken en mijn adem ging snel en gejaagd. Ik was misselijk. Nadenken was onmogelijk. Dit kon niet waar zijn.

'Mag ik een glaasje sap, mam?' vroeg George terwijl hij de keuken in liep.

Ik kon niets uitbrengen toen hij naar mijn bleke gezicht staarde. Ik moest naar huis. Ik moest op zoek gaan naar Ben. Hij zou toch ergens moeten zitten. Hij kon niet zomaar in lucht zijn opgegaan. Maar ik kon George niet vertellen dat Ben vermist werd.

'Mam?' zei hij nog eens.

Ik keek naar zijn gezicht dat zo kalm en gelukkig stond. Hoe moest ik hem dit nieuws vertellen? Zou ik de woorden wel kunnen vinden om uit te leggen dat Ben was verdwenen en hem te verzekeren dat we hem weer terug zouden vinden? Maar terwijl ik George aankeek en me afvroeg wat ik moest zeggen, wist ik al dat woorden niet kunnen voorkomen dat je hele wereld instort. Zeker niet als je weet dat dat ieder moment kan gebeuren.

'Baboe! Baboe!'

Het begon net licht te worden toen George en ik over de oever van de rivier naar beneden klauterden. We waren een paar uur eerder teruggekomen van vakantie nadat we met spoed een terugvlucht hadden geboekt. Ik wist dat er mensen waren die nooit een vakantie zouden afbreken om op zoek te gaan naar hun kat, maar we hadden geen andere keus. Daar had ik de steken die ik in mijn hart voelde niet voor nodig. Ben betekende oneindig veel meer voor George en mij dan zomaar een kat. We hielden evenveel van hem alsof hij een mens was en ik kon geen minuut langer in Egypte blijven in de wetenschap dat hij vermist werd.

Het nieuws was zo uit mijn mond gerold toen George me daar vond met de telefoon in de hand nadat ik Howard had gesproken. Ik huilde en trilde terwijl ik hem alles vertelde en mijn hele lijf schokte van de snikken. George keek me alleen maar aan. Hij had me nooit eerder echt zien huilen.

'Ben wordt vermist,' flapte ik eruit. Nadenken was er niet meer bij.

George was even stil, voordat hij zijn mond opendeed.

'Dan zal hij wel dood zijn,' zei hij en liep weg.

Zijn woorden troffen me diep in mijn hart en ik bleef bewegingloos staan terwijl George naar de badkamer liep en de deur dichttrok. Dat kon gewoon niet. Dat was onmogelijk. Ben kon niet dood zijn. Ik wist dat ik me moest beheersen. Ik haalde diep adem en deed mijn best om op te houden met huilen voordat ik weer met George zou gaan praten.

Nadat ik hem had overgehaald om uit de badkamer te komen, zei ik dat hij moest gaan zitten, en hij keek naar mijn gezicht dat rood en vlekkerig was van de tranen. Ik wist dat hij dat eng zou vinden en ik zuchtte opnieuw diep om zo normaal mogelijk te kunnen klinken.

‘Ik ga naar huis om Ben te zoeken,’ zei ik ten slotte. ‘Ik weet zeker dat ik hem zal kunnen vinden.’

George stond op en een minuut later hoorde ik een rammelend geluid toen hij weer opdook en zijn koffer achter zich aan sleepte. Hij had een paar T-shirtjes in zijn hand en ik wist dat ik ons zo gauw mogelijk aan boord van een vliegtuig richting huis moest zien te krijgen.

Het had nog twee dagen gekost om dat allemaal te regelen en George had zijn mond nauwelijks opengedaan terwijl we zaten te wachten. De tijd was voorbij gekropen, terwijl we allebei in gedachten verdiept waren. Het enige waaraan ik kon zien dat George verdriet had en in paniek was, waren zijn handen die verkrampt langs zijn lichaam hingen. Toen hij kleiner was en zich ergens zorgen over maakte, had hij dat ook altijd gedaan. Ik bleef hem maar vertellen dat we Ben wel terug zouden vinden zodra we thuis waren, maar hij wilde niet luisteren.

We hadden geen woord gezegd tijdens de terugvlucht en de rit naar huis. Op het moment dat ik de voordeur opendeed, rende George meteen naar boven om op alle plekjes te kijken waar Ben zich wel eens verstopte en ik was de tuin in gelopen om hem te roepen. Ik wist niet wat ik moest beginnen, maar ik moest iets doen. Hoe langer ik erover had nagedacht, des te vaster raakte ik namelijk ervan overtuigd dat iemand Ben had meegenomen om ons een hak te zetten. Het ene moment had hij voor de deur gezeten en een moment later was hij weg. Iemand moest een streek hebben uitgehaald.

‘Dat zou niemand doen, Ju,’ had mam tegen me gezegd toen ik haar belde om dat door te geven. ‘Dat zou ongelooflijk wreed zijn.’

‘Maar waarom is hij dan verdwenen, mam?’ had ik gejammerd.

‘Misschien is hij gewoon in een opwelling weggelopen toen jij en George waren verdwenen. Je weet hoe katten zijn.’

‘Ben is niet zoals andere katten!’

‘Ik weet het, Ju. Hij komt heus wel terug. Ik weet het zeker.’

Onderweg naar huis had ik me vastgeklampt aan de hoop dat Ben meteen zou komen aanrennen, als hij onze bekende stemmen hoorde. Maar nadat ik hem in de tuin had staan roepen was hij niet komen opdagen en George had hem binnen ook nergens kunnen vinden. Het was weliswaar drie uur in de nacht, maar ik kon niet wachten tot het licht werd om te gaan zoeken, dus ik schoot een jas aan en zei tegen George dat ik naar buiten ging.

'Hij zal wel bij de rivier zijn,' zei hij terwijl hij de trap af liep. 'Daar vindt hij het altijd leuk.'

We moesten toch ergens beginnen te zoeken, dus ik pakte een doos met Bens brokjes en liep samen met George het huis uit. Alles was stil en rustig toen we naar de rivier liepen. Er was geen mens en geen auto te zien. Daardoor kreeg ik het gevoel dat ik alleen met George op de wereld was, op zoek naar degene waarvan we allebei het meest hielden.

'Volgens mij heeft Ben zich verstopt,' zei ik tegen George. 'Hij houdt ons gewoon voor de gek, dus we hoeven hem alleen maar te vinden.'

Maar George bleef drie woordjes voortdurend herhalen terwijl we onderweg waren.

'Hij is dood. Hij is dood. Hij is dood. Hij is dood.'

Die woorden sneden door mijn ziel. George leek ervan overtuigd te zijn, maar ik kon het niet opbrengen om zelfs maar te denken aan de mogelijkheid dat Ben dood was. Ik had het liefst tegen George willen zeggen dat hij daarmee moest stoppen en volhouden dat het gewoon niet kon, terwijl we daar naar mijn gevoel urenlang langs die rivier op en neer liepen, Bens naam riepen en onder ieder struikje keken. Maar hij was nergens te bekennen. Na een paar uur zei ik tegen George dat we naar huis moesten. Hij zei niets toen we terug sjokten, maar toen we thuis waren, liep hij rechtstreeks de tuin in en bleef naar het prieeltje staren, alsof hij zijn vriendje met pure wilskracht wilde dwingen om daar zoals gewoonlijk in te zitten. Alles zag er nog hetzelfde uit – Bens stoel zat onder zijn haren en de stok met zijn muis eraan lag in zijn doos met speeltjes in de zitkamer – maar tegelijkertijd was alles anders. Het huis voelde zo stil en leeg aan zonder Bens gespin of het zachte geluid van zijn pootjes als hij naar ons toe kwam rennen om geknuffeld te worden.

Ik liep naar buiten, waar George nog steeds stond. De zon kwam op en de wolken aan de hemel hadden roze randjes. Vandaag begon een nieuwe dag en dan kon ik echt op zoek gaan naar Ben. Hij moest ergens in de buurt zijn. Wat hem ook was overkomen, hij kon niet ver weg zijn. Ben kon niet zomaar in lucht zijn opgegaan. Iemand moest hem hebben gezien. Ik moest net doen alsof ik een detective was en alle sporen volgen om de persoon te vinden die hem het laatst had gezien, want alleen zo zouden we hem konden vinden.

Toen ik de tuin in liep, draaide George zich om en keek me aan. Zijn blik was ijskoud.

'Jij hebt het gedaan,' zei hij. 'Het komt door jou. Jij wilde weg en nu is Ben verdwenen. Dat is jouw schuld.'

Alles werd koud vanbinnen. Ik wist precies waarom George mij de schuld gaf. Ik was degene die hem had overgehaald om op vakantie te gaan. Ik was degene die tegen hem had gezegd dat Ben best zonder ons kon. Ik werd overmand door schuldgevoelens terwijl ik me afvroeg of George gelijk had. Waarom had ik hem per se willen overhalen om weg te gaan? Waarom was ik niet tevreden geweest met het leven dat we hadden?

George gaf me een harde duw toen hij zich omdraaide om naar binnen te gaan en ik had hem het liefst vastgegrepen toen hij wegliep om te zeggen dat ik mijn best zou doen om Ben zo snel mogelijk terug te vinden. Maar ik kon George niet aanraken, ook al voelde ik me nog zo wanhopig. Er was iets tussen ons veranderd, nu Ben weg was.

Alles leek zo stil, het was net alsof er geen leven meer in ons huis zat. Het voelde heel onwerkelijk aan, niet te bevatten. Ik snapte niet waarom Ben niet gewoon miauwend naar me toe kwam rennen of lekker languit op een van de terrasstoelen lag om de eerste zonnestraaltjes op te vangen. Ik liep langzaam naar binnen en de trap op naar Georges kamer. De deur zat dicht en erachter was geen geluid te horen. Ik haalde diep adem.

'Ik zal Ben vinden,' zei ik. 'Dat beloof ik je.'

De deur bleef dicht.

'Nee, dat lukt je toch niet,' hoorde ik George even later zeggen.

'Jawel. Dat beloof ik je. Ik zal Ben vinden en hem weer thuis brengen.'

Ik liep terug over de overloop en bleef voor de deur van mijn slaapkamer staan. Bens dekentje lag nog steeds op mijn bed, net als bij ons vertrek, en ik dacht terug aan de laatste keer dat ik hem daarop had zien liggen, een paar dagen geleden. Daarna dacht ik aan George en aan de belofte die ik had gedaan, een belofte waarvan ik niet zeker wist of ik die zou kunnen nakomen. Ik wist alleen maar dat het moest. Want Ben was niet zomaar een kat, zie je, hij was Georges toegang tot de wereld, de sleutel van de deur die hem had opgesloten. Jullie kunnen het maf vinden, maar hij was mijn tweede zoon, dus moest ik wel naar hem op zoek nu hij vermist werd. Want ik kan jullie niet vertellen hoe bang ik was dat ik Georges ogen nooit meer zou zien oplichten als ik dat niet zou doen. Er was maar één manier om dat weer voor elkaar te krijgen: ik moest Ben terugvinden.

Vijftien

George was de volgende dag in zijn slaapkamer blijven zitten en weigerde tevoorschijn te komen, terwijl er steeds meer mensen kwamen opdagen om me te helpen met de zoektocht naar Ben. Wendy en Keith waren gekomen, mam was er met Sandra en Boy, die zijn taxi een dag aan de kant liet staan, en Nob zou direct vanuit zijn werk naar me toe komen. Terwijl ik druk in de weer was, zeiden ze stuk voor stuk tegen me dat ik niet in paniek moest raken.

'Hij is vast niet ver weg,' zei Boy telkens weer terwijl de printer het ene na het andere exemplaar uitspuugde van de poster die ik had gemaakt met een foto van Ben en mijn telefoonnummer erop.

'Hij is allang weer terug voordat wij die allemaal op kunnen hangen,' zei mam.

Ik wist dat ze vonden dat ik me aanstelde, dat katten wel vaker verdwijnen en dat Ben vast wel terug zou komen, maar ik was ervan overtuigd dat dat niet waar was. Ben was inmiddels al vier dagen spoorloos en ik wist dat hij hulp nodig had. Anders was hij wel weer thuisgekomen. Hij zou nooit bij ons weglopen, daarvoor hield hij veel te veel van George.

Eerder was ik bij George langs geweest en had hem op zijn bed zien zitten met zijn doos waar zijn favoriete glimspulletjes in zaten, alle kristallen, oorbellen en flessendoppen die hij in de loop der jaren verzameld had. Hij had niets willen zeggen. Ik wist dat hij nu boven bezig zou zijn om al zijn kostbare glimmertjes een voor een op een plank te leggen en op die manier orde te scheppen in de chaos die in hem woedde. Hij had zich afgesloten en was helemaal in zichzelf gekeerd, en als ik Ben niet vond, zou ik niet weten hoe ik hem weer zou kunnen bereiken.

Je kunt iets heel kostbaars binnen een seconde kwijtraken en een moment later dringt dat tot je door. Toen ik George gisteravond in zijn ogen had gekeken had ik meteen geweten wat ik verloren had en hoe ver George met hulp van Ben was gekomen. Ik was zo gewend geraakt aan onze kattentaal en de grapjes, aan Georges speciale manier om me te knuffelen en de manier waarop hij over genegenheid praatte, net als aan de avonden dat we samen tv zaten te kijken of oude liedjes zongen, dat ik bijna vergeten was om dankbaar te zijn voor al die dingen. Maar dat was nu allemaal verdwenen, omdat George vond dat het mijn schuld was dat we Ben kwijt waren, en het drong eigenlijk nu pas tot me door hoe gelukkig ik was geweest dat ik dat allemaal had gehad. Ik was bang en in paniek. Ik wist zeker dat George zonder Ben weer precies zou worden zoals hij was geweest voordat Ben in ons leven kwam – een kind dat voor mij bijna een vreemde was – en ik wist dat ik dat niet zou kunnen verdragen.

Ik was de officiële zoektocht naar Ben die ochtend begonnen door hem op te geven bij alle websites voor vermiste huisdieren. Wendy en Keith hadden me daarbij geholpen en zij zouden er ook voor zorgen dat Ben zijn eigen Facebook-pagina kreeg, allemaal in de hoop dat iemand zich plotseling iets zou herinneren als ze een zwarte kat met een wit slabbetje zagen. Ik verzamelde op internet ook een heleboel nuttige tips over hoe je een vermist huisdier moest zoeken. Bens dekentjes hingen inmiddels in de wind aan de waslijn te wapperen, om zijn lucht te verspreiden en hem misschien op die manier terug naar huis te lokken. Ik had zelf het hele huis gestofzuigd en de inhoud van de stofzak bij de rivier rondgestrooid in de hoop dat hij de vertrouwde lucht van thuis zou herkennen. Bovendien hing er een verse makreel aan een touwtje in de tuin, omdat ik ergens had gelezen dat dat misschien zou helpen.

Ik dwong mezelf om me te concentreren terwijl ik posters en folders plastificeerde met de mededeling dat de persoon die Ben vond op een beloning van £250 kon rekenen. Terwijl ik constant aan hem bleef denken hoopte ik dat die beloning de kinderen in de buurt zou aanmoedigen om naar hem op zoek te gaan. Gisteravond was ik ervan overtuigd geweest dat iemand hem met opzet had meegenomen, maar nu moest ik steeds aan al die andere mogelijkheden denken. Lag hij ergens gewond in een greppel? Had iemand hem aangereden? De adem stokte me in de keel bij het idee dat hij ergens alleen en gewond lag te wachten tot wij hem kwamen redden.

Toen de posters klaar waren en iedereen een tas vol had gekregen, gingen we op pad om ze op te hangen. George bleef thuis met mam. We moesten ervoor zorgen dat iedereen op de hoogte was van onze zoektocht, dan zou het vast alleen nog maar een kwestie van tijd zijn voordat iemand belde met de tip die ons naar Ben zou leiden.

Een paar uur later kwam ik weer terug, nadat ik bij cafés en winkels langs was geweest, bij kroegen en postkantoren, bij scholen en bibliotheken, en toen ik uit de auto stapte, zag ik een bekende gestalte door onze straat lopen. Het was de man met wie ik ruzie had gehad. We hadden dan wel geen woord meer gewisseld sinds de dag dat ik hem de mantel had uitgeveegd om wat hij tegen George had gezegd. Nu was ik bereid om met iedereen te praten als er maar een kleine kans bestond dat het zou helpen om Ben te vinden.

'Mijn kat wordt vermist,' zei ik haastig toen de man langs onze oprit liep.

Hij bleef zonder iets te zeggen staan.

'Ik heb overal posters opgehangen, maar als u hem ergens ziet, wilt u me dan waarschuwen?' vroeg ik.

Er verscheen een grijns rond de mond van de man toen ik begon te huilen en de tranen ineens over mijn wangen biggelden terwijl ik hem aankeek.

'Ben is niet zomaar een kat,' zei ik. 'Hij is oneindig veel meer dan dat. Mijn zoon kan niet zonder hem. We moeten hem vinden. George is verloren zonder hem. Ben betekent alles voor ons.'

De man bleef me strak aankijken.
'Veel succes met het zoeken naar je poesje,' zei hij en lachte.
Ik zweer dat ik gewoon het gevoel kreeg dat hij genoot van het feit dat ik verdriet had. Ik werd er misselijk van toen ik hem daar op het trottoir stond na te kijken. Zou hij een idee hebben waar Ben was gebleven? Dat zou ik nooit weten. Maar iemand anders wist het wel, en als ik maar lang genoeg zocht, dan zou ik die persoon wel vinden.

Mijn vrienden en familie wilden me best helpen bij het zoeken naar Ben, maar ze hadden hun werk en ook nog een eigen leven. Toch deden ze wat ze konden. Kayleigh kwam iedere dag na schooltijd naar me toe om me te helpen bij het rondbrengen van de flyers, terwijl Wendy op George paste en Keith alles uitprintte. Mam bracht ook flyers rond en Nob, Tor en Boy hingen allemaal posters op. Zelfs Lewis hielp, en een vriendin van me uit de buurt, Tracey, haar moeder Anne en haar dochter Eliza waren uren bezig op de parkeerplaats van een supermarkt om flyers onder alle ruitenwissers te stoppen. Als de anderen aan het werk waren of op school zaten, ging ik vaak in mijn eentje op zoek naar Ben. Iedere dag begon op dezelfde manier: ik stond op, probeerde George zover te krijgen dat hij ontbeet, wat hij consequent weigerde, en dan kwam mam op hem passen omdat hij nog steeds zo overstuur was dat hij niet naar school kon. Vervolgens ging ik op pad om posters op te hangen en ik zat iedere dag urenlang in de auto om flyers uit te delen op elke plek die ik maar kon bedenken.
Een week nadat we thuis waren gekomen was ik in de wijk toen ik ineens een van onze wijkagenten zag. Ik kende hem vrij goed, omdat hij als hij dienst had vaak bij me langskwam om een kopje thee te drinken of gebruik te maken van het toilet. Toen ik hem zag was ik ongelooflijk opgelucht. De agent leek altijd bijzonder geïnteresseerd in onze wijk en alles wat zich daar afspeelde, dus misschien zou hij me kunnen helpen.
'Ik dacht dat je op vakantie was, Julia,' zei hij toen ik naar hem toe liep. Hij was in het gezelschap van een vrouwelijke agent die ik niet kende.
'Dat was ik ook. Maar nu wordt Ben vermist en ik kan het ge-

voel maar niet van me afzetten dat iemand hem meegenomen heeft. Hij is gewoon in lucht opgegaan. Dat slaat echt nergens op. Hij kwam nooit verder dan het eind van de oprit. Ik hoopte eigenlijk dat jij eens met een paar mensen in de buurt zou kunnen babbelen, om te zien of je iets te weten kunt komen.'

De agent zei niets, maar schuifelde onbehaaglijk met zijn voeten.

'Volgens mij moet je daarvoor ergens anders aankloppen,' zei hij uiteindelijk.

Ik keek hem verbijsterd aan. Ik kende die agent echt goed. Hij had met Halloween bij me thuis gezeten en was altijd bereid om een gezellig praatje met me te maken. En nu wilde hij niet eens een poging doen om me te helpen achter de waarheid te komen. Natuurlijk bedoelde ik niet dat hij iemand moest arresteren of zo. Maar terwijl ik naar adem stond te happen en me afvroeg wat ik moest zeggen, zag ik ineens dat de vrouw naast hem spottend lachte en ineens kreeg ik een rood waas voor mijn ogen.

'Wat is er zo grappig?' snauwde ik.

'O, neem me niet kwalijk,' antwoordde de agente. 'Het komt alleen omdat u op zoek bent naar een kat, en die verdwijnen toch wel vaker een paar weken lang om dan gewoon weer thuis te komen?'

Ik werd er zo langzamerhand doodziek van als mensen dat zeiden, en hoewel de meesten het goed bedoelden, wist ik gewoon dat dat niet voor deze vrouw gold.

'Maar niet mijn kat,' zei ik boos tegen haar. 'Hij zou nooit zomaar weglopen.'

De agente bleef naar me lachen alsof ik niet goed wijs was en toen keek ze naar de flyer die ik haar gegeven had.

'Het spijt me, maar die mag ik niet bij me houden als ik dienst heb,' zei ze en gaf me het velletje papier terug.

Dat was de laatste druppel.

'Dus je bent niet eens bereid om een flyer aan te pakken, vet mormel?' zei ik binnensmonds.

Ik weet dat het schandalig was, maar mijn enige excuus is dat iedereen menselijk is en dat ik gewoon mijn zelfbeheersing verloor. De wijkagent keek me ontzet aan toen ik me zonder verder nog iets te zeggen omdraaide en woedend terugliep naar huis. Ik kon er niet bij dat die agenten geen seconde hadden geaarzeld om nee te zeggen op mijn verzoek om hulp. Natuurlijk wist ik best dat de verdwijning van Ben niet boven aan de lijst van onopgeloste misdaden stond, maar ik begreep niet waarom ze niet gewoon konden proberen om te helpen. De politiek heeft tegenwoordig de mond vol van meer agenten op straat en in de wijk, maar ik woonde toevallig in déze wijk en de agenten schenen zich daar geen moer van aan te trekken. De politie was alleen bereid om met vliegende vaandels de wijk in te rijden als de jongelui uit de buurt een keer over de schreef gingen. Maar goed, nu wist ik waar ik aan toe was. Samen met de andere mensen die van George hielden zou ik zelf moeten proberen om Ben op te sporen.

Een gevoel van opwinding welde in me op toen ik haastig naar de telefoon liep. Nu meer en meer mensen de posters hadden gezien ging de telefoon steeds vaker over, en iedere keer als er werd gebeld, hoopte ik weer dat het de persoon zou zijn die Ben had gevonden.

'Hallo,' schreeuwde een stem toen ik opnam.

Het leek op de stem van een bejaarde man en op de achtergrond hoorde ik een vrouw praten.

'Hou je mond eens, Doris!' bulderde de oude man. 'Dat probeer ik haar nu te vertellen, ja? Geef me dan even de kans.'

'Hallo?' vroeg ik. 'Kan ik u ergens mee helpen?'

'Nee, lieve meid. Maar ik kan jou wel helpen. We hebben die kat van je hier. Hij zit bij ons in de keuken. We hebben die poster van je gezien en we weten zeker dat hij het is. Hij zit me nu aan te kijken.'

'Is hij zwart?' vroeg ik, omdat ik ook al een paar telefoontjes had gehad van mensen die kennelijk niet goed konden lezen en me belden met de mededeling dat ze een grijze of een cyperse kat hadden gezien.

'Gitzwart, meid,' zei de man. 'Wil je hem komen halen?'

Ik schreef haastig het adres op dat hij me gaf en rende vervolgens naar Wendy om te vragen of zij even op George kon komen passen.

Vijf minuten later stopte ik voor een rijtjeshuis met bomen in de tuin en een betegeld paadje dat naar de voordeur leidde. Op van de zenuwen belde ik aan. Zou Ben binnen zitten? Zou ik hem zo meteen mee naar huis kunnen nemen, naar George? Ik had gehoopt dat we hem snel zouden vinden en nu wist ik dat ik gelijk had gehad. Op de een of andere manier was Ben hier beland, hooguit een paar kilometer van huis, en nu zou ik hem weer mee terugnemen naar de plek waar hij hoorde, veilig en ongeschonden na zijn avontuur. De foto die ik op de flyer had gezet was zo duidelijk dat hij het wel moest zijn.

Een bejaarde man met een dikke buik deed open. Naast hem stond een vrouw met wit haar in een halletje met felgekleurd behang dat gewoon pijn deed aan mijn ogen.

'Kom je voor de kat?' vroeg de man. 'Kom maar binnen, meid. Kom binnen. We wisten dat hij het was, zodra we hem in de tuin zagen. Hij komt niet hier uit de buurt, want we kennen alle katten en we hadden hem nog nooit gezien. En hij is heel vriendelijk. Geen zwerver. Ik wist dat hij verdwaald was. Hij was veel te aardig voor mensen om een wilde kat te zijn.'

De man liep voor me uit door de gang en ik werd ineens nerveus. Zou alles in orde zijn met Ben? Hij was inmiddels al meer dan een week weg, dus als hij niets te eten had gehad moest hij wel uitgehongerd zijn. Avond aan avond had ik terug moeten denken aan de tijd dat hij voor het eerst bij ons in de tuin opdook, zo zwak en ziek, zo bang en boos. Door al dat gepieker over hem en de staat waarin hij destijds verkeerde, had ik nauwelijks een oog dicht kunnen doen.

'Hij zit hier,' zei de man. 'Hij is het, hoor, ik weet het zeker.'

Hij deed de keukendeur open. Het was er keurig netjes en op de tafel stond een theepot klaar voor gebruik.

'Daar zit hij,' zei de oude dame glimlachend.

Ik keek naar de hoek, en toen ik een paar grote groene ogen naar me zag opkijken sprong mijn hart op. Maar meteen daarna zag ik ook dat het Ben niet was, ook al wilde ik dat nog zo graag.

'Is het die van jou?' vroeg de man.

'Nee, ik ben bang van niet,' zei ik en hoopte dat ik niet in tranen uit zou barsten.

'Echt niet? Ik was er zeker van dat hij het was. We hebben hem nooit eerder gezien, hè Doris?'

De kat staarde ons aan terwijl we op hem stonden neer te kijken.

'Wat moeten we nu doen?' vroeg de vrouw. 'We waren ervan overtuigd dat het jouw kat was.'

Ik keek het stel aan en wist dat ik niet zomaar kon weglopen, zodat zij met de kat bleven zitten. Ik moest helpen, want misschien was er ergens wel een gezin dat net zo overstuur was als ik terwijl ze op zoek waren naar hun huisdier. Ik hoopte van ganser harte dat het dier gechipt was, net als Ben. Een chip is zo groot als een rijstkorrel, zit vlak onder de vacht van een kat en heeft een nummer dat verwijst naar de naam van het dier en de gegevens van de eigenaar. Iedere dierenarts, elk politiebureau en elk asiel heeft een scanner, dus als een kat verdwaald is, kan degene die hem vindt altijd achterhalen waar hij thuishoort. Maar er zijn niet veel mensen die dat weten. Daarom laten ze dat ook niet controleren, vandaar dat ik wist dat ik er niet blindelings van uit kon gaan dat Ben niet door iemand gevonden was, omdat ik nog geen telefoontje had gehad. Misschien kon ik deze kat helpen weer thuis te komen en zou binnenkort iemand anders hetzelfde voor Ben doen.

Ik pakte de kat op en zette hem in mijn auto om naar de dierenarts te rijden. Maar ik was al een eind onderweg toen ik me ineens afvroeg wat ik moest doen als hij niet gechipt was. Ik kon hem niet mee naar huis nemen. George zou denken dat ik een akelige grap uithaalde of hem probeerde zover te krijgen dat hij een plaatsvervanger voor Ben accepteerde. We waren zelfs gebeld door een heel lieve mevrouw die ons een jong katje aanbood, nadat ze de poster van Ben had gezien, maar ik had haar verteld dat we geen andere kat konden nemen. We wilden alleen Ben.

Maar ik had me geen zorgen hoeven maken. Toen de dierenarts zijn scanner over de kat liet glijden verscheen er een nummer op het schermpje waaraan we konden zien dat hij gechipt was. De dierenarts belde het registratiecentrum, gaf hun het nummer door en kreeg alle gegevens van de kat.

'Hier is het adres,' zei hij en las het hardop voor.

Wacht even. Die straat kende ik toch? Het was dezelfde straat waar het oude echtpaar woonde. De kat woonde nota bene naast hen. Ze hadden dus verdorie gewoon de kat van hun buren opgepakt!

'Van wie is hij dan, beste meid?' vroeg de oude man toen ik weer terugkwam bij hen huis. 'Waar komt hij vandaan?'

Ik wist niet goed hoe ik hun het nieuws moest vertellen.

'Hij komt hier uit de buurt,' zei ik, omdat ik wilde voorkomen dat ze zich gingen generen als ik in details trad. 'Volgens mij moeten we hem maar gewoon weer in de tuin zetten, dan gaat hij vanzelf naar huis.'

'Maar waar woont hij dan precies? Heeft dat chipgeval je dat ook verteld?'

Ik kon niet meer om de waarheid heen. 'Hij is van hiernaast.'

De oude man keek even verbijsterd, voordat hij in lachen uitbarstte. 'Nee, maar! Heb je dat gehoord, Doris? Het is de kat van de buren.'

Het bejaarde echtpaar lachte zich een ongeluk terwijl ik daar op de stoep stond.

'Het spijt me echt ontzettend,' zei de vrouw. 'We hebben je tijd echt verspild, hè?'

Maar dat was niet waar. Zolang er mensen waren zoals zij, die bereid waren om een moment de tijd te nemen om een poster te lezen en de telefoon te pakken in een poging iemand te helpen, wist ik zeker dat Ben binnen de kortste keren thuis zou zijn.

Je staat ervan te kijken hoe aardig wildvreemden kunnen zijn. In de eerste paar weken van mijn zoektocht heb ik fantastische mensen leren kennen, kattenliefhebbers net als ik die allemaal wilden helpen om Ben te vinden. Freda bijvoorbeeld, een oudere dame die me regelmatig belde om te horen of er nieuws was en die me vertelde dat ze voor ons bad. Marina, die bij ons in de buurt woonde en die ook een kat kwijt was, vandaar dat we elkaar op de hoogte hielden van het verloop van onze zoekacties. En Pat, die in Isleworth woonde had een groot aanplakbord in haar tuin gezet waarop vermiste katten konden worden vermeld. Zij hielp gezinnen die niet wisten wat ze zonder hun huisdier moesten beginnen.

En dan had je mensen die de poster hadden gezien en die me allerlei tips door wilden geven die misschien konden helpen om Ben te vinden, omdat ze wisten hoe bezorgd we om hem waren. Ze hadden eens moeten weten. Ik was niet alleen bezorgd, ik begon steeds wanhopiger te worden omdat George de deur niet meer uit wilde en helemaal niets wilde doen. Hij speelde niet en ging de tuin niet meer in. Hij zat daar maar uur na uur in zijn slaapkamer, en een paar dagen nadat we thuisgekomen waren, was hij zelfs helemaal gestopt met eten. Inmiddels dronk hij ook bijna niet meer en ik hield angstvallig de dienbladen met eten in de gaten die ik steeds weer onaangeraakt voor zijn deur zag staan en de glazen water waar hij nauwelijks een slok van had genomen. Hij wilde niets anders dan alleen zijn. Ik had hem alleen maar kunnen overhalen om weer naar school te gaan door tegen hem te zeggen dat Ben dat vast zou willen. Maar desondanks had ik toch aan Maureen, de chauffeur van de schoolbus, moeten vragen om geen muziek aan te zetten zoals ze gewoonlijk deden, omdat George gewoon niet tegen dingen kon die je blij maakten. Hij wilde dat alles even stil en rustig bleef als hij zelf was. Avond aan avond zaten we in dat stille huis – ik in de huiskamer en George boven, in zijn slaapkamer – want alle leven en vrolijkheid was uit ons huis verdwenen vanaf het moment dat Ben weg was.

'Ik haat je,' zei George telkens opnieuw als hij uit school kwam. Dan liep hij naar zijn kamer en liet me met een hol gevoel achter als hij de deur dichtsloeg.

Hem dat te horen zeggen na alle genegenheid van de afgelopen twee jaar was onverdraaglijk, en wat ik ook zei, niets bracht daar verandering in. Ik liet mijn tranen pas de vrije loop als ik alleen was met mijn gedachten en wist dat ik niet alleen Ben kwijt was, maar ook George. Hoe positief ik mijn speurtocht ook benaderde, wat ik George er ook over probeerde te vertellen, hij wilde gewoon niet luisteren. Als hij eindelijk uit zijn slaapkamer kwam, bleef hij beneden ergens op de achtergrond rondhangen terwijl ik posters zat te maken, waar hij dan naar keek en zei dat de foto niet goed was.

'Daar zullen de mensen Ben nooit van herkennen,' zei hij dan, waarop ik hem vroeg wat volgens hem dan de mooiste foto was om voor de posters te gebruiken. Dat bleek een foto van Ben die op zijn geblokte plaid lag. Maar op het moment dat George tevreden was over de posters, verdween hij weer om urenlang in zijn eentje te gaan zitten. Wat hem betrof, was het heel eenvoudig: Ben was weg en dat betekende dus dat hij nooit meer terug zou komen. Binnen een paar dagen nadat we thuis waren gekomen, was George gaan huilen met gierende, heftige snikken zoals ik nooit eerder had gehoord. En toen ik zag hoe hij bijna verdronk in zijn eigen ellende moest ik onwillekeurig terugdenken aan al die jaren waarin ik had gewenst dat George me iets meer emotie zou kunnen tonen. Ik voelde me volslagen hulpeloos. Ik had hem nooit zo meegemaakt. Als kind had George nooit echt gehuild en hij was alleen in tranen uitgebarsten als ik hem bijvoorbeeld vertelde dat mams hond Polly dood was, of dat iemand die hij kende was overleden. George wist best dat dat betekende dat hij hen nooit weer zou zien, maar eigenlijk waren die huilbuien al voorbij geweest voordat ze goed en wel begonnen. Maar nu kon hij de tranen niet inhouden, en ze pleegden zo'n aanslag op zijn lichaam dat hij van top tot teen ging trillen. Ik wilde niets liever dan hem troosten, maar hij was voor mij onbereikbaar terwijl hij rouwde over het verlies van Ben. Op de meest pijnlijke manier die ik ooit had kunnen bedenken werd me getoond hoe groot zijn liefde was. George had ontzettend veel verdriet, meer dan hij ooit had gevoeld, en ik kon niets doen om daar een eind aan te maken.

'Ik krijg geen lucht meer,' zei hij steeds weer als ik iets te eten voor hem neerzette. 'Ik kan niet slikken. Mijn hart zit in mijn keel.'

Soms kwam hij 's ochtends mijn slaapkamer binnen en begon te snikken als hij Bens kussentje op mijn bed zat liggen. Maar hij duldde me niet in zijn nabijheid en hij wilde ook geen woord zeggen, tenzij de woede die hij voelde over alles wat er gebeurd was een uitweg zocht.

'Het is allemaal jouw schuld,' schreeuwde hij dan. 'Ben is weg. Niemand houdt van me. Ik kan de wereld niet meer aan. En dat heb jij gedaan.'

Hoewel ik heel goed wist dat niemand iets kon doen aan de verdwijning van Ben, kon ik me wel vinden in die mening van George dat het mijn schuld was. Ik was degene die bereid was geweest om weg te gaan. Nu kwamen de schuldgevoelens waarmee ik Georges hele leven al had geworsteld, omdat ik me afvroeg of ik op de een of andere manier verantwoordelijk was voor zijn problemen, tien keer sterker terug. Met de komst van

Ben had ik eindelijk het gevoel gehad dat ik iets had gedaan dat echt goed was voor George, maar als hij me nu met dat betraande gezicht en die haat in zijn ogen aankeek, werd ik overstelpt door alle schuldgevoelens die ik vroeger had gehad. Ik wilde hem alleen maar knuffelen en ik was tot alles bereid geweest om zijn verdriet te verlichten. Ik wilde niets liever dan hem troosten. Maar dat kon ik niet en ik voelde me weer precies zoals in die lange jaren toen hij nog jong en volslagen onbereikbaar was: zo hulpeloos en wanhopig dat ik mijn gevoelens nauwelijks onder woorden kon brengen.

'Ik zal hem vinden, dat beloof ik je,' zei ik telkens weer tegen George. 'Ik zal doen wat ik kan. Ik win de staatsloterij en loof een enorme beloning uit.'

'Niet waar! Hij is weg en ik haat je.'

Tegenwoordig sprak George alleen nog tegen me als hij thuiskwam uit school. Zodra hij een voet over de drempel had gezet vroeg hij: 'Heb je hem al gevonden?'

En iedere dag moest ik hem hetzelfde antwoord geven. 'Nog niet. Maar ik blijf zoeken.'

Als ik 's avonds in mijn eentje zat, dacht ik aan een stuk door aan Ben. Ik wilde niets liever dan hem weer horen miauwen, zien hoe het puntje van zijn staart door de deur verdween en voelen hoe zijn zachte pootjes op mijn schoot landden als hij zin had om geknuffeld te worden. Het verdriet om hem was bijna even groot als de heftige paniek die langzaam maar zeker in me opwelde door de toestand waarin George verkeerde. De enige manier waarop ik dat allemaal in de hand kon houden, was door elk telefoontje dat binnenkwam te beantwoorden, in de hoop dat het ons dichter bij Ben zou brengen. Ik werd nu echt om de haverklap gebeld, soms wel dertig keer per dag, en ik reageerde op elke oproep door de persoon in kwestie terug te bellen en voldoende informatie te krijgen om zeker te weten dat de kat in kwestie niet Ben was, of door alle bijzonderheden te noteren en dan zelf naar de bewuste plek te rijden als ik daar niet zeker van was. Ik was iedere dag op pad, vanaf het moment dat George naar school ging tot hij weer thuiskwam, want meestal kon ik de kat waarover was gebeld niet vinden en moest ik dus net zo vaak terug tot ik hem zag. Ik nam meestal voer mee en vroeg de persoon die had gebeld dan om dat op een bepaald tijdstip voor de kat klaar te zetten, in de hoop dat ik hem dan te zien zou krijgen. Ik vroeg ook wel eens of ze hem niet in een garage of een schuur konden lokken, zodat ik hem kon bekijken. Maar vaak was dat niet mogelijk, dus liet ik alles uit mijn handen vallen als ik werd gebeld. Mam begon er inmiddels al aan te wennen dat ik haar midden in de supermarkt liet staan als mijn telefoon ging. 'Ik moet ervandoor,' zei ik dan en holde weg, haar achterlatend bij het schap met de cornflakes.

Er werd zo vaak gebeld omdat ik inmiddels zoveel posters in de buurt had opgehangen dat ik het gebied waarin ik zocht had uitgebreid naar Feltham en Hayes in het westen en Richmond en Chiswick in het oosten. Ik had er zoveel opgehangen dat een man van de gemeente zelfs tegen me zei dat ik een bekeuring kon krijgen voor het vervuilen van de omgeving, maar daar kon ik in ieder geval uit opmaken dat ik een hoop mensen bereikte.

Een van de telefoontjes die ik kreeg, was van een Australische man die me vertelde dat hij iedere ochtend op het station van Osterley de trein naar het centrum van Londen nam, ongeveer zes kilometer verderop. Ongeveer sinds de tijd dat Ben was verdwenen, zag hij daar vrijwel iedere dag een zwart-witte kat naast de spoorbaan zitten. Ik wist dat wilde katten vaak in de buurt van spoorbanen zaten, dus ik vroeg me af of Ben misschien achter hen aan was gelopen. Ik noteerde alle bijzonderheden en pakte toen een stapel flyers die ik in de straten rond het station huis aan huis in de bus stopte.

Binnen een dag kreeg ik al een e-mail van een man die in een van de huizen langs de spoorbaan woonde en regelmatig een zwart-witte zwerver voerde. Maar hoewel ik een paar keer terugging, kreeg ik de kat nooit te zien, dus toen vroeg ik de man of hij geen foto van hem wilde maken als hij hem weer zag. Toen hij me die toestuurde, voelde ik een sprankje hoop. De kat leek inderdaad op Ben, maar ik kon niet met zekerheid zeggen dat hij het echt was, omdat de foto hem van opzij toonde, dus het opvallende witte slabbetje was niet te zien. Maar het was genoeg voor mij om te weten dat ik die kat absoluut moest vinden. Nadat ik een paar keer tevergeefs was teruggegaan, besloot ik dat het tijd was voor een rampenscenario. Ik vroeg mam of ze een nacht wilde komen slapen, omdat ik in het donker in de auto langs de spoorbaan wilde gaan zitten.

'Weet je dat wel zeker, Ju?' vroeg mam toen ik een paar boterhammen en een deken inpakte. 'Wil je daar echt de hele nacht in je eentje gaan zitten?'

'Ik moet wel, mam. Ik wil weten of het Ben is.'

Toen het donker werd, zette ik een bakje voer naast de auto. Het was Bens lievelingseten, dus hij zou meteen aan komen rennen als hij het rook. Maar hoewel er diverse katten kwamen opdagen om snel een hapje te eten, was hij er niet bij. Terwijl de uren voorbijtikten en ik de motor liet lopen om het nog een beetje warm te krijgen in de auto had ik echt het gevoel dat hij ergens in de buurt was. Maar toen ik daar over na zat te denken, besefte ik ineens dat ik een fout maakte. Hoe kon Ben me ooit vinden als ik in een Toyota Aygo bleef zitten?

Nadat ik uit de auto was gestapt bleef ik naar de berm van de spoorbaan kijken. Had hij zich echt hier ergens verstopt? Zat hij onder een struik of in een van die bomen daarginds? Toen ik naar het hek liep dat om de spoorbaan stond, wist ik dat ik gearresteerd kon worden omdat ik me op verboden terrein bevond, maar terwijl ik eroverheen klom, prentte ik mezelf in dat het een noodzakelijke overtreding was.

'Baboe?' riep ik in het donker.

Ik worstelde me door de braamstruiken en voelde de takken over mijn gezicht krabben. Heel even vroeg ik me af wat me in vredesnaam bezielde: iedereen lag lekker in bed te slapen en ik sjokte hier midden in de nacht in mijn dooie eentje over een verlaten spoorbaan, op zoek naar een kat die misschien niet eens Ben was. Maar als ik hem alleen op die manier kon vinden, dan was ik bereid om dat – en nog veel meer – op te brengen, omdat ik zekerheid wilde hebben. Ik moest op elk telefoontje reageren, op elk bericht dat hij ergens gezien was, gewoon omdat ik erin wilde blijven geloven, omdat ik geen andere keus had.

Ik heb urenlang heen en weer gelopen langs die spoorbaan terwijl ik Bens naam riep, maar ik kon geen spoor van hem vinden en uiteindelijk moest ik wel weer terug naar huis. Een paar uur nadat ik de man die de zwerver voerde, had gebeld om te vragen of hij me wilde waarschuwen als hij de kat weer zag, ging de telefoon echter alweer. De man had de kat net gezien. Hij zat op dit moment bij de spoorbaan. Terwijl ik met een noodgang naar Osterley reed, voelde iedere minuut dat ik in de auto zat aan als een uur. Nadat ik de auto had geparkeerd, rende ik naar het hek om de spoorbaan en ja hoor, daar zag ik in de verte een zwarte kat die op zijn dooie gemak in het gras zat. Ik spande mijn ogen in om hem beter te kunnen zien. De kat was zo ver weg, dat ik niet kon zien of het wel of niet Ben was, maar ik wilde hem niet laten schrikken door te snel naar hem toe te lopen.

'Ben?' riep ik. 'Baboe?'

De kat begon langs de spoorbaan te slenteren en kwam steeds dichter bij de plek waar ik stond. Mijn hart sprong op toen ik een spoor van wit op zijn borst zag. Maar op hetzelfde moment bewoog de kat zijn hoofd en ik zag in een flits iets roods om zijn nek. Hij had een halsbandje om. Dus het kon Ben niet zijn. Die droeg geen halsbandje, omdat hij ze er altijd af trok en de dierenarts had ons uitgelegd dat we hem nooit zover zouden krijgen dat hij het omhield, omdat hij er als jong katje kennelijk niet aan gewend was geraakt. Ik kreeg een hol gevoel vanbinnen terwijl ik naar de spoorbaan staarde en wenste dat als ik alleen maar mijn ogen dichtdeed, drie keer met mijn hakken tegen elkaar tikte en ze vervolgens weer opendeed ik Ben voor me zou zien zitten. Maar in plaats daarvan begonnen de tranen over mijn wangen te biggelen. Ik draaide me om en ging naar huis.

Als George thuis was en de telefoon ging, verscheen hij telkens als een schaduw boven aan de trap om te luisteren naar wat er werd gezegd, of hij stond in de hal als ik het antwoordapparaat aanzette.

'Dat is misschien wel onze kat, dat is misschien wel onze kat,' scandeerde hij dan als we de berichten afluisterden.

Meestal probeerde ik hem uit de buurt te houden als ik het antwoordapparaat aanzette, want we hadden een paar vervelende berichten gehad van mensen die ons uitscholden omdat ik een flyer onder hun ruitenwisser had gestopt. We hadden ook een paar telefoontjes gehad die nog verontrustender waren: een van iemand die zei dat ze een zwart-witte kat hadden gezien die van een torenflat af sprong, en een ander van iemand die alleen maar 'miauw' zei tot het hele bandje vol stond met die akelige pesterijtjes. Vandaar dat ik niet wilde dat George meeluisterde, maar als ik probeerde hem af te leiden werd hij vaak zo kwaad dat ik geen andere keus had dan hem alles te laten horen.

Daarom bleef hij ook naast me staan, toen we net thuis waren gekomen en het lichtje op het apparaat knipperde op een koude middag ongeveer drie weken nadat Ben was verdwenen. Vanaf dat moment waren de dagen voorbij gekropen en ik telde ze stuk voor stuk af. Het gevoel van paniek nam toe toen er een week voorbij was en vervolgens twee, en drie. Binnenkort zou Ben een maand weg zijn en het voelde aan als een mensenleven.

Ik drukte op de knop om de berichten af te luisteren.

'Julia Romp?' riep een stem toen het bandje begon te lopen.

Een hoge stem, bijna maniakaal. De persoon in kwestie gilde van het lachen terwijl hij of zij aan het woord was.

'We hebben Benny Boe hier, Julia. Hij is hier bij ons. In onze flat. Hij is zwart met een witte borst en hij is hier. We hebben hem te pakken en je krijgt hem nooit meer terug.'

De persoon begon te giechelen. Het klonk bijna krankzinnig, en terwijl we naar dat afschuwelijke gelach luisterden, zakte George op de grond.

'George?' zei ik, terwijl ik me naar hem toe boog. 'George?'

Hij bleef roerloos liggen en staarde met een lege blik omhoog terwijl ik naast hem op de vloer ging zitten. Ik werd overmand door angst toen ik naar hem keek. Ik had altijd mijn best gedaan om George te beschermen en hem uit de buurt te houden van mensen die het leuk vonden om andere mensen te kwetsen en pijn te doen. Nu had die wereld zich toegang verschaft tot ons huis en dat kon ik op geen enkele manier voorkomen als ik Ben echt wilde vinden.

Georges gezicht was lijkbleek toen ik tegen hem begon te praten.

'Toe nou, lieverd. Zullen we opstaan? Die mensen hebben gewoon een akelige grap uitgehaald. Ze hebben Ben helemaal niet. Luister maar niet naar ze. Ze zijn niet goed wijs. Ze weten niet wat ze zeggen.'

Ik lette goed op dat ik George niet aanraakte. Ik mocht niet meer bij hem in de buurt komen, want vanaf het moment dat we thuis waren gekomen van vakantie was knuffelen taboe en we hadden zelfs niet meer met elkaar gestoeid. Hij sprak ook nooit meer kattentaal tegen me, en toen ik dat zelf een paar keer zonder nadenken had gedaan, had hij me vol walging aangekeken.

'Dat kunnen we nu niet meer doen,' zei hij. 'Ben is er niet bij.'

Op een andere dag had hij per ongeluk zelf iets in kattentaal gezegd en zijn gezicht was doodsbleek geworden op het moment dat hij zijn mond opendeed.

Nu begon George te huilen en kromp in elkaar terwijl hij daar maar op de grond bleef liggen snikken.

'Er zijn heel nare mensen op de wereld,' zei ik rustig tegen hem. 'Maar die hebben Ben heus niet te pakken. Hij zou nooit bij zulke figuren in de buurt komen. Je weet toch dat hij in het hart van mensen kan kijken. Iemand die zo wreed is, zou hij nooit vertrouwen.'

Maar George wilde niet luisteren, en toen hij eindelijk ophield met huilen stond hij op en liep naar de woonkamer.

'Ik moet die berichten afluisteren,' zei ik terwijl ik achter hem aan liep. 'Ik kan ze niet negeren, want er komt een dag dat er een boodschap bij zit van iemand die weet waar Ben is en dan krijgen we hem weer terug.'

George trok de tuindeur open en liep naar buiten, waar hij op zijn tenen over de stapstenen in het gazon liep en op de laatste bleef staan, vlak voor het zomerhuisje, wat Ben altijd de fijnste plek ter wereld had gevonden. Toen deed hij zijn mond open en begon te krijsen.

Zestien

Mijn maag draaide zich om toen ik hoorde wat de postbode te vertellen had. Onderweg tijdens zijn route had hij een kat op straat zien liggen. Aangereden door een auto.

'Een zwart-witte,' zei hij. 'Net als die op de poster.'

'Weet je zeker dat hij dood is?' vroeg ik. Ik kreeg de woorden nauwelijks uit mijn mond.

'Ja. Hij was zwaar gehavend. Hij ligt nog steeds op de weg.'

'Bedankt dat je het me verteld hebt.'

'Het spijt me ontzettend.'

Ik verbrak de verbinding en voelde dat ik beefde toen ik de telefoon opnieuw oppakte om Boy te bellen en te vragen of hij met me mee wilde gaan. In mijn eentje zou ik dat niet klaarspelen, want net zoals ik iedere keer hoopte dat het Ben zou zijn als iemand belde die een kat in de tuin of ergens op straat had zien lopen, zo werd ik nu al ziek van het idee dat hij het zou zijn. Diep in mijn hart had ik op zo'n telefoontje als dit zitten wachten. Ik wist dat katten vaak aangereden werden, en toen de weken voorbijgingen, was ik me gaan afvragen of dat Ben ook was overkomen. Hoe graag ik ook wilde geloven dat iemand hem had gestolen– want dat zou immers betekenen dat hij nog in leven was – ik kon niet blijven doen alsof het onmogelijk was dat hem iets veel ergers was overkomen. Deze kat die dood op de weg lag, mocht Ben gewoon niet zijn, want George had eindelijk wat hoop gekregen dat hij echt weer thuis zou komen.

Het was begonnen met een gesprek dat we midden in een moeilijke nacht hadden gehad. Zoals vrijwel iedere nacht was George bijna voortdurend op geweest, omdat hij ongeveer om het halfuur wakker werd. Omdat we al wekenlang nauwelijks hadden geslapen, waren we allebei doodmoe, en uiteindelijk had ik George zover gekregen dat hij bij mij in bed kroop om te zien of dat zou helpen. Aanvankelijk wilde hij dat helemaal niet, omdat het betekende dat hij aan Bens kant van het bed moest liggen, maar ik had hem toch zover gekregen. Hij was echter binnen de kortste keren alweer op en ijsbeerde heen en weer voor het raam, waarbij hij de gordijnen opzijschoof om naar de donkere lucht te kijken.

'Het is zo donker,' zei George. 'Ik vraag me af of Ben de weg wel kan vinden. Ik zie hem nergens. Is hij koud? Ligt hij bij iemand anders in bed? Heeft hij honger?' Er was geen eind gekomen aan de vragen.

Ik had geprobeerd hem af te leiden. 'Denk je dan dat Ben misschien bij andere mensen is gaan wonen?' vroeg ik.

Eigenlijk had ik daar nooit eerder met George over gepraat, maar ik bleef steeds denken aan al die krantenverhalen over katten die maandenlang vermist werden en vervolgens blakend van gezondheid weer thuiskwamen omdat een vreemde ze had verzorgd. Iedereen bleef maar tegen me zeggen dat zoiets nu ook best het geval kon zijn en inmiddels had ik het idee dat ze wel eens gelijk konden hebben. Hoe meer weken voorbijgingen zonder dat we iets nieuws hoorden, des te banger ik werd, en ik begon zo langzamerhand te geloven dat alles mogelijk was – zelfs dat Ben misschien echt had gedacht dat we hem in de steek hadden gelaten toen we op vakantie gingen en was weggelopen.

'Zou hij bij iemand in de auto zijn gesprongen of in een verhuiswagen en per ongeluk ergens anders terecht zijn gekomen?' vroeg ik aan George. 'Dat soort dingen hoor je wel eens bij het nieuws.'

George bleef strak naar buiten kijken. 'Nee,' zei hij. 'Hij zou nooit bij iemand anders gaan wonen.'

Maar toen ik de volgende ochtend was opgestaan en ontbijt voor George had gehaald, praatte hij weer tegen me.

'Misschien is Ben toch ergens anders gaan wonen,' zei hij stil. 'Misschien heeft Baboe wel een nieuw huis.'

Daaruit maakte ik op dat hij eindelijk een sprankje hoop voelde en dat wilde ik aanmoedigen. We waren nog steeds nergens zeker van en tot die tijd wilde ik dat George bleef hopen – alles was beter dan dat verdriet dat hem met de dag meer energie kostte.

'Als Ben bij andere mensen is, dan vind ik hem,' zei ik tegen hem. 'Anders was hij nu vast en zeker allang weer thuis geweest, dus ik moet hem gewoon ergens ophalen en weer terugbrengen bij jou.'

Maar ik begon ineens te twijfelen toen ik Boy belde en vroeg of hij me kwam ophalen. Was het wel terecht dat ik George aanmoedigde om erin te blijven geloven? We hadden nu al meer dan een maand taal noch teken van Ben gehad. Begon ik soms in luchtkastelen te geloven?

Toen Boy zich meldde, reden we halsoverkop naar het adres dat de postbode me had opgegeven en ik was gewoon misselijk toen we daar aankwamen. Maar het enige wat we aantroffen, was een plas helderrood bloed op het asfalt, de kat was al weggehaald. Ik was het liefst in tranen uitgebarsten toen ik dat zag. Maar we konden niet weggaan zonder te weten of het Ben was geweest of niet. Vandaar dat Boy en ik aan weerskanten van de straat overal begonnen aan te bellen om erachter te komen of iemand wist waar de kat naartoe gebracht was. Terwijl ik bij een van de huizen stond te wachten dacht ik aan George, aan de hoop die hij voelde en aan de zwart-witte kat die zijn leven had verloren. Ik werd bekropen door een gevoel van paniek toen ik bedacht wat het betekende als dit werkelijk Ben was geweest.

'Ik hoop dat u me kunt helpen,' zei ik toen een man opendeed. 'Er is hier een kat aangereden en ik ben naar hem op zoek.'

'Ja die is hier,' antwoordde de man met een ernstig gezicht.

Een meisje en een jongetje stonden naast hem.

'Ik dacht dat het misschien mijn kat was,' zei ik.

'Nee, hoor. Het was onze kat. Ik heb hem in de tuin begraven.'

'Neem me alsjeblieft niet kwalijk dat ik het vraag, maar weet u dat zeker? Ik hoorde dat het dier zwaar gehavend was, dus misschien hebt u zich vergist.'

'Nee. Ik weet het heel zeker.'

Heel even welde een gevoel van opluchting in me op. Meteen daarna schaamde ik me. Hoe kon ik zo blij zijn terwijl dit gezin een huisdier had verloren waarvan ze hadden gehouden?

'Het spijt me ontzettend dat ik u lastig heb gevallen,' zei ik toen de man aanstalten maakte om de deur te sluiten en ik draaide me om.

Later die dag, toen ik mam vertelde wat er was gebeurd, was ik helemaal over mijn toeren en ik struikelde bijna over mijn woorden. Ik vertelde haar dat ik voortdurend aan Ben moest denken en aan wat hem misschien was overkomen. Meteen daarna zag ik dat George achter me bij de deur stond en besefte dat hij alles had gehoord.

'De wereld is krankzinnig geworden,' riep hij uit. 'Auto's vernielen de bomen, er is geen frisse lucht meer en dieren kunnen niet eens meer vrij rondlopen. Waarom kunnen auto's maar zo katten aanrijden?'

'Omdat een ongeluk soms in een klein hoekje zit,' antwoordde ik. 'Dat is naar genoeg, maar wel waar.'

'We zouden eigenlijk een paard en wagen moeten nemen, om andere mensen te laten zien dat dat veel beter is dan een auto.'

'Ik weet niet of dat wel gaat, George.'

'Maar de olievoorraad raakt op. Mensen kunnen niet meer ademhalen. Auto's rijden ons dood. Auto's rijden katten dood.'

In dezelfde trant ging het nog een paar dagen door. Ik probeerde George gerust te stellen en wenste uit het diepst van mijn hart dat hij me niet tegen mam had horen praten.

Maar hoewel ik hem bleef vertellen dat we niet wisten wat er met Ben was gebeurd en de hoop niet mochten opgeven begreep ik ineens dat ik me misschien afschuwelijk vergist had door iets wat George op de dag voor Halloween tegen me zei.

'Maak je geen zorgen, mam,' zei hij.

Het was de eerste keer dat hij op die manier tegen me praatte sinds Ben weg was en ik vroeg me af wat er was gebeurd waardoor hij ineens zo veranderd was.

'Ben komt weer thuis,' zei George tegen me.

Ik snapte niet precies wat hij bedoelde.

'Morgen is hij weer thuis.'

'Hoezo morgen?'

'Omdat het morgen Halloween is. Dan moet hij wel thuiskomen.'

De moed zonk me in de schoenen. George dacht terug aan het feest van vorig jaar en aan het plezier dat we toen hadden gehad. Hij was ervan overtuigd dat Ben thuis zou komen om die dag weer samen met ons te vieren. De hele dag was hij in gedachten verzonken, maar toen de ochtend van Halloween overging in de middag en toen vervolgens de avond aanbrak, zag ik dat George weer in diepe ellende wegzonk. Tor had steeds tegen me gezegd dat ik hem moest blijven geruststellen, dat ik ervoor moest zorgen dat hij niet in de put zou blijven zitten. Maar ik wist dat het inmiddels te laat was om te voorkomen dat George daar weer in terugzakte. Toen het avond was geworden en de kinderen die snoep inzamelden bij ons begonnen aan te bellen, zat George zenuwachtig met zijn vingers te tikken en nerveus te scanderen. 'Zeg dat ze weg moeten gaan,' zei hij telkens als de bel ging. Uiteindelijk deed ik overal in huis het licht uit om te voorkomen dat er voortdurend aangebeld werd. George en ik zaten de rest van die avond in het donker. Het stille huis voelde aan als een graftombe en ik werd overspoeld door schuldgevoelens. Hoe moest ik dit allemaal ooit weer goedmaken als ik Ben niet zou vinden? Hoe zou ik dan de jongen terug moeten krijgen die George kon zijn zoals ik uit ervaring wist? Terwijl ik daar over zat na te denken, drongen er twee dingen tot me door. Ten eerste dat het misschien fout van me was geweest om George aan te moedigen hoop te blijven koesteren en ten tweede dat ik van nu af aan de werkelijkheid niet meer uit het oog mocht verliezen en dat de mogelijkheid bestond dat we Ben niet meer terug zouden krijgen. Maar tot ik dat zeker wist en tot ik ontdekt had wat er precies was gebeurd, bleef ik gewoon geloven dat hij wel terug zou komen en dat zou ik ook tegen George zeggen. Ik moest nu voor ons allebei de hoop levend houden.

Iemand met wie ik tijdens mijn zoektocht naar Ben goed bevriend was geraakt, was een vrouw die Sally heette en die naast haar moeder en tante in Isleworth woonde, vlak bij Hounslow.

We leerden elkaar kennen nadat Sally's moeder me had gebeld om te vertellen dat zij en haar zus sinds eind september een zwart-witte kat hadden gevoerd.

'We weten zeker dat hij van jou is,' zei ze. 'Hij lijkt precies op de kat op die posters.'

Ik ging dus onmiddellijk naar hen toe zoals ik altijd deed, trof de beide dames thuis met hun Schotse terriër en zag meteen dat de kat Ben niet was: het enige plekje wit in zijn vacht was een vlek op het puntje van zijn neus, alsof die in witte verf was gedoopt. Maar de kat zag er zo goed uit dat ik ervan overtuigd was dat ze van iemand was. Er is een groot verschil tussen wilde katten en huiskatten: de eerste zijn mager en piekerig, de tweede zijn goed doorvoed en een stuk dikker. De ene soort gaat er meteen vandoor als er mensen in de buurt komen, de andere blijft gewoon zitten. Vandaar dat ik voorstelde om met het dier naar mijn dierenarts te gaan om te zien of het gechipt was.

'Maak je geen zorgen,' zei een van de dames tegen me. 'Mijn dochter Sally zit momenteel in Amerika, maar ze komt gauw weer thuis en dan zal zij ons wel helpen. Ze werkt al jaren als vrijwilliger bij een asiel, dus zij weet vast wel wat we moeten doen.'

Ik had niet verwacht dat ik nog iets van hen zou horen, maar Sally stuurde me na haar vakantie een e-mail om haar excuses aan te bieden voor de verwarring en vertelde dat ze de kat die de dames gevoerd hadden voorlopig Dizzy zouden noemen. Sally zou voor haar zorgen tot het plaatselijke asiel een nieuw huis voor de kat had gevonden en het verhaal van Dizzy kreeg al snel een happy end. Een gezin dat tijdens de terugreis uit Amerika in het vliegtuig naast Sally had gezeten en dat maar een paar kilometer verderop woonde, was bereid om Dizzy in huis te nemen.

Hij was niet de enige kat die ik leerde kennen die dankzij vreemden een nieuw leven kon beginnen, en drie van de meest gelukkige in dat opzicht waren Monty, Socks en Prudence. Ze waren van een vrouw die Mavis heette. Ik ging op een avond in november samen met Wendy naar haar toe, omdat Mavis had gebeld met de mededeling dat zij een zwervertje voerde dat volgens de beschrijving wel eens Ben zou kunnen zijn. De deur van haar huis werd opengedaan door een vrouw van een jaar of zeventig, met keurig kortgeknipt zilverwit haar. Mavis zag er bijzonder goed uit en hetzelfde gold voor haar huis. Alles was piekfijn in orde en het rook er naar schoon wasgoed. In een hoek van de keuken stond een opgeklapte strijkplank.

Mavis vertelde ons dat de eerste kat die ze opgenomen had een zwerver was die ze Monty had genoemd toen hij vier jaar geleden bij haar kwam wonen. Daarna had ze een kat in huis genomen die ze Prudence noemde en die op sterven na dood was geweest toen ze haar vond.

'Ik kan jullie helaas vandaag niet aan Prudence voorstellen,' zei Mavis tegen Wendy en mij. 'Ze is oud en doof en ze moet niet veel van vreemden hebben. Ze woont in een van de slaapkamers boven en ze gaat nooit naar buiten.'

Ik kon merken dat Mavis haar katten echt in bescherming nam, vooral Prudence. De laatste nieuwkomer was een zwart-witte kat die Socks heette en die Mavis had gevoerd sinds hij een paar weken geleden ineens in haar tuin opdook. Hij was degene die ze me wilde laten zien, want hoewel Mavis niet echt geloofde dat het Ben was, wilde ze toch dat ik voor alle zekerheid zelf even naar hem keek.

'Zo meteen is het tijd voor zijn vis,' zei ze tegen hem. 'Dat krijgt hij elke dag vroeg in de avond op de vlonder.' De vlonder was een planken vloertje vlak bij de achterdeur.

Socks kwam inderdaad binnen de kortste keren opdagen, en zoals Mavis al had vermoed, was het niet Ben. Ik werd ineens weer een beetje triest. Het was inmiddels bijna twee maanden geleden dat we hem voor het laatst hadden gezien, maar ik hoopte nog steeds dat elke kat waarover ik werd gebeld Ben zou zijn. Ik kon maar niet uit mijn hoofd zetten dat ik hem zou vinden als ik maar lang genoeg zocht. Maar ik onderdrukte het trieste gevoel toen we met Mavis stonden te praten. Ik zag dat ze zich zorgen maakte over Socks, omdat ze er zeker van was dat hij ergens thuishoorde.

'Als mijn Monty wegliep, zou ik dolgraag willen dat iemand controleerde of hij gechipt was, maar ik krijg Socks gewoon niet te pakken,' zei ze tegen ons.

Ik begreep precies hoe ze zich voelde.

'Zal ik hem dan vangen en hem meenemen naar de dierenarts om dat te controleren?' vroeg ik en dat vond Mavis prima.

Er was een reden waarom ik dat kon aanbieden. Ik was zo vastbesloten om het mysterie van de vermiste kat op te lossen, dat ik me niet langer alleen maar om Ben bekommerde. Toen ik zoveel zwervers onder ogen kreeg, was ik begonnen om een aantal van hen te vangen en naar de dierenarts van het asiel bij ons in de buurt te brengen om te controleren of ze gechipt waren. Ik hoopte dat ik ze op die manier weer thuis zou kunnen brengen. Jammer genoeg had geen van de zes katten die ik had gevonden een chip, dus had ik ze op advies van het asiel teruggebracht naar de plek waar ze vandaan kwamen. Vandaar dat ik Mavis wel zou kunnen helpen. Ik zei tegen haar dat ik de volgende dag terug zou komen met een reismand en een paar handschoenen, want inmiddels had ik wel geleerd om voorzorgsmaatregelen te nemen als ik een kat wilde vangen. Ik maakte me dan ook geen zorgen of ik Socks wel te pakken zou krijgen, ik wist waar ik aan begon.

De volgende dag ging ik terug naar Mavis en vroeg haar om een schoteltje met vis in de keuken te zetten, om Socks naar binnen te lokken. Ondertussen zou ik me achter de deur verstoppen. Zodra hij binnen was, zou zij die dichtgooien en dan kon ik hem pakken.

Ons plan verliep gesmeerd. Socks kwam keurig op tijd opdagen en bleef even snuffelend op de drempel staan voordat hij naar binnen stapte. Mavis smeet als de gesmeerde bliksem de deur dicht en ik probeerde Socks te pakken. Maar op het moment dat hij besefte dat hij in de val zat, werd Socks wild. Ik had nog nooit zoiets gezien. Hij maakte een luchtsprong, kwam op het aanrecht terecht, sprong weer op de vloer en ging op zijn achterpoten staan om mij aan te vallen, met opgetrokken lippen en zijn nagels in de aanslag. Het leek wel alsof ik een tijger probeerde te vangen. Ik had wel eens gehoord dat katten konden spugen, hoewel ik dat zelf nog nooit had gezien, maar Socks deed het dus. Uiteindelijk kon ik hem tegen de grond drukken door hem in zijn nekvel te grijpen en zo schoof ik hem de reismand in. Het was allemaal uiteraard voor zijn eigen bestwil, maar Socks begreep dat natuurlijk niet, en toen ik de mand in mijn auto had gezet, slaagde hij er op weg naar de dierenarts bijna in om het deurtje te slopen. Hij was de 'Incredible Hulk' onder de katten.

Nadat ik Socks mee had genomen naar de dierenarts van het asiel dat ik dankzij Sally had leren kennen, het Animal Rescue Centre in Twickenham, kreeg ik te horen dat hij niet gechipt was. Socks had ook wat gezondheidsproblemen en hij moest gecastreerd worden omdat de dierenarts bijna zeker wist dat hij wild was. Daarna zou Socks ergens bij moeten komen van de operatie en ik besloot om hem zelf mee naar huis te nemen, omdat Mavis bejaard was en al twee andere katten had waarvoor ze moest zorgen. Maar ik was wel een beetje ongerust over de reactie van George. Ik had al eerder drie zwerfkatten een nachtje in huis had gehad voordat ik ze terugbracht naar de plek waar ik ze had gevonden, maar geen enkele kat was langer bij ons gebleven.

'Mijn moeder zorgt alleen nog maar voor de katten van andere mensen,' zei George boos tegen Nob nadat ik met Socks thuis was gekomen en hem in een mandje in het toilet op de benedenverdieping had gezet. 'Ze geeft niks meer om Ben.'

'Natuurlijk wel,' zei ik tegen hem. 'Maar Socks heeft een naar leven achter de rug, net als Ben voordat hij bij ons kwam. Hij heeft geen mama en papa die voor hem kunnen zorgen.'

'Je geeft niks meer om hem!' schreeuwde George. 'Je bent hem vergeten.' Hij duwde me opzij om naar boven te lopen en ik keek hem na. Georges woedeaanvallen werden met de dag erger en ze deden me denken aan de moeilijkste dagen uit zijn jeugd. Hij liep over van woede en frustratie, precies zoals hij destijds had gedaan, en dat was allemaal mijn schuld, want ik was degene die per se op vakantie had gewild. Om George zo met zijn verdriet te zien worstelen was bijna onverdraaglijk.

Het was een moeilijke week waarin Socks weer op verhaal moest komen. George wilde zelfs niet naar hem kijken. Socks was een kat en Ben was altijd veel meer dan dat geweest.

'Ik hoef hem niet te zien,' zei George iedere keer als ik hem vroeg of hij niet even bij Socks wilde gaan kijken.

Dus zorgde ik zelf maar voor Socks, en de kat bleef even nerveus als in het begin als ik bij hem in de buurt kwam. Ik had vaak een paar flinke krabben te pakken als ik uit het toilet kwam, en zodra Socks weer beter was, bracht ik hem terug naar de tuin van Mavis, waar hij zich kennelijk prima thuisvoelde. Tijdens zijn verblijf bij de dierenarts was hij ook gechipt en Mavis en ik stonden vermeld als eigenaars. Ik was blij voor haar toen Socks meteen in de tuin verdween, want we wisten allebei dat hij die avond wel weer terug zou komen voor zijn schoteltje vis. Mavis en ik hadden samen heel wat meegemaakt met die kat, en toen we naar binnen liepen, keek ze me aan.

'Zal ik je aan Prudence voorstellen?' vroeg ze.

Ik wist inmiddels dat Mavis nooit iemand bij Prudence liet en ik voelde me vereerd toen we op onze tenen de trap op liepen en voor een van de slaapkamerdeuren bleven staan. Mavis deed de deur open en ik zag een prachtige kamer, met een grote erker, roze vloerbedekking en een bed dat bedekt was met een roze donsdeken. De slaapkamer was zo mooi dat ik er best zelf in had willen slapen.

Prudence lag in een hoek in een roze kattenmand, en zodra de deur openging, stond ze op om haar bezoek te begroeten. Ik vergat de rest van de kamer toen ik haar zag.

Prudence was een beeldschone, langharige schildpadkat met enorme ogen. Ze liep heel nuffig door de kamer, waarbij ze als een balletdanseres ieder pootje zorgvuldig voor het andere zette. Ze liep met haar neus in de lucht terwijl ze naar ons toe kwam en keek vervolgens om zich heen alsof ze me wilde vragen of ik haar kamer mooi vond. Ze was een koninklijke kat, geen allegaartje met een snufje vuilnisbak, zoals de meeste katten die ik kende. En toen Mavis zich bukte om Prudence te aaien vond ik het volkomen terecht dat een kat die zo'n akelig leven achter de rug had haar oude dag mocht slijten in een kamer die gemaakt leek voor een poezenkoningin.

Toen ik net op zoek ging naar Ben was ik misschien Ace Ventura, Huisdierendetective geweest, maar inmiddels leek ik meer op Indiana Jones. Het enige waaraan ik kon denken was dat het volgende telefoontje me misschien zou vertellen waar ik Ben kon vinden, of misschien was hij wel de volgende kat waarnaar ik op zoek ging nadat iemand een glimp van hem had opgevangen. Ik trok iedere flard informatie na die me op zijn spoor zou kunnen zetten, ook al was de kans nog zo klein.

Toen een maand zonder Ben twee maanden werden en december al bijna voor de deur stond, ging ik me steeds gekkere dingen in mijn hoofd halen over wat er was gebeurd, en naarmate mijn verbeelding op hol sloeg, liep mijn zoektocht ook bijna de spuigaten uit. Mijn hoop dat Ben weer thuis zou komen was inmiddels even groot als mijn angst dat hem iets was overkomen, en wat de uitkomst ook was, ik wilde het zeker weten. Ik kon Georges hart niet aan diggelen slaan door hem te vertellen dat Ben nooit meer thuis zou komen, tenzij ik daar absoluut zeker van was. George had een antwoord nodig, hij moest er een punt achter kunnen zetten en ik was tot alles bereid om hem daartoe in staat te stellen. Ik maakte me zoveel zorgen dat mijn haar begon uit te vallen en ik had van de dokter te horen gekregen dat de kale plek voor op mijn hoofd het gevolg was van stress. Ik wist dat mijn haar niet meer terug zou komen tot ik wist wat er met Ben was gebeurd.

Vlak nadat hij vermist werd, was ik al regelmatig langsgegaan bij de gemeentewerf, de uitvalsbasis van alle vuilnisauto's en schoonmaakploegen. Die zijn namelijk niet alleen verantwoordelijk voor het ophalen van huisvuil en het schoonvegen van de straten, maar ook voor het bergen van alle dieren die na een aanrijding op de weg zijn blijven liggen, en dat waren meestal katten. Nadat de lichamen opgehaald waren, werden ze in een grote plastic zak gestopt, meegenomen naar de werf, gescand om te zien of ze gechipt waren en in een vrieskast gelegd. Als de kat gechipt was, werd aan de eigenaars gevraagd of ze hun huisdier terug wilden hebben. Als ze geen chip hadden, bleven ze in de vriezer liggen tot de gemeente zeker wist dat het dier niet opgeëist werd en daarna werd het gecremeerd. Dat was meestal het geval, omdat de meeste katten niet gechipt waren. Maar ondanks het feit dat Ben wel een chip had, kon ik het idee niet van me afzetten dat er iets mis was geweest met de zijne, wat inhield dat ik het nooit te weten zou komen als hij ergens op straat werd gevonden. Ik wist dat het vergezocht was, maar het hart wordt niet altijd geregeerd door het verstand. Vandaar dat ik iedere dag voor alle zekerheid bij de werf langsging.

Ik kreeg de katten zelf niet te zien. In plaats daarvan moest een arme Australiër die op het kantoor van de werf werkte elk exemplaar aan mij beschrijven. Volgens mij werd hij al na een week een beetje ziek van al die vragen waar geen eind aan kwam.

'De cyperse heeft een chip,' vertelde hij me bijvoorbeeld. 'En er is ook een rode bij, maar die is niet van u. En in Brentford is er ook een gevonden, maar die is wit.'

Uiteindelijk kreeg de man het altijd ineens ontzettend druk als ik kwam opdagen, maar ik bleef gewoon rustig wachten tot hij tijd voor me had. Ik wist best dat de mensen het een beetje raar vonden dat ik zo wanhopig op zoek was naar een weggelopen kat. Inmiddels kenden de vuilnismannen me zo goed dat een van hen altijd miauwde als hij me zag. Nob had me verteld dat er mensen waren die aan me begonnen te twijfelen, maar daar trok ik me niets van aan. Hoe zouden andere mensen ooit kunnen begrijpen wat Ben voor George en mij betekende? Ze mochten me dan bespottelijk vinden, ik deed alleen maar wat ik moest doen.

Avond aan avond kwam George voor het raam in mijn slaapkamer staan, waar hij vroeger altijd stond om Ben naar binnen te roepen, en dan moest ik toekijken hoe hij daar met zijn rug naar me toe stond te huilen, met schokkende schouders en trillend over zijn hele lijf. Iedere keer als hij schurend ademhaalde, welde de paniek in me op.

'Denk je echt dat hij daar ergens is?' vroeg George dan snikkend.

'Ja,' zei ik telkens opnieuw. 'En ik zal hem vinden.'

'Ik heb hem een kus op zijn neus gegeven,' zei George alsof ik niets had gezegd. 'Ik heb over zijn oortjes gewreven en hem verteld dat ik op vakantie ging om naar de vissen te kijken en toen is hij bij me weggelopen. Hij is er niet meer.'

Af en toe probeerde ik hem te vertellen wat ik allemaal deed om Ben terug te vinden. Maar dat wilde hij niet horen, dus bleef ik stil naast hem staan – soms wel een uur – tot hij eindelijk ophield met huilen. Vroeger had ik Ben gehad die me hielp om George te troosten of hem te verlokken zichzelf bloot te geven, om hem te straffen of hem aan het lachen te maken. Nu was ik maar alleen en mijn stem was niet genoeg.

'Hij komt nooit meer bij ons terug,' zei George als hij het raam eindelijk de rug toe draaide.

'Moet ik je even knuffelen?' vroeg ik dan zacht, iedere keer opnieuw met de hoop dat hij dat toe zou laten.

'Nee. Raak me niet aan.'

'Ik zal hem vinden, George. Ik blijf zoeken.'

'Hij is dood. Laat me nu maar met rust.'

Daarom moest ik er wel mee doorgaan. Ik had geen andere keus.

Het was tijdens mijn bezoeken aan de werf dat ik Norma leerde kennen, de hondenmepper van de gemeente. Ze was lang en slank, met bruine krullen en een bril, en ze deed dat werk al jaren. Ze was niet bepaald een zachtzinnig type. Ze was er zelfs zo aan gewend om mensen zonder omhaal te vertellen dat ze hun hond moesten aanlijnen en dat ze hun uitwerpselen moesten opruimen en zo, dat ze nooit meer ergens doekjes om wondt.

'Vandaag hebben we zes dooie in de vriezer,' zei Norma bijvoorbeeld als ik bij haar langsging. 'En ze zijn geen van alle gechipt.'

Als ik dan in tranen uitbarstte bij de gedachte aan al die arme dieren die nu in een massagraf gedumpt zouden worden omdat niemand ze had laten chippen, keek Norma me aan.

'Voel je je wel goed?' vroeg ze dan met een verbaasd gezicht.

'Nee!' huilde ik dan. 'Waarom kunnen mensen hun katten niet gewoon laten chippen?'

'Ik weet niet beter, beste meid. Zo gaat het altijd, dag in, dag uit.'

Maar ook al leek Norma niet te snappen dat ik zo teerhartig was, ze had een goede inborst. Ik ben de tel kwijtgeraakt van alle posters die ze voor me heeft opgehangen in de gemeentekantine en op allerlei mededelingenborden. Bovendien had ze een e-mail met alle informatie over Ben gestuurd naar alle asiels en liefdadige instellingen voor dierenbescherming waarmee ze samenwerkte.

Norma was slechts één van al die aardige mensen die ik heb ontmoet. Zo was er ook een bouwvakker die zijn lunchboterhammen opvoerde aan een zwerfkat terwijl hij mij belde om me te vertellen dat hij het dier regelmatig aantrof op het bouwterrein waar hij werkte. En de kleuterleidster uit onze wijk die alle ham die ze had gekocht voor de lunch van de kinderen aan een kat voerde omdat ze dacht dat hij best Ben zou kunnen zijn. Het ging in geen van beide gevallen om Ben, maar ik stelde hun hulp bijzonder op prijs. Hetzelfde gold voor de vriendelijkheid van al die vreemde mensen die met me praatten toen ik een keer op zaterdag bij een supermarkt flyers stond uit te delen. Ik was tot de slotsom gekomen dat ik het best in de gang met het dierenvoer kon gaan staan om mensen te treffen die wisten of er zwerfkatten in de buurt zaten, maar binnen de kortste keren kwam er al een winkelbediende die me vertelde dat ik weg moest.

'Het spijt me ontzettend, maar u mag hier geen flyers uitdelen,' zei ze.

'Ik dwing de mensen echt niet om ze aan te pakken.'

'Dat weet ik, maar we mogen het gewoon niet toestaan.'

Daarna fluisterde ze dat niemand zich er druk over zou maken als ik voor de deur van de winkel ging staan, zolang ik er maar voor zorgde dat ik niet in de weg stond. Dus sjokte ik maar weer naar buiten met mijn grote tas vol flyers en probeerde die uit te delen. Maar de mensen wilden me niet eens aankijken terwijl ze haastig de winkel in en uit liepen en ik kon wel janken als ik er toch in was geslaagd om iemand een flyer in de hand te drukken. Meestal gooiden ze die meteen weg, en ik raakte nog meer overstuur toen ik zag dat Bens snoetje tegen het asfalt vertrapt werd. Maar ik prentte mezelf in dat ik niet moest gaan huilen, want dan zou ik de mensen nog meer tegen me in het harnas jagen. Ik moest gewoon zeggen waar het om ging.

'Ik probeer u echt niets te verkopen,' begon ik te roepen. 'Ik ben alleen maar wanhopig op zoek naar mijn kat. Pak alstublieft een flyer aan en kijk of u me kunt helpen.'

Nadat ik dat had gezegd, veranderde alles op slag. Toen de mensen eindelijk begrepen wat ik wilde, waren ze meteen bereid om een flyer aan te pakken. Een vent met een enorme bierbuik kwam zelfs naar me toe om even zijn arm om me heen te slaan.

'Maak je geen zorgen, meid,' zei hij. 'Hij komt vast gauw weer thuis.'

Die dag heb ik een heel stel mensen ontmoet die me alles vertelden over de katten waarvan zij hielden en daarvan knapte ik gewoon op omdat ik het gevoel kreeg dat ik niet de enige was. Zelfs de bewaker gunde me uiteindelijk een glimlach, en dat zijn toch meestal echte zuurpruimen, hè? De meeste mensen begrijpen heel goed hoe het is om van een dier te houden en hoe verloren je je voelt als het weg is. Sommigen kenden zelfs het gevoel dat je hele wereld instort als een dier waarvan je zoveel houdt er niet meer is.

Het was die liefde die me ertoe aanzette om door alle tuinen van een stel rijtjeshuizen in Whitton achter een kat aan te rennen; die sprong alweer over het volgende hek op het moment dat ik op iemands gazon landde en bracht me ertoe om naar elke kerk in de buurt te gaan om Bens naam in de gebedenboeken te zetten. En toen ik op een ijskoude avond midden in een onweersbui urenlang door de straten van Brentford dwaalde omdat een vrouw zeker wist dat ze Ben had gezien, zag ik in gedachten alleen de blije snoetjes van Ben en George. Terwijl ik daar drijfnat rondsjokte, wist ik best dat ik hem niet zou vinden, maar ik was niet bereid om het al op te geven. Vandaar dat ik door bleef lopen tot ik zo moe was dat ik geen voet meer kon verzetten. Toen ging ik pas naar huis.

Sommige dagen kreeg ik het gevoel dat ik wel honderd tips kreeg hoe ik Ben zou kunnen vinden en die dwarrelden allemaal door mijn hoofd. Toen iemand me vertelde dat katten konden verdrinken in een regenton, kon ik daar niet meer langslopen zonder erin te kijken en toen iemand anders zei dat ze wel eens vast kwamen te zitten in huizen doordat ze via een kattendeurtje naar binnen gingen als de mensen weg waren en dan opgesloten raakten, begon ik alle huizen in de wijk die leegstonden in de gaten te houden. En ik kan jullie niet vertellen hoe vaak ik aangehouden werd door mensen van de buurtbewaking; ze wilden er zeker van zijn dat ik geen kwaad in de zin had als ik in straten kwam waar niemand me kende en daar rond begon te sjouwen met een blik kattenbrokjes terwijl ik Bens naam riep. Daar snapte ik eerlijk gezegd niets van, want welke inbreker zou nou steeds naar dezelfde plek teruggaan om vervolgens de aandacht op zich te vestigen door de naam van een kat te schreeuwen?

En daar bleef het niet bij. Bens gezicht was overal op internet te vinden en ik slaagde er zelfs in om zijn foto in het plaatselijke huis-aan-huisblad te krijgen, nadat ik daar een advertentie in had gezet en was gebeld door een van hun journalisten. Toen iemand me vertelde dat katten wekenlang vast konden zitten in een boom, begon ik onder elke boom die ik tegenkwam omhoog te kijken, om er zeker van te zijn dat ik niet op een meter of zes boven me een bekend snoetje zag. Ik vroeg zelfs aan mijn buren of ze misschien bezoekers hadden gehad die Ben per ongeluk in hun auto mee naar huis hadden genomen.

Diep vanbinnen had ik nog steeds het gevoel dat Ben leefde – hoe onwaarschijnlijk dat ook leek – en daarom moest ik elk bericht dat hij ergens was gezien controleren. Mam was bij me op de dag dat ik een kat in de verte zag en er onmiddellijk achteraan rende. Toen hij in een steegje verdween, liepen we terug naar de auto en vroegen we ons af wat we moesten doen. Op datzelfde moment schoot de kat weer langs ons heen, en toen hij zich door een klein gaatje onder in een hek wurmde, ging ik languit op de grond liggen om te zien waar hij naartoe ging.

'Ik ben hem kwijt, mam,' riep ik over mijn schouder. 'Ik zie hem nergens.'

Toen viel me ineens iets op terwijl ik naar de tuin voor me keek en zei onwillekeurig tegen mam: 'Ze hebben echt beeldige planten hier.'

Meteen daarna zag ik aan de andere kant van het hek een voet verschijnen. Ik trok mijn hoofd terug en staarde omhoog in een paar grote neusgaten. De eigenaar van het huis was naar buiten gekomen om te zien wie het op zijn arme kat had voorzien. Ik kreeg de slappe lach, zodat ik niet eens in staat was om hem uit te leggen wat ik in vredesnaam uitspookte.

Dat waren maar een paar van de dingen die me tijdens mijn speurtochten overkwamen en daar bleef het niet bij, bij lange na niet. Het naarste voorval? Dat moet de trip zijn die ik iedere dag naar de rivier maakte omdat ik, ook al deed ik nog zo mijn best, het gevoel niet van me af kon zetten dat Ben daar verdronken was. Ik ging er iedere dag naartoe en ik was niet tevreden met alleen maar een wandeling over de oever, ik moest de rivier in, om het echt moeilijk te maken. De eerste keer dat ik dat deed, maakte ik de vergissing om mijn rubberlaarzen aan te trekken. Nadat ik door een ondiep stuk van de rivier was gewaad, kon ik zien dat het water steeds dieper begon te worden en ik besloot om eruit te klimmen naast de tuin van een pub, waar een heel stel mensen stond te roken. Maar toen ik probeerde om tegen de oever op te klauteren, stroomde het water in mijn laarzen, en die werden zo zwaar dat ik mijn voeten niet eens meer op kon tillen. Nadat ik daar voor mijn gevoel een eeuwigheid had gestaan, slaagde ik er ten slotte toch in om mezelf op de modderige oever te hijsen, waar een meute mensen me aanstaarde.

'Wou je een eindje gaan zwemmen, meid?' vroeg iemand.

'Ben je van plan om het Kanaal over te zwemmen?' riep iemand anders.

'Eten we vanavond vis?' informeerde weer iemand anders.

Daarna bezorgde Nob me een stel lieslaarzen die ik in de rivier kon dragen en iedere avond liep ik met de laarzen onder mijn arm langs de oude mensen die in de bungalows verderop in de straat woonden.

'Alles goed, Julia?' riepen ze dan als ze me zagen.

'Prima!' riep ik vervolgens terug terwijl ze me met grote ogen nakeken en zich afvroegen of ik eindelijk mijn verstand had verloren.

En als ik geen lieslaarzen bij me had, was het de stofzak uit mijn stofzuiger die ik langs de rivier leeg strooide. Ben was inmiddels al zo lang weg dat er waarschijnlijk niet veel van zijn geur in het huis was achtergebleven, maar ik was er nog steeds van overtuigd dat het zou helpen. En de bejaarden lachten me even vriendelijk toe als ik met mijn stofzak langs hen liep. Maar een man uit de buurt maakte zich kennelijk wat meer zorgen toen hij me iedere keer als hij zijn hond uitliet in de rivier aantrof of zag dat ik de inhoud van mijn stofzak rondstrooide.

'Is alles in orde?' vroeg hij me.

'Ik ben gewoon op zoek naar mijn kat.'

'Echt waar? Hier?'

'Ja, hoor.'

'Wanneer is die kat weggelopen?'

'Twee maanden geleden.'

'Nou, dan zou ik nu toch maar uit de rivier komen, want ik denk niet dat je je kat daar nu nog in zult vinden.'

Volgens mij slaagde ik er toch in om hem ervan te overtuigen dat ik nog net niet met molentjes liep. Langzaam maar zeker begon ik echter te begrijpen dat je tot vrijwel alles in staat bent als je echt iets wilt. Als ik was opgehouden met zoeken, had ik moeten accepteren dat ik niets kon doen om George te helpen en dat zou ik nooit toegeven. Ik moest gewoon doorgaan en blijven zoeken tot ik Ben had gevonden.

Het was eind november en ik moest met George overleggen wat we met de kerst zouden doen. Iedereen begon al lichtjes op te hangen en de winkels waren versierd en lagen vol cadeautjes. De staf en de leerlingen op Marjorie Kinnan zouden binnenkort ook gaan repeteren voor het kerstconcert. Ik moest er met George over praten, ik kon niet langer wachten. We hadden het niet meer gehad over de plannen die we vorig jaar hadden gehad voor een nieuw winterwonderland, want dat konden we zonder Ben geen van beiden opbrengen. Meestal begonnen we medio november met het versieren van het huis en onder normale omstandigheden hadden we inmiddels minstens twee bomen compleet met lichtjes en ballen in de woonkamer staan. Nu waren we nog niet eens begonnen.

Dus toen George begin december op een middag uit school kwam en zichzelf in zijn slaapkamer opsloot, liep ik de trap op en klopte aan.

'George?' zei ik terwijl ik de deur opendeed.

Hij zat op het bed met zijn verzameling glanzende spulletjes en gaf ze allemaal weer een nieuw plekje, zoals hij sinds de verdwijning van Ben al keer op keer had gedaan. Hij keek niet op toen ik binnenkwam.

'Er is iets wat ik met je moet bespreken,' zei ik, terwijl ik naast George ging zitten.

Hij schoof iets verder bij me weg.

'Ik wil het met je over Kerstmis hebben,' zei ik behoedzaam.

'Nee,' zei George. 'Niet als hij er niet bij is.'

'Maar ik weet zeker dat Ben zou willen dat je plezier hebt.'

George begon te huilen, met dikke tranen die geluidloos over zijn wangen biggelden. Zo huilde hij tegenwoordig altijd, zonder geluid te maken, en ik zag hem regelmatig met natte wangen als hij zijn tanden stond te poetsen of als ik hem aankleedde. Op een keer begon hij zelfs te huilen toen hij naar zijn vissticks keek en ik wist dat hij zich herinnerde hoeveel Ben daarvan had gehouden.

'Je mag best huilen, hoor,' zei ik. 'We hebben immers allebei verdriet?'

'Dat gebeurt steeds,' antwoordde George. 'De tranen springen me zomaar in de ogen.'

'Ja, ik weet het. Dat overkomt mij ook.'

We zeiden verder niets toen we daar naast elkaar zaten. Ik wist niet meer hoe ik George moest geruststellen, ik kon niet nog eens zeggen dat ik Ben vast wel zou vinden. Inmiddels wilde George niet eens meer luisteren als ik hem probeerde te vertellen wat ik op zoek naar Ben allemaal had gedaan.

Terwijl ik daar naast hem zat, hunkerde ik ernaar om zijn hand vast te houden en voelde zelf ook tranen opkomen. Juist vanwege George verlangde ik ontzettend naar alles wat we hadden gehad en de manier waarop hij had gestraald toen Ben nog bij ons was. Toen we samen de drie musketiers waren.

'Ga weg,' riep George plotseling, boos omdat ik nog steeds naast hem zat. 'Laat me alleen. Doe de deur achter je dicht. Jij hebt Ben weg laten lopen. Ga weg.'

Mijn hart kromp samen toen ik opstond. Maar ik bleef toch nog even bij de deur staan. Ik wilde nog één keer proberen om tot hem door te dringen.

'Weet je zeker dat je geen Kerstmis wilt vieren?' vroeg ik. 'Ik hoop echt dat Ben dan terug zal zijn. Weet je zeker dat je niet vast alles voor hem klaar wilt maken?'

'Nee!' schreeuwde George. 'Zonder Ben geen Kerstmis. Ga weg.'

Er viel niets meer te zeggen. George was nog nooit zo onbereikbaar geweest en ik was bang dat ik hem binnenkort helemaal niet meer zou kunnen benaderen. Toen hij met de dag meer op een schaduw begon te lijken, kreeg ik het gevoel dat ik moest toekijken hoe mijn eigen kind de wil om te leven verloor. Het hart van George verschrompelde in zijn borst en het mijne lag ook aan diggelen.

Zeventien

Iedere keer als de telefoon 's avonds laat ging, holde ik ernaartoe om op te nemen. Soms waren het giechelende jongelui en af en toe bleef het gewoon stil. Maar dit keer was er wel iemand aan de lijn en ik hoorde het verkeer voorbijrazen toen hij begon te praten.

'Ik heb uw kat gezien,' zei hij. 'Hij ligt op de weg.'

Mijn maag draaide zich om, precies zoals toen de postbode had gebeld. Na die tijd was ik nog twee keer bij dode katten geroepen en beide keren was ik even overstuur geweest als de eerste keer. De ene was in Twickenham, en tegen de tijd dat ik op de plek aankwam, was een vrouw die daar in de buurt woonde al naar buiten gekomen om de kat op te halen, omdat hij van haar was. Ik keek haar verdrietig na toen ze wegliep. De volgende was ook in die buurt, op Kingsley Road. Twee mensen belden me om te vertellen dat daar een kat was aangereden. Toen ik daar aankwam, was het dier al opgehaald door de gemeentereiniging, dus ik ging halsoverkop naar de werf en moest twee uur wachten tot de auto die het lijkje had opgepikt terugkwam.

'Mag ik de kat zien?' vroeg ik met bonzend hart aan de chauffeur toen ik hem eindelijk te spreken kreeg.

‘Het spijt me, maar we hebben het lichaam al vernietigd,’ zei hij tegen me.

Ik voelde een golf van paniek opkomen toen hij dat zei. ‘Wat bedoel je? Dat kan toch niet. Ik moet weten of het wel of niet mijn kat was.’

‘Hij was te erg verminkt,’ zei de chauffeur treurig. ‘Zijn kop was eraf en het lichaam was helemaal verpletterd. We moesten hem wel in de bak gooien.’

‘Maar dat had je niet mogen doen! Je had het hierheen moeten brengen.’

‘Hij was te erg verminkt om mee te nemen.’ Daarna legde de man uit dat hij alle posters van Ben had gezien en hij keek me verdrietig aan. ‘Maar ik heb toch genoeg kunnen zien, meid. Het spijt me, maar ik denk echt dat het die van jou was.’

De adem stokte in mijn keel. Was Ben werkelijk op een weg die op vijf minuten afstand van ons huis lag om het leven gekomen, terwijl ik al bijna drie maanden naar hem op zoek was? Ik snapte niet wat hij daar dan uitspookte. Als hij zo dicht bij huis was, dan was hij toch wel bij ons teruggekomen? Ik kon niet geloven dat hij het was. Ik wílde niet geloven wat die chauffeur me vertelde.

‘Ben heeft een witte vlek in de vorm van een vlinder onder zijn neus,’ zei ik dringend. ‘Dat is zo ongewoon dat je dat meteen zou hebben gezien. Andere katten zijn vlekkerig, maar hij niet. Had die kat dat ook?’

‘Ik weet zeker dat hij het was,’ antwoordde de chauffeur treurig.

Maar terwijl ik naar huis ging, prentte ik mezelf woedend in dat ik niet zeker wist dat het om Ben ging, en tot dat wel zo was, weigerde ik om het te geloven. De chauffeur was echter zo zeker van zijn zaak dat hij me later op de dag nog eens belde om me nog eens zijn mening te geven.

‘Ik wil je alleen maar geruststellen,’ zei hij. ‘Ik weet hoe je gezocht hebt naar je kat en ik ben er honderd procent zeker van dat hij de kat was die we vandaag hebben opgepikt.’

‘Bedankt, maar dat weten we niet zeker en tot die tijd blijf ik zoeken,’ zei ik vastberaden.

Maar ook al deed ik nog zo mijn best om te vergeten wat die chauffeur had gezegd, ik slaagde daar niet in. De gedachten aan die kat bleven maar door mijn hoofd tollen en dat was nog steeds het gevoel toen ik de telefoon opnam en te horen kreeg dat er opnieuw een dode kat was gevonden.

'Hij ligt op Powdermill Lane,' zei de man tegen me.

'Waar?'

'Bij de kleine rotonde.'

Als Wendy tijd had om op te passen, kon ik daar binnen een paar minuten zijn.

'Ik kom eraan,' zei ik.

Vijf minuten later zat ik in de auto en belde de man terug om te zeggen dat ik onderweg was.

'Ik ben er zo,' zei ik. 'Kunt u bij de kat blijven tot ik er ben?'

'Het spijt me ontzettend, maar dat lukt niet,' zei de man. 'Ik moet de laatste bus naar huis halen. Maar de mevrouw van de pub is hier en die zegt dat ze wel op u zal wachten.'

'Nou, in ieder geval bedankt dat u gebeld hebt.'

'Graag gedaan. Ik weet wie u bent, want mijn gemeente bidt voor u. We hebben een poster met een foto van uw kat.'

Toen ik in de ijskoude nachtlucht uit de auto stapte, zag ik een vrouw op de weg staan. Aan haar voeten lag het lichaampje van een kat en ze zorgde ervoor dat het niet opnieuw overreden zou worden. Zij zou de waardin van de pub wel zijn, dacht ik, precies zoals de man aan de telefoon had gezegd. Ik bedankte haar zwijgend terwijl ik een paar handdoeken uit de kofferbak van mijn auto pakte, voordat ik op een holletje de weg overstak.

'Ik vind het echt ontzettend naar voor je,' zei ze, toen ik neerkeek op het lijkje van de kat. Het was met bloed bedekt en ik knielde ernaast om voorzichtig de kop op te tillen zodat ik kon zien of hij nog ademde. De kat was nog warm, maar hij leefde niet meer. Hij was weggevaagd, van het leven beroofd op een donkere weg door een auto die gewoon was doorgereden zodat het dier alleen was gestorven. Toen ik het optilde, kon ik zien dat het Ben niet was, maar ik was niet opgelucht, ik had alleen maar een hol gevoel. Dit was een kat die kennelijk veel genegenheid had gehad, want hij zag er goed verzorgd uit, en ik begon te huilen toen ik hem in de handdoeken wikkelde en dacht aan het gezin waar hij thuishoorde. Was dit Ben ook overkomen? Waren er ook bij hem alleen vreemden geweest die na zijn dood voor hem hadden gezorgd?

Ik stond op en hield de kat voorzichtig in mijn armen. Ik zou hem morgen meenemen naar de dierenarts om te zien of hij gechipt was.

'In ieder geval heb je hem gevonden,' zei de vriendelijke waardin rustig terwijl ze me een klopje op de rug gaf. 'Ik weet dat het niet meevalt, maar je kunt hem mee naar huis nemen en hem een behoorlijke begrafenis geven.'

Terwijl ik stil bleef doorhuilen, kon ik het niet opbrengen om haar te vertellen dat de kat niet van mij was. Ik was doodmoe van die maandenlange zoektocht, van de hoop die keer op keer de bodem werd ingeslagen. Hoe moest ik dit volhouden? Om niet alleen voor mezelf maar ook voor George te blijven hopen, terwijl hij alleen maar wilde opgeven? Waarom kon ik toch niet aanvaarden dat Ben er niet meer was?

'Bedankt voor uw hulp,' zei ik toen ik wegliep.

Op weg naar de auto bevroren mijn tranen in de wind. Misschien moest ik eindelijk maar accepteren dat ik Ben nooit terug zou vinden. Er waren inmiddels al drie maanden voorbij en ik wist dat de mensen begonnen te denken dat het verkeerd van me was om te blijven hopen. Na de kat die door de vuilnisauto was weggehaald, had ik mezelf dat ook afgevraagd en ik had het er zelfs met mam en Wendy over gehad.

'Vinden jullie het fout dat ik nog steeds geloof dat Ben thuis zal komen en dat ook tegen George zeg?' had ik aan hen gevraagd. 'Moet ik gewoon accepteren dat ik hem nooit terug zal vinden en George een leugen vertellen, zodat hij eindelijk weet waar hij aan toe is?'

Mam en Wendy konden me natuurlijk niet vertellen wat ik moest doen, maar ik wist wat ze dachten.

'Misschien moet je daar maar eens goed over nadenken, Ju,' had mam tegen me gezegd. 'Op deze manier kun je niet doorgaan. Je moet je gewone leven weer oppakken. Als je zo doorgaat, zul je nog ziek worden. Je krijgt geen behoorlijke nachtrust meer en je kunt niet eens naar de supermarkt zonder dat je op stel en sprong wegholt. Dat zal een keer moeten ophouden en misschien is het wel beter voor George als je er eerder vandaag dan morgen een eind aan maakt.'

Ik had die nacht urenlang liggen piekeren over wat mam had

gezegd. Misschien had ze wel gelijk en moest ik George een leugen vertellen om hem te verlossen van al die onzekerheid. Ik zou een paar kranten kunnen verbranden en de as in een pot doen om vervolgens tegen George te zeggen dat Ben overleden en gecremeerd was. Dan konden we een gat in de tuin graven en daar een herdenkingssteen voor Ben bij zetten. Dan had George in ieder geval een plek waar hij naartoe kon om bij hem te zijn en zou hij zeker weten dat hij er niet meer was. Maar toen ik de volgende ochtend wakker werd en het zonnetje buiten zag schijnen kon ik het niet over mijn hart verkrijgen om die leugen te vertellen. Ik was niet in staat om dat tegen George te zeggen en het verdriet op zijn gezicht te zien als hij het te horen kreeg, tenzij ik zeker wist dat het niet anders kon.

Ondertussen trok ik het portier van de auto open en legde de kat voorzichtig op de voorstoel. Het was te laat om nog iets te doen, dus ik reed naar huis waar ik hem in een doos legde. De volgende dag bracht ik hem naar de dierenarts die me een paar uur later opbelde en vertelde dat de kat gechipt was en dat de eigenaars hem hadden opgehaald om hem thuis te begraven. Het was een katertje dat Nibbles heette en de dierenarts zei dat zijn eigenaars heel blij waren dat hun kinderen de kans hadden gekregen om afscheid van hem te nemen. Ze wilden me bedanken voor alles wat ik had gedaan en ik was blij dat ik hen had kunnen helpen. Maar terwijl ik naar de dierenarts luisterde, begon ik opnieuw te twijfelen. Werd het geen tijd dat George en ik ook afscheid namen? Moest ik me echt blijven vastklampen aan een sprankje hoop dat met de dag begon te tanen?

Ik zat in de kerk op de eerste rij, naast mam, Boy en Sandra. We gingen allemaal naar de spiritistische kerk bij ons in de buurt, omdat pa's moeder, Edith, spiritistisch was geweest en dat in onze familie min of meer een traditie was geworden. Pa was veel te nuchter geweest om met ons naar een kerk te gaan waar mensen praatten met mensen die al overleden waren. Toen we nog kinderen waren, had het echter altijd op de achtergrond meegespeeld en ik wist dat pa op zijn eigen, rustige manier wel degelijk in een leven na de dood had geloofd. Ik begon zo rond mijn zeventiende regelmatig naar de kerk te gaan en hoewel religie niet aan iedereen is besteed en een spiritistische kerk al helemaal niet, vond ik het heerlijk om ernaartoe te gaan. Het bezorgde me één vredig uurtje per week en ik vond het prettig om te zien hoe mensen troost vonden in het feit dat we leefden en dat lachend en zingend vierden.

Maar vandaag was ik er lang niet van overtuigd dat de kerk me een beter gevoel zou kunnen geven. Ik was hier om te bidden dat Ben terug zou komen, precies zoals ik dat iedere week deed, maar de avond dat ik Nibbles had gevonden lag nog vers in mijn geheugen en ik moest er telkens aan terugdenken. George had zoveel moeite met de repetities voor het kerstconcert van Marjorie Kinnan, dat hij er voortdurend onderuit probeerde te komen en de tv stond nauwelijks aan, omdat er zoveel kerstprogramma's waren. George kon het woordje 'Kerstmis' niet eens verdragen.

Onwillekeurig dacht ik terug aan hoe fijn we het vorig jaar hadden gehad en ik begon stil te huilen. Ik had nooit geweten dat je je zo eenzaam kon voelen, het was een soort pijn die diep in mijn botten zat, een verdriet dat niet verdreven kon worden door slaap of een goed gesprek. Natuurlijk wist ik wel dat ik mijn familie op elk uur van de dag of de nacht kon bellen, maar zij hadden ook hun eigen leven. Vaak moest ik mijn angst over wat er van George moest worden als ik Ben niet terugvond dan ook in mijn eentje zien te verwerken.

Ik schonk nauwelijks aandacht aan de dienst en ook niet aan het medium dat aan het eind ervan naar voren kwam om de gemeente toe te spreken, maar toen hij naar mij wees, moest ik wel luisteren.

'Jij daar, met die witte trui,' zei het medium.

Ik keek om me heen.

'Ja, jij met dat krullende haar,' zei hij tegen me.

Nu moeten jullie weten dat elk medium anders is.

Sommigen zien de schaduwen van geesten tussen de gemeente zitten, terwijl anderen tegen hen praten alsof ze gezellig met iemand zitten te kwekken. Niet bij iedere dienst worden boodschappen doorgegeven, maar ik vond het altijd fijn als dat gebeurde; dan ontstond er zo'n vredig gevoel om ons heen en het had iets geruststellends als mensen met hun beminde doden spraken. Maar ik ging onbehaaglijk verzitten toen het medium me recht aankeek. Ik wist dat hij me nooit zou kunnen geven wat ik het liefst wilde, de postcode van de plek waar Ben zich bevond, want boodschappen vanuit het hiernamaals waren nooit zo precies.

'Er gaat veel veranderen,' zei het medium met een diepe stem. 'Er zal je iets moois overkomen.'

Hij begon te gebaren.

'Ik zie een man. Hij is lang en knap.'

De handen van het medium kwamen tot rust op zijn buik.

'Hij is na een lange ziekte overleden aan maagproblemen.'

Ik verstarde. Pa was overleden aan alvleesklierontsteking.

'Hij moest wel naar de hemel,' zei het medium. 'Maar hij wilde helemaal niet bij je weg en hij zit nu naast je.'

Ik bleef doodstil zitten, en mam, Boy en Sandra die naast me zaten, verroerden zich ook niet.

'Je hebt net zulke blauwe ogen als hij,' zei het medium. 'Prachtig blauw dat gaat glanzen als je lacht.'

Ik was de enige van ons vieren die precies dezelfde kleur ogen had als pa. Zou het echt waar zijn? Zou hij hier nu echt bij ons zijn?

'Dat is een stuk beter,' zei het medium, toen ik lachte. 'Als je dat doet, breng je hem dichterbij.'

Toen ik aan pa dacht, begon ik weer te huilen. Ik had het wel uit kunnen schreeuwen, om hem te vertellen dat we bijna geen tijd meer hadden, dat ik Ben moest vinden voordat het te laat was, en ik werd overstelpt door een gevoel van verdriet omdat we pa verloren hadden, een gevoel dat nog evenveel pijn deed als in het begin.

Het medium deed een stapje achteruit terwijl hij me nog steeds aankeek.

'Hij gaat nu weg,' zei hij. 'Maar hij wil dat je weet dat hij altijd luistert, dus blijf met hem praten.'

Als pa hier echt was, wist ik precies wat hij me probeerde te vertellen. Ik had jarenlang iedere dag met hem gekletst en verteld wat er allemaal gebeurde alsof hij nog steeds bij ons was en ik zweer dat het af en toe ook echt leek dat dat zo was. Maar daar was ik mee gestopt toen Ben verdween, omdat ik me veel te verdrietig voelde om aan iemand anders tc denken van wie ik had gehouden en die ik ook had verloren.

'Hij heeft je helemaal in het roze gekleed,' zei het medium tegen me. 'Je lijkt wel een pop.'

Hij begon bulderend te lachen en hetzelfde gold ook voor mam en Boy. Ze wisten wat dat betekende. Pa had me voor de grap altijd 'Het Roze Prinsesje' genoemd, omdat ik zo dol was op die kleur dat ik, als ze me mijn gang hadden laten gaan, zelfs mijn huid en mijn haar roze zou hebben geverfd.

Het werd weer stil in de kerk toen het medium ging zitten en ik vroeg me af wat er net gebeurd was. Inmiddels was ik helemaal tot rust gekomen, met een gevoel dat bijna vredig was.

'Ik zal altijd bij je zijn,' had pa tegen me gezegd. Niet alleen toen ik nog klein was en wakker was geschrokken uit een nare droom, maar ook toen ik al volwassen was en me inspande om zo goed mogelijk voor George te zorgen.

Toen er een eind kwam aan de dienst, wist ik wat pa me had willen vertellen: dat hij me door dik en dun steunde en dat hij nog steeds een oogje op me hield, precies zoals hij altijd had gedaan.

Misschien geloven jullie daar helemaal niet in, misschien vinden jullie het wel verkeerd om met de doden te praten, maar proberen we niet allemaal op onze eigen manier kracht te vinden? Geloof betekent voor iedereen weer iets anders, maar ik denk dat het gaat om iets dat je van binnenuit doet glimlachen en toen ik naar buiten liep, de kou in, kon ik weer lachen. Ik moest mijn vertrouwen vasthouden. Nu ik wist dat pa naast me stond, mocht ik de hoop niet opgeven.

Achttien

Op de ochtend van 21 december ging de telefoon en ik sprintte ernaartoe alsof ik een gouden medaille kon winnen. Het was op de dag af drie maanden geleden dat Ben was verdwenen, en ik was er niet geruster op geworden, omdat er de laatste paar dagen steeds minder werd gebeld. Ik snapte niet waarom dat zo was, tot mam tegen me zei dat iedereen het druk had met de komende kerst.

'Volgens mij heb ik die kat van jou gevonden,' hoorde ik een vrouw zeggen toen ik de telefoon oppakte. 'Hij zit in mijn tuin.'

'Mag ik dan even komen kijken?'

'Sorry, maar ik ga zo meteen weg. Ik ben de kerstdagen niet thuis.'

'Mag ik niet snel even langskomen voor u vertrekt?'

'Nee, lieve kind. Mijn zoon komt me ophalen, maar ik bel je meteen als ik weer terug ben.'

De vrouw legde met een klap de telefoon neer en ik keek om me heen door de kamer. Ik kon het wel uitschreeuwen. Stel je voor dat ze Ben echt had gevonden? Als ze dan na de kerst terugkwam, zou hij al lang en breed weer verdwenen zijn. Misschien was hij het echt en zou ik hem kwijtraken omdat zij nog geen vijf minuten kon wachten voordat ze op vakantie ging. Ik voelde de woede in me opwellen, toen ik achter de computer ging zitten en de webpagina's met weggelopen huisdieren opriep. Het was zelfs rustig in de chatrooms, waar het meestal een drukte van belang was. De wereld sloot zich af om Kerstmis te gaan vieren en dat wilde ik helemaal niet. Ik wilde dat iedereen gewoon door bleef zoeken, net als ik.

De dag kroop langzaam voorbij, en toen Wendy om zeven uur 's avonds binnen kwam lopen, was Howard net op bezoek bij George. Ze kwam iedere dag even aanwippen, en hoewel ze dat nooit met zoveel woorden zei, wist ik best dat ze een oogje op mij en George wilde houden. Geduldig als altijd zat ze dan te luisteren naar mijn geraaskal en pakte weer een stapeltje flyers voordat ze zei dat ik maar beter kon gaan rusten en weer naar huis ging. Een betere vriendin kon ik me niet wensen.

Terwijl we met elkaar zaten te kletsen ging de telefoon opnieuw en ik nam met een zucht op. De vrouw van die ochtend had me bijna de genadeklap gegeven. Ik wist niet of ik genoeg moed had voor de zoveelste vergeefse zoektocht of voor een sprankje hoop dat meteen de bodem werd ingeslagen.

'Volgens mij heb ik jouw kat gevonden,' zei een vrouw.

'O ja?' zei ik, op een toon die ik meestal gebruikte voor een tweejarig kind.

'Ja, ik denk het wel. Ben jij Julia Romp?'

'Ja.'

'En ben jij je kat kwijt?'

'Ja.'

Ze was kennelijk niet goed snik. Iedereen in een omtrek van meer dan zeven kilometer wist dat ik mijn kat kwijt was.

'En heet je kat Ben?'

'Ja.'

'Nou, dan zit hij bij mij in de serre.'

'Echt waar?' zei ik zuchtend.

'Ja.'

Dit begon op mijn zenuwen te werken. Wat mankeerde die mensen toch?

'En waar is die serre van jou dan?'

'In Brighton.'

Ik viel bijna van de bank. Brighton lag meer dan honderd kilometer bij ons vandaan, dus die vrouw had daarginds onmogelijk een van mijn posters kunnen zien.

'Brighton aan zee? De badplaats?'

'Ja. En jij woont in Londen? Volgens de chip is dat zo. Op die manier ben ik ook aan je telefoonnummer gekomen.'

Het begon me te duizelen.

'De chip?'

'Ja. Mijn dochter Carla zag al een paar dagen lang een kat bij ons in de tuin zitten. Hij kwam steeds weer terug en ze kreeg ons zover dat we hem binnenhaalden. Ik heb een vriendin die bij een kattenasiel werkt en die kwam naar ons toe met zo'n scanner, vandaar dat we al je gegevens konden achterhalen.'

Ik hoorde bijna niet meer wat ze allemaal vertelde. Ik zat te snakken naar adem terwijl ik naar haar luisterde en het bloed bonsde in mijn oren. Had ze echt een zwart-witte kat gevonden met een chip waarop al mijn gegevens stonden?

'Mag ik vanavond naar jullie toe komen om hem te zien?' vroeg ik haastig, terwijl Wendy met grote ogen naar mijn bleke gezicht keek.

'Ik weet niet zeker of je hier wel kunt komen,' zei de vrouw. 'Het heeft ontzettend gesneeuwd en de wegen zijn onbegaanbaar.'

Ik keek naar buiten. In Hounslow was geen sneeuwvlokje te bekennen. Hield die vrouw me voor de gek?

'Sneeuw?' zei ik.

'Ja. Zestig centimeter dik.'

Ik dacht ineens aan de nieuwsuitzending die ik eerder op de dag had gehoord toen ik stond af te wassen. Zwaar weer en sneeuwstormen in delen van het land, mensen die vast kwamen te zitten in sneeuwhopen en hun auto's achter moesten laten... Het was toen nauwelijks tot me doorgedrongen, en dat was nu ook zeker niet het geval.

'Ik kom er meteen aan,' zei ik.

'Nou ja, als je het zeker weet,' zei de vrouw aarzelend. 'Het is een heel eind.'

'Ik ga nu weg,' zei ik en schreef haar adres op.

Wendy keek me aan toen ik de telefoon neerlegde en door de woonkamer rondrende om mijn tas en mijn autosleutels op te grissen.

'Ik moet weg,' zei ik tegen haar. 'Die vrouw vertelde me dat Ben bij haar in Brighton zit.'

'In Brighton?'

'Ja. Volgens mij is hij het echt, want ze zegt dat die kat een chip heeft met al mijn gegevens.'

'Echt waar?'

'Ja.'

Ik pakte mijn telefoon om mam, Tor, Boy en Nob een sms'je te sturen waarin ik vertelde wat er was gebeurd. Howard kon wel op George passen, en als ik nu wegging, kon ik om een uur of halftien in Brighton zijn. Ik leek wel een kip zonder kop zoals ik daar rondrende.

Wendy keek me aan. 'Ik ga met je mee,' zei ze.

'Weet je het zeker?'

'Ja, natuurlijk, Ju. Ik laat je niet alleen gaan. Voel je je wel goed?' vroeg Wendy.

'Ja, volgens mij wel.'

Maar eigenlijk was ik daar niet zo zeker van. Want zie je, ik mocht dan nog zo opgewonden zijn en alles mocht dan nog zo positief klinken, vanbinnen bleef er toch nog een spoortje twijfel aan me vreten. Zou het werkelijk Ben zijn? Was hij het echt, na al die maanden en al die zoektochten? Hoe was hij in vredesnaam in Brighton terechtgekomen? Dat lag kilometers hiervandaan en Ben werd al zo lang vermist. De vrouw had geklonken alsof ze de waarheid sprak, maar misschien was het toch een truc. Als Ben echt door iemand was meegenomen, misschien wilden ze dan nu, vlak voor Kerstmis, nog een streek met me uithalen en hadden ze een andere kat gechipt met mijn gegevens. Ik zou het pas zeker weten als ik hem zag.

Ik rende naar boven om tegen George te zeggen dat ik weg moest.

'Er heeft een mevrouw gebeld,' zei ik, terwijl ik zijn kamer binnen liep. 'Ze denkt dat ze Ben heeft gevonden. Ik moet naar de kust rijden om te gaan kijken.'

Hij keek me aan. 'Hij is het toch niet,' zei hij. 'Het is weer een verkeerde kat.'

Ik wilde hem niet te veel hoop geven, dus ik ging er verder niet op in. George kon best gelijk hebben. Ik mocht hem niet al te blij maken, om die blijdschap vervolgens weer de bodem in te slaan.

'Papa blijft bij je en ik kom zo gauw mogelijk terug,' zei ik en holde de kamer weer uit.

Toen ik in de auto stapte, trilden mijn handen zo dat Keith voor mij het adres in de tomtom zette voordat Wendy instapte. We waren nog niet eens de straat uit toen mijn telefoon ging. Ik wist wie dat was: een van mijn familieleden.

'Praat jij maar met ze,' zei ik tegen Wendy.

Mam wilde weten of ik zeker wist waar ik naartoe moest, Nob wilde er zeker van zijn dat er iemand bij me was en Boy wilde weten of dit geen akelige grap was. Het enige waar ze het allemaal over eens waren, was dat ik vanwege de sneeuw Brighton nooit zou halen.

'We redden het best, hè, Wend?' zei ik toen we de snelweg op reden.

Ze glimlachte flauw.

Algauw sneeuwde het zo hard dat de ruitenwissers het bijna niet aankonden. Ik had nog nooit zo'n sneeuwbui meegemaakt. Ik moest afremmen, en met een vaartje van hooguit vijftig kilometer per uur kropen we over de M3 en sloegen vervolgens af naar de M25. Zodra we die bereikt hadden, drong het tot me door hoe slecht de omstandigheden waren. Er stonden verlaten auto's in de berm en andere zaten vast in sneeuwhopen. Ik boog me dieper over het stuur, vastbesloten om verder te gaan. Ik moest naar Brighton. Zelfs een sneeuwstorm kon me niet tegenhouden.

Wendy en ik zeiden geen woord en ik concentreerde me op de weg, maar ondertussen liep mijn hoofd om. Zou het Ben echt zijn? Dat kon toch niet? En als het wel zo was, waar had hij dan al die tijd gezeten? Zelfs toen ik heel even durfde te geloven dat het echt waar was en in gedachten ineens een foto van George en Ben voor me zag, zette ik alles vastberaden uit mijn hoofd. Ik kon nauwelijks geloven dat ik Ben na al die tijd werkelijk teruggevonden had... en dan zo ver weg. Ik bleef het gevoel maar houden dat dit allemaal weer een akelige grap was ten koste van George en mij.

We deden er vijf uur over om in Brighton te komen en de stad was uitgestorven toen we er rond middernacht aankwamen. Alles was bedekt met een dikke witte sneeuwdeken toen de tomtom me vertelde dat we in de buurt kwamen van het adres, en ik sloeg rechtsaf voordat het apparaat zei dat ik nog één keer naar links moest. Wendy en ik keken elkaar aan toen ik de bocht had genomen. De vrouw aan de telefoon had gezegd dat ze op een hoge heuvel woonde en ze had niet overdreven: het leek wel de Mount Everest die boven ons uittorende.

'Laten we het maar heel langzaam proberen,' zei Wendy en op hetzelfde moment begon de auto achteruit te glijden.

'Kreng!' riep ik.

'Het is geen Land Rover, Ju,' zei Wendy tegen me. 'We kunnen niet naar boven rijden.'

'Ik probeer het nog één keer.'

Maar terwijl de auto langzaam over de weg glibberde, wist ik dat ik het net zo goed kon opgeven. Ik vond een parkeerplaats en stapte verdoofd uit om de heuvel op te lopen.

'Heb je de auto afgesloten, Ju?' riep Wendy.

'Nee.'

Ik draaide me om, liep terug en deed de auto op slot voordat ik weer op weg ging naar boven. Ik zakte tot over mijn kuiten weg in de sneeuw. Ik had eigenlijk touwen en een ijsbijl nodig om er doorheen te waden.

'Heb je de kattenmand meegenomen, Ju?' zei Wendy.

Nee, die was ik vergeten. Ik liep terug om de kofferbak open te maken en de mand te pakken. Wendy nam hem van me over toen ik de auto weer op slot deed en opnieuw op weg wilde gaan.

'Heb je het adres?' vroeg Wendy.

Nee, dus.

Toen we eindelijk zover waren, begonnen Wendy en ik tegen de heuvel op te klauteren. Wendy maakte een kalme indruk, maar ik was er bijna van overtuigd dat ze inmiddels hoopte dat ik zelf ook zou verdwijnen. Het licht van de straatlantaarns glinsterde op de sneeuw terwijl we naar boven liepen, maar verder was alles aan de weg donker. Niemand had hier kerstlichtjes opgehangen. Dat leek vreemd, want bij ons in de buurt was dat heel gewoon. Maar een eindje verder naar boven zagen we een huis dat wel verlicht was. Het was van top tot teen versierd met kerstlichtjes die kleur en warmte aan de koude nacht gaven, en toen we de huisnummers aftelden, drong het tot me door dat dit het huis was waar we moesten zijn.

Wendy en ik liepen door een hekje naar binnen en bleven zwijgend staan kijken. Het huis was versierd met dezelfde kerstspullen die ik gebruikt had voor ons winterwonderland – een sneeuwpop, sterren en klokken – en overal twinkelden lichtjes, precies zoals vorig jaar bij mij thuis.

'Hij wilde met de kerst thuis zijn,' zei ik tegen Wendy toen we voor de deur stonden. 'Hij heeft dit huis uitgekozen, omdat hij de lichtjes herkende.'

Ik stak mijn hand uit om aan te bellen, maar aarzelde ineens toen ik een golf van paniek voelde opkomen. Ik wist niet of ik een nieuwe teleurstelling kon verwerken.

'Ik ben bang,' zei ik tegen Wendy.

'Dat weet ik wel,' zei ze. 'Maar dat hoeft niet.'

Ik slaakte een diepe zucht toen ik overmand werd door zowel angst als opwinding en tilde mijn hand op om aan te bellen.

Een vriendelijk uitziende man keek glimlachend op ons neer en achter hem zag ik een vrouw en een jong meisje in de hal staan.

'Jij bent vast Julia,' zei hij. 'Kom binnen. Ik ben Steve en dit zijn mijn vrouw, Alison, en onze dochter, Carla.'

Ze leken allemaal even blij om ons te zien en trokken zich er kennelijk niets van aan dat het al na middernacht was en dat twee wildvreemde vrouwen kwamen opdagen die per se die raadselachtige kat wilden zien.

'Carla heeft hem gevonden,' zei Steve en wees naar zijn kleine meid. 'Ze zag hem dag in dag uit bij ons in de tuin zitten en alleen maar naar het huis staren. Hij bleef zo lang doodstil zitten dat hij gewoon ondersneeuwde. En hij zag er zo ellendig uit dat Carla erop stond dat we hem binnenhaalden. Zo is ze van kleins af aan geweest: ze vindt altijd weggelopen huisdieren.'

Carla had golvend blond haar en leek een jaar of twaalf. Ze stond stralend te lachen toen hun hond, die zo groot was als een pony, me bijna omverliep.

'Willen jullie iets drinken?' vroeg Alison aan Wendy en mij.

'Nee,' zei ik zenuwachtig. Ik hoopte dat ik niet onbeleefd klonk, maar ik kon geen minuut langer wachten. 'Ik wil alleen ontzettend graag de kat zien.'

'Ja, natuurlijk,' zei Steve. 'Hij is in de serre. We hebben een mand voor hem gekocht en de verwarming aangezet, om er zeker van te zijn dat hij het niet koud zou krijgen.'

Terwijl Steve ons via de keuken naar de achterkant van het huis bracht, kon ik bijna geen voet meer verzetten. Mijn hart bonsde zo dat mijn borst er pijn van deed. Ik wist niet wat ik zou zeggen of doen als het Ben niet was. Ik bang dat ik dan gewoon op de grond zou gaan liggen om nooit meer op te staan. Ik had het gevoel alsof alle angst en alle hoop, alle twijfels en alle vertrouwen zich in dit ene moment samenpakten.

We kwamen bij de serre en ik keek door de glazen deur naar binnen. Er stond een mand in de hoek, maar er was nergens een kat te zien, toen Steve de deur opendeed en ik langzaam naar binnen liep.

'Baboe?' zei ik met trillende stem. 'Bennie Boe?'

Ik hoorde een geluid toen iets in de kattenmand bewoog en ineens kwam er een neus tevoorschijn. Een zwarte. Mijn hart begon nog harder te bonzen. De neus werd hoger in de lucht gestoken en ik zag de witte vlekjes eronder. In de vorm van een vlinder. Ik durfde nauwelijks adem te halen. Toen verscheen een zwarte kop en ik zag een wit slabbetje op de borst van de kat. Zou het echt waar zijn?

De kat draaide zich om en keek me aan, en het enige wat ik nog zag, waren zijn ogen: groot, groen en wijs.

'Ben!' snikte ik terwijl ik op mijn knieën viel en hij rende door de kamer naar me toe.

Ik spreidde mijn armen en het leek een eeuwigheid te duren voordat Ben erin sprong. Daarna voelde ik zijn gewicht op mijn armen en zijn zachte vacht die langs mijn gezicht streek, en ik wist dat hij het echt was. Terwijl ik Ben tegen me aan drukte alsof ik hem nooit meer los zou laten, kon ik nauwelijks geloven dat ik hem had gevonden. Maar zijn gewicht, zijn geur en het zachte gevoel van zijn vacht vertelden me dat het echt waar was. En toen Ben zijn pootjes om mijn hals sloeg en zijn snoet als een baby tegen me aan drukte, kon ik voelen hoe dik zijn vacht was en hoorde ik hem snorren als een leeuw, waarop ik in tranen uitbarstte.

'Baboe! Waar ben je toch geweest?'

Ben keek opnieuw naar me op en ik had het gevoel dat mijn hart uit elkaar zou barsten. Alle hoop en vertrouwen die ik had gehad waren zo geslonken dat ik me inmiddels had afgevraagd of mijn geloof in Ben wel terecht was geweest, mijn geloof in de liefde die ons op de een of andere manier weer bij elkaar zou brengen. Nu wist ik dat ik het bij het rechte eind had gehad: hij was weer terug. Ben lag in mijn armen en hij had zijn pootjes zo stijf om me heen geslagen dat ik dacht dat hij me nooit meer los zou laten. Ik durf te zweren dat hij naar me lachte toen ik hem aankeek met maar één gedachte in mijn hoofd: George.

'Bedankt,' zei ik tussen de snikken door tegen Steve, Carla en Alison, die bij de deur stonden. 'Ontzettend bedankt.' Ik keek Carla aan. 'Je zult nooit weten wat je hebt gedaan,' zei ik. 'Ik kan je niet genoeg bedanken.'

Ik drukte Ben opnieuw tegen me aan en hij miauwde van genot terwijl mijn tranen in zijn vacht drupten. Als het vinden van Ben een kerstwondertje was, dan was Carla de kerstfee die het allemaal mogelijk had gemaakt. Terwijl Ben begon te spinnen lachte ze me weer toe. Hij was veilig en gezond, precies zoals dat voor ons allemaal zou gelden nu hij weer terecht was. Mijn zoektocht was eindelijk voorbij. Nu moest ik hem alleen nog maar naar huis brengen, naar George.

Jullie geloven je oren niet als je hoort hoe we terugreden naar Londen. Ik moest zo snel mogelijk weer naar huis, omdat ik niet wilde dat George nog langer op Ben zou moeten wachten. Maar toen Wendy de tomtom opdracht gaf om ons via de kortste route terug te brengen naar Londen in plaats van op de snelste manier, stuurde dat ding me over zo'n beetje elk landweggetje in Sussex en we raakten volkomen de weg kwijt. We kwamen mensen met sneeuwschuivers tegen die zichzelf een weg door de sneeuwhopen probeerden te banen, anderen van wie de auto het opgegeven had en een politieman die zich afvroeg of we wel goed wijs waren om in dat kleine autootje van mij door die besneeuwde wildernis te rijden. En ondertussen zat Ben onafgebroken in de reismand op de achterbank te miauwen en ik vond het vreselijk dat ik hem na alles wat hij net achter de rug had weer meesleepte in zo'n avontuur.

Wendy en ik bleven er honderduit over praten terwijl ik reed. Waar had Ben al die tijd gezeten? Hij zag er veel te doorvoed uit om drie maanden lang zijn eigen kostje bij elkaar gescharreld te hebben. Hoe was hij over de snelweg naar Brighton gekomen en wie had er voor hem gezorgd? Dat had hij in zijn eentje vast niet klaar kunnen spelen, dus had iemand hem dan meegenomen? Maar terwijl ik daar met Wendy tijdens de lange rit naar huis over zat te praten, besefte ik al dat ik dat nooit zou weten. Het zou een onopgelost mysterie blijven, maar dat gaf niet, want Ben was weer terug en dat was het enige wat ik wilde.

Uren later kwamen we eindelijk in Hounslow aan en ik was op van de zenuwen toen Wendy nog één keer naar me glimlachte voordat ze haar eigen deur openmaakte. Toen ik mijn huis binnen liep, begon het me bijna te duizelen. Het was vier uur in de ochtend, maar ik wist dat George nog wakker zou zijn. Ik voelde mijn hart in mijn keel bonzen toen ik Ben uit de reismand haalde en met hem in mijn armen onder aan de trap ging staan.

'George?' riep ik. 'Hij is er weer. Ben is weer thuis.'

Ik hoorde iemand lopen en toen verscheen Georges gezicht boven aan de trap. Hij zag er onzeker uit, bijna bang.

'Hij is er weer, George. Ben is echt terug. Ik heb hem gevonden. Hij is weer thuis.'

George vloog de trap af en bleef plotseling op de laatste tree stokstijf staan. Hij staarde naar Ben die om zich heen keek alsof hij niet snapte hoe hij ineens weer terug kon zijn in het huis waaruit hij zo lang geleden was vertrokken. Daarna keek hij George aan en hun blikken kruisten elkaar, een stel groene en een stel blauwe ogen die elkaar vast aankeken.

'Baboe!' riep George uit. 'Waar ben je geweest?'

'Hij is op vakantie geweest,' zei ik met mijn kattenstem. 'Naar zee. Hij was heel moe in de auto, maar nu voelt hij zich weer prima.'

George zei niets en hij pakte Ben ook niet uit mijn armen. Hij stond daar maar te staren alsof hij niet kon geloven dat het echt Ben was. Het was net alsof George niet durfde te accepteren dat zijn vriendje na al die tijd weer thuis was, precies zoals hij had gehoopt. Er ging een rilling door mijn hart toen hij zich omdraaide.

Maar toen ging George voorzichtig op de grond liggen en keek naar me op. Ik zette Ben rustig neer en hij keek om zich heen voordat hij een stapje in de richting van zijn vriend nam, even bleef staan om de lucht op te snuiven en vervolgens voetje voor voetje naar hem toe liep.

George keek Ben alleen maar aan en voor het eerst sinds die afschuwelijke dag dat Ben vermist raakte, zag ik vrede in zijn ogen. Hij bleef doodstil liggen terwijl Ben zich bukte om aan hem te snuffelen, aan zijn gezicht, zijn haar en zijn kleren, voordat hij op zijn borst klom en ging liggen. De tijd stond stil toen George zijn armen om Ben heen sloeg en hem begon te aaien.

'Ben je aan zee geweest?' vroeg hij met een hoge, kroelende stem waarin opnieuw liefde en tederheid doorklonken. 'Je hebt gesurft en op een boot gevaren, hè? Dat weet ik best.'

Ik wachtte en vroeg me af of dat alles was wat hij in kattentaal zou zeggen. George bleef even stil voordat hij Ben aankeek en mijn hart sprong op toen hij ineens over zijn woorden struikelde. 'Heb je een emmertje met zand voor me meegenomen? Heb je ook gezwommen? Aan zee kun je ook patat met vis krijgen. Heb je daar ketchup bij genomen? En heb je Katie Price gezien? Die woont in Brighton. Heb je vissen gezien... massa's mooie vissen? Of was je zeerover op een groot schip? Volgens mij was je over de woelige baren aan het varen, daarom ben je nu pas thuisgekomen. Dat is toch zo, hè? Je zat op zee.'

De woorden klonken me als muziek in de oren toen ik naar George en Ben keek.

'Je bent een strandschuimer, Baboe!' giechelde George. 'Je hebt met een emmertje en een schepje gespeeld. Maar ze hebben in Brighton toch een kiezelstrand? Had de boot ook een misthoorn? Ben je op zee geweest en heb je de vissen gezien?'

Hij bleef maar praten en lachen terwijl hij Ben aaide en knuffelde en hem bedolf onder liefde, zoals hij altijd had gedaan.

'Hij woonde bij een meisje dat Carla heette,' zei ik.

'Echt waar?' vroeg George aan Baboe.

'Ja. Het was net een hotel. Hij had een lekkere warme mand en het huis was helemaal verlicht, net als het onze.'

Heel even betrok Georges gezicht. 'Daar wil ik niet over praten,' zei hij. 'Laten we daar maar nooit meer over praten. Ben is nu thuis. Thuis bij ons. En hij gaat nooit meer bij ons weg.'

Hij boog zich voorover om Ben een kus te geven en liet zijn vingers door zijn vacht glijden toen hij hem knuffelde. Ben spon van genot, voordat hij van Georges borst op de vloer sprong en door zijn voorpootjes zakte. Hij keek op naar zijn vriendje.

Kom op, George, laten we gaan spelen! Ik ben weer thuis en ik heb je echt ontzettend gemist.

Meteen daarna holde hij naar boven en George rende achter hem aan. 'We gaan verstoppertje spelen,' riep hij op de trap. 'Ben vindt het fijn dat hij weer thuis is, hè mam?'

'Ja, George, volgens mij wel.'

'Volgens mij ook.'

George rende verder naar boven en ik hoorde hem lachen terwijl hij met Ben speelde. Een vredig gevoel welde in me op. George was weer tot leven gekomen op het moment dat hij Ben onder ogen kreeg, precies zoals ik altijd had gedacht. Hij stond eindelijk weer voor me open, we waren weer samen, en nu Ben weer thuis was, verdween ook al het verdriet van de afgelopen drie maanden als sneeuw voor de zon. Ik liep de keuken in om de waterkoker aan te zetten, en terwijl ik stond te wachten keek ik naar de donkere lucht buiten en luisterde naar het lachen van George. Wat een heerlijk geluid.

Daarna hoorde ik voetstappen op de trap en hij kwam de keuken in rennen.

'Mam, kunnen we nu meteen alles gaan versieren?' vroeg hij. 'En kunnen we de boom neerzetten? Ben wil dat het meteen Kerstmis wordt.'

'Ja, maar ik heb nergens op gerekend,' zei ik lachend. 'Ik heb niets lekkers in de koelkast en ook geen cadeautjes om onder de boom te leggen.'

'Dat geeft toch niet,' zei George. 'Ik heb je al zo vaak verteld dat je net zo goed de cadeautjes van vorig jaar weer in kunt pakken.'

Hij rende weer weg en ik draaide me om en liep achter hem aan. Ben was thuis, we waren weer samen, en toen ik boven aan de trap kwam, stonden ze samen op me te wachten. Ik begon te lachen toen Ben mijn slaapkamer in vloog, op het bed sprong en er net zo snel weer af stuiterde. Hij was net zo opgewonden als George en ik.

'Mam?' zei George toen ik op de overloop stond en me afvroeg hoe ik in vredesnaam alles op tijd klaar moest krijgen.

'Ja, George?'

'Volgens mij wordt dit de fijnste kerst die we ooit hebben gehad.'

'Echt waar?'

'Ja.'

Epiloog

Terwijl George de kerstboom optuigde en Ben ronddrentelde alsof hij nooit weg was geweest, begon ik na te denken over alles wat er was gebeurd: de tranen en de twijfels, de slapeloze nachten en de zorgen. En terwijl ik naar George en Ben keek, was ik ineens zeker van iets waaraan ik altijd had getwijfeld. Vanaf het moment dat George werd geboren had ik nooit het gevoel van me af kunnen zetten dat ik hem tekortdeed. Want ik liet hem niet opgroeien in een normaal gezin, met een vader en een moeder die getrouwd waren, en ik kon hem ook niet de fijne jeugd geven waarvan ik zelf zo had genoten. Maar toen Ben vermist raakte, was het eindelijk tot me doorgedrongen dat George wel degelijk een gezin had. Dat het toevallig anders van samenstelling en omvang was dan ik gewend was, maakte het er niet minder om. Ben, George en ik vormden een gezin, en dat was wel degelijk volledig.

Inmiddels is er een jaar voorbij, we wonen nog steeds in Hounslow en het leven gaat weer zijn vertrouwde gangetje: George is veertien geworden en zit op school en we lachen, praten en spelen samen met Ben, die de rest van de tijd lekker in het prieeltje zit te zonnen of honden wegjaagt. Zodra hij weer thuis was, werd ons leven weer precies zoals het was geweest. George begon me weer te knuffelen en over genegenheid te praten. Tegenwoordig heeft hij het daar steeds vaker over, bijvoorbeeld door te zeggen dat hij van me houdt als we samen grapjes maken of dat Ben van me houdt. Iedere keer als hij dat zegt, voel ik me een echte geluksvogel.

En wat mij betreft? Nou, ik ben nog steeds een soort dierendetective. Een paar dagen nadat Ben weer thuis was gekomen, werd ik gebeld door een vrouw in Devon. Haar kat, Numpty, was verdwenen toen zij met haar gezin in Hounslow was om de kerst bij haar moeder door te brengen en ze had hem ook meegenomen. De vrouw was achter mijn naam gekomen omdat een van mijn posters bij haar moeder op de koelkast hing.

'Waar moet ik beginnen?' vroeg ze. 'Ik moet over twee dagen weer naar huis en ik weet niet waar ik hem moet zoeken.'

Hoe kon ik nee zeggen, terwijl ik zelf net Ben weer terug had en me nog zo levendig herinnerde hoe verdrietig ik om zijn gemis was geweest? Ik zei tegen de vrouw dat ik zou doen wat ik kon.

'Het is fijn dat je hen helpt, want het gezin van Numpty moet waarschijnlijk net zo hard huilen als wij,' zei George toen ik de posters uitprintte. 'Ze zijn vast heel verdrietig.'

Het kostte me negen weken om Numpty te vinden, maar het lukte me uiteindelijk wel. Een bejaard echtpaar had hem gevonden en gevoerd terwijl hij ergens rondzwierf en ze herkenden de foto op een van mijn nieuwe posters. Ik trof Numpty lekker languit op de bank aan, alsof hij in een vijfsterrenhotel logeerde.

Op dit moment ben ik op zoek naar Samba en in de tussentijd doe ik vrijwilligerswerk bij een paar asiels door katten naar de dierenarts te brengen, of bij mensen thuis op bezoek te gaan om te zien of ze geschikt zijn om een huisdier op te nemen. Dat vind ik leuk werk, maar ik weet dat ik ook zal blijven zoeken naar weggelopen katten. Ik begrijp immers precies wat die betekenen voor de mensen die van ze houden. Ons leven veranderde helemaal toen we Ben kwijtraakten – en hetzelfde gebeurde toen hij weer terugkwam – en ik zal het gezin dat hem uiteindelijk hielp om weer thuis te komen eeuwig dankbaar blijven.

En nu ik jullie het hele verhaal heb verteld is er nog iemand die graag iets over hemzelf en over Ben aan jullie kwijt wil.

Ben houdt van eten en lekkere dingen. Hij vindt het fijn om mee te doen als ik probeer te springen. Dan komt hij ook op de trampoline. Als ik spelletjes doe op de computer zit hij op mijn schoot en pikt stiekem chips uit mijn schaaltje. Hij wil zelfs eten als ik eet. Ben kan niet jokken. Hij houdt aldoor van ons. Hij is nooit verdrietig. Maar soms vindt hij het leuk om mijn mam te bijten. Dat vind ik leuk. Het is grappig. Hij vindt het ook leuk om ondeugend te zijn, net als ik. Ben is lief en vindt het heerlijk als ik hem aanraak. Hij spint. Hij vindt het altijd fijn als ik bij hem ben en ik praat kattentaal met Ben, omdat hij daardoor het gevoel krijgt dat hij erbij hoort. Het is lollig en ik zit ook graag achter hem aan, en als ik hem dan roep, rent hij weg. Dat is grappig. Als ik kats spreek, word ik vanzelf blij en opgewonden. Kattentaal geeft mij en mijn moeder en Ben echt het gevoel dat we bij elkaar horen. Het maakt mij blij en we zijn ook dol op al die avonturen die Ben beleeft. Mijn moeder vertelt me verhalen over hem en ik vertel nog mooiere. Die van mam zijn grappig.

Toen Ben vermist werd, dacht ik dat hij dood was. Gewoon dood, weg. Ik weet niet waarom gewoon dood. Mijn moeder ging hem zoeken en allerlei mensen belden op en maakten dat mijn moeder moest huilen. Het leek net of het huis leeg was. Ik had niemand meer om mee te spelen, en als ik in mijn kamer zat, miste ik hem. De tranen stroomden zomaar uit mijn ogen en het deed pijn als ik eraan dacht dat hij er niet meer was. Iedere dag als ik in mijn bus stapte, zei mam dit: 'Maak je geen zorgen. Ik ga de hele dag op stap om Ben te zoeken.' Ik miste dat ik niet meer met hem kon praten, en iedere dag als ik wakker werd, lag hij niet in zijn stoel. Het is zo fijn dat hij weer thuis is. Hij maakt dat ik me prettig voel.

Dingen die ik fijn vind:

Xbox – het is leuk om te praten met mensen die ik niet kan zien. Ik zou ze ook niet willen zien. Sommigen zijn elf en sommigen zijn vijfenvijftig. Ik vind het fijn als ze zeggen dat ik goed ben. Zij denken dat ik echt een normaal kind ben. Ik vertel niemand dat ik speciale zorg nodig heb. Dan zouden ze me uitlachen. Maar ik maak wel eens spelfouten. Ik noemde iemand een beest, maar ik bedoelde de beste en toen zeiden ze dat ik stom was. Maar ik ben de beste speler.

School – In het begin vond ik er niks aan, want ik kende de mensen om me heen niet en de onderwijzers ook niet. Het duurde een tijdje voordat ik aan ze gewend was en ik keek niemand aan en probeerde ook niet om te praten. Ik vond de stoelen niet fijn. Die maken dat je rechtop moet zitten en ik vind ze nog steeds niet fijn, net als het uniform en de geur van schoolmaaltijden. Maar ik ben dol op mijn school en ik wil er zo lang mogelijk op blijven zitten. Ik vind mijn school de fijnste plek die er is.

Glimmende oorbellen, water en zwemmen, snoepjes waar je heel lang mee doet, het London Aquarium, pepermuntkoekjes bakken omdat ik dat zo goed kan, documentaires over dieren, magneten, chocola met sinaasappelsmaak.

Weten hoe laat het is, zodat ik weet hoeveel uur ik nog heb.

Mijn bed, maar ik vind het niet leuk om te gaan slapen.

Dingen waar ik niet van hou, zijn:

Leugenaars.

Mensen die een gezicht trekken als ze je aankijken.

Schreeuwen maakt me onrustig.

Kleine kamertjes.

Mensen die naar Wotsits of koffie ruiken.

Grapjes, want die begrijp ik nooit en als mensen ze maken snap ik er helemaal niks van.

Mijn moeder als ze naar de grond kijkt en luid begint te zuchten of als ze geen antwoord geeft als ik iets vraag en dan zegt dat ze zit na te denken.

Als mensen zeggen 'wat zie jij er vrolijk uit' omdat mam zegt dat ze dat zeggen als ik niet lach en me toch vanbinnen vrolijk voel, maar de mensen zeggen het toch.

Ik weet dat ik me soms anders gedraag. Ik probeer me aan te passen, en als dat niet lukt, word ik daar verdrietig van. Op school zou ik nooit huilen of mijn gevoelens tonen. De mensen begrijpen me niet. Ik wil wel kijken of praten, maar dan komt het er niet uit of het komt er fout uit. Als ik vanbinnen blij ben, kan ik niet lachen. Ik laat het liever niet merken, omdat ik me anders misschien aanstel. Een boel mensen hebben me uitgelachen en dat maakt me verdrietig. Maar dan vertelt mijn mam me hoe goed ik alles kan en dat ik speciaal ben. Mijn mam maakt dat ik me fijn voel. Ze zegt dat we allemaal anders zijn en dat we van alles een beetje mee hebben gekregen. Ik zeg altijd de waarheid, maar soms vinden mensen dat kwetsend. Mam zegt dat we na moeten denken voordat we iets zeggen en dat kan ik nu al veel beter. Al heb ik mijn moeder niet nodig om dat voor me te bedenken.

Dit zijn de mensen die ik ken:

Michelle – Ze rook lekker naar waspoeder en maakte me blij. Ze zei altijd: 'Wil je iets te drinken, George?' Ze had overal in haar flat foto's van Ricky en Ashley toen ze nog klein wazzen. Michelle hield alleen van sportschoenen. Ze had vijf paar. Ze hield van spijkerbroeken en at geroosterd brood.

Arthur – Hij was mijn vriend en kwam elke dag bij me aankloppen. We voetbalden of speelden op de trampoline. Zijn moeder was klein en hun hond Jedi kwijlde.

Oma Zena – Zij is de moeder van mijn papa en ze heeft een clownbeer voor me gemaakt toen ze nog kon breien. Nu is ze blind en kan niet meer breien.

Oma Carol – Zij is de moeder van mijn mam en was de eerste die me vasthield nadat ik was geboren. Ze is een bejaarde met een pasje voor de bus en nu ze dat pasje heeft gaat ze net doen alsof ze een tiener is. Ze houdt van taarten met slagroom. Ze kan een hele verjaardagstaart op.

Papa – Hij gaat met me zwemmen en speelt computerspelletjes net als ik.

Lewis – Hij is lief, heel aardig en een goeie danser. Mam zegt altijd: 'Zul je goed op George passen?' als we samen naar buiten gaan, maar het is precies andersom want ik moet juist op hem passen.

Nob – Hij is streng maar aardig.

Boy – Hij is heel ontspannen.

Sandra – Ze krijgt aldoor baby's.

Tor – Ze ziet er net zo uit als mijn mam, maar dan anders.

Dell – Hij is de man van Tor en hij is echt Mr. Cool.

Wendy – Haar gezicht blijft de hele dag hetzelfde. Ze verandert niet. Ze zegt: 'Hallo George.'

Mijn mam – Voordat Ben kwam, wilde ik van niemand houden. Ik wist niet wat houden van was. Eigenlijk dacht ik er nooit over na. Ik weet alleen nog dat ik wel wist dat mijn moeder er was om voor me te zorgen. Maar dat is nu heel anders.

Dat was dus George in het kort. Er is zoveel meer over hem te vertellen en Ben is degene die hem hielp om dat allemaal naar buiten te brengen. Natuurlijk is dit geen verhaal over een magische kuur tegen autisme. Het is wel ons verhaal over de magie die Ben aan George schonk door te laten zien dat hij niet alleen speels was en over humor beschikte, maar vooral ook dat hij genegenheid kon tonen. Ben heeft ons leven voor altijd veranderd. George zal het in veel opzichten altijd zwaar hebben, maar ik ben ervan overtuigd dat de liefde die hij voor Ben voelt – en de manier waarop dat hielp om George en mij zoveel dichter bij elkaar te brengen – ons allebei heeft gered. Als Ben om een bepaalde reden is weggehaald, dan was dat om ons te tonen hoe krachtig de liefde in George is, want zonder Ben was hij verloren. Met Ben heeft hij een middel, een stem en een manier om de wereld te laten zien hoeveel goeds er in hem schuilt.

Toen we Ben kwijtraakten, besefte ik ook dat ik me moet voorbereiden op de dag dat hij ons voorgoed zal verlaten en te oud of te ziek wordt om nog bij George te blijven. Vandaar dat ik nu al af en toe tegen George zeg dat Ben misschien op een dag een jong poesje zal krijgen. Hij schijnt ervan overtuigd te zijn dat dat best kan, want alles is mogelijk als het om Ben gaat. Op een goeie dag – die niet meer zo lang op zich zal laten wachten – zal ik een jong poesje mee naar huis brengen en tegen George zeggen dat het Bens zoon of dochter is. Ik hoop dat hij daar dan ook van zal leren houden, net zoals dat met Ben het geval was.

Voorlopig concentreer ik me op de dagen zoals ze zich aandienen. Sommige brengen meer moeilijkheden mee dan andere, maar doorgaans ben ik echt ontzettend trots op George en alles wat hij heeft bereikt. Hij kan lezen en schrijven, hij zorgt voor zijn klasgenootjes en hij is een schat van een jongen die zich bekommert om het milieu en de mensen om hem heen. Ik kan eerlijk stellen dat George echt de beste zoon is die een moeder zich kan wensen en ik hou van elk aspect van zijn persoonlijkheid. Hij is absoluut uniek en meer kan een moeder niet wensen.

Dankbetuiging

Ik wil met name mam, Tor, Nob, Boy, Lewis en de rest van mijn familie bedanken: jullie hebben je naar al mijn plannetjes geschikt en me vanaf het begin voortdurend liefde en steun gegeven. Zonder jullie zou ik niets kunnen beginnen.

Mijn dank gaat ook uit naar alle mensen die George in het verleden hebben geholpen en dat tot op de dag van vandaag nog steeds doen – Andy Leigh, Wendy Vogel, Michael Schlesinger, juf Proctor, juf Bashin, meneer Classon en meneer Thurman – plus iedereen van Marjorie Kinnan – mevrouw Adams, mevrouw Ward, mevrouw Nagel en alle andere stafleden. Jullie hebben ervoor gezorgd dat de wereld van George een stuk vrolijker is geworden.

Het is echt onmogelijk om alle mensen die me hebben geholpen bij mijn zoektocht naar Ben bij naam te noemen, maar ieder telefoontje en iedere steunbetuiging, of die nu van een vreemde of van een vriend kwamen, werden bijzonder op prijs gesteld. En dat geldt met name voor Wendy, Keith, Nikki en Kayleigh; Alison, Steve en Carla; Tracy, Anne en Eliza; de staf van het dierenasiel in Twickenham; Norma Mackie; en Pat Cole en Jessica Thompson van de *Hounslow Chronicle*. En ik moet ook Mavis, Monty en Socks bedanken. Ik weet dat jullie Prudence ontzettend missen.

Ten slotte bedank ik Laetitia Rutherford uit het diepst van mijn hart omdat ze me heeft weten te vinden, iedereen bij Harper-Collins omdat ze geloof hechtten aan mijn verhaal, en Megan Lloyd Davies; zij zorgde ervoor dat ik moest lachen toen ik het vertelde.